Forststatistik Von Würtemberg
by Wilhelm Von Tessin

Address:
HardPress
8345 NW 66TH ST #2561
MIAMI FL 33166-2626
USA
Email: info@hardpress.net

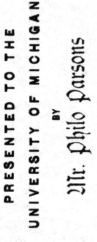

Forststatistik

von

Würtemberg,

entworfen

von

Wilhelm von Tessin.

Mit einer geognostischen Forst-Charte von Würtemberg.

Tübingen,

in Commission bey Christian Friedrich Ostander.

1823.

Vorrede.

Besonders wichtig für den Staats- und Forstwirth ist neben zweckmäßig angestellten Reisen, die
nähere Kenntniß der Forststatistik des Inlandes.

Ohne diese bereiset der Forstmann zu seinem
und des Vaterlandes großen Schaden und Nachtheil
das Land ohne alle Vorbereitung. Die Forststatistik des Vaterlandes muß genau studirt werden, be-
vor man dasselbe bereisen kann. Sie macht speciell mit der Lage, den Grenzen, der Größe, den
Gebirgen, Flüssen und Seen, dem Klima, der
Fruchtbarkeit und Cultur des Bodens, der Zahl der
Einwohner, den Produkten der Waldungen aus

X

allen drey Naturreichen, mit der Fabrikation, insbesondere der Waldprodukte, mit dem Handel, vorzüglich mit dem Holzhandel, mit den Unterrichtsanstalten für das Forstpersonal, mit der Forstverfassung, mit der Forststaats- und Forstprivat-Wirthschaft, mit dem reinen Ertrag der Waldungen u. s. w. auf das genaueste bekannt, und dient zugleich dem vaterländischen Forstmann zur besten Vorübung für ausländische Reisen. Die vaterländische Forststatistik bereitet sehr zweckmäßig zu einer Reise in das Ausland vor, man weiß besser zu fragen, alle Materialien zu ordnen, das mehr Wichtige von dem minder Wichtigen zu unterscheiden u. s. w.

In dieser Hinsicht ist zur Zeit dem würtembergischen Forstmann noch wenig vorgearbeitet, und so sehr der Verfasser dem Ziele einer gründlich bearbeiteten Forststatistik sich zu nähern strebte, welche neben der speciellen Nützlichkeit, auch der allgemeinen Statistik des Landes wieder Materialien zur Hand liefert, um aus ihnen allgemeine Resultate ziehen zu können — so war es ihm bey dem Mangel an Unterſtützung, und den deßwegen mit dem Werke verbundenen großen Schwierigkeiten doch nicht möglich, dieſes Ziel nach ſeinem Wunſche zu erreichen, und dem längſt gefühlten Bedürfniß vollkommen zu entſprechen.

Die Literatur, welche der Verfaſſer für ſein Werk mehr oder weniger benuzt hat, iſt:

Höslin (Pfarrer M. J.) Beſchreibung der würtembergiſchen Alp mit landwirthſchaftlichen Bemerkungen. Tüb. 1798.

Sponeck (Graf von) der Schwarzwald. Heidelberg 1819.

Seutter, (J. G. von) Abriß der gegenwärtigen Forſtverfaſſung Würtembergs. Stuttgart 1820.

Memminger, (J. D. G.) Geographie und Statiſtik von Würtemberg. Stuttgart und Tübingen 1820.

Die forſtliche Notizen aus Oberſchwaben und die Forſtcharte hat Herr Forſtkandidat Rogg geliefert.

Zum Schluſſe bittet der Verfaſſer noch beſonders, diese Schrift weniger nach Einzelnheiten, als nach ihrem Gehalte überhaupt, zu beurtheilen. Die einzelnen Mängel sind dem Verfasser nicht entgangen, und es wird kein gegründeter Tadel ihm wehe thun, dem es mehr um die Wissenschaft, als um sich selbst zu thun ist.

Tübingen im Sommer 1822.

Der Verfasser.

Inhalt.

Erste Abtheilung.

Geographische. Verhältnisse.

Dritte Abtheilung.

Zustand des Forstwesens.

Geographische Verhältnisse.

Erste Abtheilung.

1) Lage, Gränzen und Größe der würtembergischen Lande.

Würtemberg breitet sich von 25° 50' bis 28° 9' geographischer Länge, und von 47° 35' bis 49° 36' nördlicher Breite, zwischen andern Staaten aus.

Mit seinem östlichen Theile wird es von Baiern, und mit seinem westlichen Theile von Baden begrenzt, so daß diese beiden Staaten im Norden sich berühren und im Süden nur durch eine kleine Strecke am Bodensee von einander getrennt sind; durch diese Strecke aber wird es ein Grenznachbar der Schweiz. Gegen Norden steht Würtemberg mit dem abgesonderten Punkte Wimpfen von Hessendarmstadt und nach Süden mit den Fürstenthümern Hohenzollern, die es größtentheils umschließt, in Berührung.

Die bedeutendste natürliche Grenze macht die Iller, die Würtemberg in einer Strecke von ohngefehr 6 Meilen von Baiern trennt.

Sonst aber fehlt es dem Lande ganz an natürlichen Grenzen. Würtembergs Flächeninhalt beträgt überhaupt 355½ Geviertmeilen oder 6,216,875 würtembergische Morgen.

2) Bestandtheile.

Würtemberg besteht aus dem alten Herzogthum, welches ungefehr 134 □ Meilen davon ausmacht, und aus den unter König Friedrich erworbenen neuen Ländern, wovon ein Theil seine besondere der Landeshoheit unterworfene Herren hat, welche ehemals unmittelbare deutsche Reichsstände waren.

3) Eintheilung.

Eine natürliche Eintheilung war ehemals die in das Land ob und unter der Steig, (Weinstaig bei Stuttgardt) oder auch in Ober = und Unterland. Diese Eintheilung paßt aber jetzt bei dem größern Umfang des Landes nicht mehr. Die geographische Eintheilung richtete sich übrigens gemeiniglich und richtet sich noch jetzt nach der politischen und bürgerlichen Eintheilung in Oberämter, deren das Königreich dermalen 63 enthält, welche unter 4 Kreise, nämlich den Neckarkreis, Schwarzwaldkreis, Jaxtkreis und Donaukreis getheilt sind.

4) Gestalt und Gebirge des Landes.

Würtemberg ist ein bergiges, mit nur wenigen Ebenen, die nirgends von Bedeutung sind, versehenes Land, welches eine von Süden nach Norden länglicht sich ausdehnende Gestalt hat. Seine größte Ausdehnung von Süden nach Norden beträgt gerade 30 Meilen oder 2 Grade, seine weiteste Ausdehnung von Osten nach Westen aber 20—21 Meilen. Uebrigens ist Würtemberg ziemlich abgerundet, und nur gegen Süden greifen die Hohenzollernschen, und gegen Nord=

weſt die Großherzoglich Badiſchen Lande etwas ſtö= rend ein.

Würtemberg hat ſeine ſtärkſte Abdachung gegen Norden, und ſeine meiſten Flüße ziehen mit dem Neckar nordwärts, daher auch der nördlich gelegene Theil das Unterland, und der ſüdöſtliche das Ober= land genannt wird. Das Donaugebiet, welches ſich mit dem Laufe des Flußes nach Oſt und Nordoſt ſenkt, und die obere Hälfte der oberſchwäbiſchen Lan= den, welche nach Süden abhängig ſind, und ihre Gewäſſer in den Bodenſee ſchicken, machen von dieſer Abdachung Ausnahmen. Höher als der größte Theil des Landes liegt der Bodenſee, deſſen Gewäſſer ſich daher auch mit dem Rhein wieder nach der Haupt= abdachungslinie, dem Norden zuziehen, der Grund der angegebenen Hauptabdachung des Landes jenſeits des Bodenſees aber liegt in den höhen Alpen der Schweiz.

Würtembergs Gebirge gehören nicht zu den be= trächtlichſten, aber immer zu den beträchtlichern in Deutſchland; nirgends erreichen dieſe Gebirge die Schneelinie, und faſt durchgängig ſind ſie bis auf die Höhen nicht nur bewachſen, ſondern auch angebaut.

Zu dieſen Gebirgen gehören:

a) Der Schwarzwald, ehemals Silva Martiana, welcher ſeinen Namen wahrſcheinlich von ſeinen Nadel= hölzern, die man auch Schwarzhölzer nennt, hat, iſt zum größern Theil badiſch.

(Der großherzoglich Badiſche Antheil enthält 400.303 Rh. Morgen, der königl. Würtembergiſche Antheil des Schwarzwaldes aber 311,665 Rh. Mrgn.) Dieſes Waldgebirge bildet eine mehr oder weniger rauhe Kette, die aus mehreren Haupttheilen zuſam=

mengeſetzt iſt, welche durch bewäſſerte Thäler vorzüglich entſtehen. Das Ganze des Schwarzwaldes zieht
ſich von Norden nach Süden meiſt aufſteigend hin,
und ſeine ganze Länge ſchätzt man in ſeiner größten
Ausdehnung von Pforzheim bis Baſel auf 18, ſeine
Breite aber von Oſten nach Weſten, wo ſie den meiſten
Umfang hat, in der obern ſüdlichen Gegend, mag 6 —
8 Meilen, die mittlere Breite aber in dem untern
nördlichen Theile 3 Meilen betragen. Das würtembergiſche Gebiet wird in der Gegend von Rotweil
und Schramberg vom Schwarzwalde berührt, und
zieht ſich von da über Freudenſtadt, Altenſtaig, Wildbad, Neuenbürg nach Pforzheim hinab. Unter dem
ſüdlichen Theil des Schwarzwaldes wird der obere,
und unter dem nördlichen der untere Schwarzwald
verſtanden.

Der untere Schwarzwald iſt im Ganzen genommen
wilder und unfruchtbarer als der obere, man verſteht
unter jenem insbeſondere denjenigen Theil, der zwiſchen
der Kinzig im Süden, den Quellen der Alb und Pfinz
im Norden, der Rheinebene im Weſten und der Nagold im Oſten gelegen iſt. Das Kinzigthal iſt die
Grenzſcheide zwiſchen dem obern und dem untern
Schwarzwald, und das beträchtlichſte unter allen
Thälern des Schwarzwaldes.

Die höchſten Punkte des Schwarzwaldes, der Feld-
berg im Breisgau, mit 4610 Pariſer Fuß, oder 5227
würtemb. Fuß Höhe, und der Belchen mit 4355 Pariſer
Fuß oder 4938 würtemb. Fuß Höhe, ſo wie der Blauen,
Berg bei Badenweiler, mit 3597 Pariſer Fuß oder
4078 würtemb. Fuß Höhe über der Fläche des mittel-
ländiſchen Meeres, liegen auſſer der würtembergiſchen
Grenze, und die höchſten Punkte des würtembergiſchen

Schwarzwaldes sind der **Roßbühl** und der **Knie-bis**, wovon der erste 2925 Pariser Fuß oder 3316 würtemb. Fuß, der letztere aber 2560 Pariser Fuß oder 2903 würtemb. Fuß über der Meeresfläche liegt. Im Durchschnitt kann für das Hochland des Schwarzwaldes ungefehr eine Höhe von 3000 — 3500 Pariser Fuß angenommen werden.

Der nördliche Theil von Pforzheim bis zum Murgthal und bis zu Freudenstadt, hat jedoch diese Höhe, mit Ausnahme des sogenannten Kaltenbronnen (badischen Jägerhauses) nicht.

Auf dem Schwarzwalde des würtembergischen Antheils sind durch ihre Aussicht berühmt: der Roßbühl auf dem Kniebis, der Dobel, die Bergkuppen an der Murg und zwischen Herrenalb und Gernsbach.

Unter die höchsten angebauten Punkte des Schwarzwaldes gehört der Dobel, mit 2192 Pariser Fuß, oder 2485 würtemb. Fuß über der Fläche des mittelländischen Meeres, und Dornhan mit 2239 Pariser Fuß oder 2538 würtemb. Fuß Höhe. Freudenstadt, welches nur um 17 Pariser Fuß tiefer liegt als der Dobel, hat noch Obstzucht, während auf dem Dobel die Winterfrucht nicht gut mehr fort will, und an Obstzucht gar nicht mehr zu denken ist.

Es entspringen auf diesem langen Gebirgszuge in dem Schwarzwalde folgende Gewässer, als: die Donau, die Wuttach, die Schwarzach, die Wehr, die Cander, die Wiesen, die Treisam, die Elotter, die Elz, die Guttach, die Schutter, die Kinzig, die Schiltach, die Eschach, die Breg und Brigach, aus deren Vereinigung die Donau entsteht, ferner die Glatt, die Murg, die Enz, die Nagold, die Alb, die Tеinach und mehrere andere weniger bedeutende.

Diese Gewässer geben den Thälern, in denen sie fließen, meistens ihren Namen.

Der Schwarzwald ist mehr ein für sich bestehendes Gebirge, welches mit den Schweizeralpen in keiner nähern Verbindung zu stehen scheint. Es erhebt sich zuerst am Rhein als ein eigenes Gebirge. Zwischen ihm und dem Urgebirge der Schweiz ist noch ein großer Flächenraum auf Flözgebirge, die sogenannte ebene Schweiz. Die Vogesen auf der entgegengesetzten Seite des Rheins zeigen keine unmittelbare Verbindung mit dem Schwarzwalde, sind jedoch aus ähnlichen Urgebirgsarten gebildet, und ziehen sich dem Schwarzwalde entsprechend ebenfalls von Süden nach Norden. Nördlich geht der Schwarzwald deutlich in die Gebirgsart des benachbarten Odenwaldes über, und endet dort als ein für sich bestehendes Gebirge. Der gewöhnliche Sandstein und ältere (blaue) Kalk gehen in vielen Richtungen in die Gebirgsart der benachbarten Länder über.

b) Die Alp oder Alb (Alpes suevicae) hat ohne Widerspruch diese Benennung von den Römern, die nach der Geschichte schon zu den Zeiten des Julius Cäsar in diesen Gegenden angesessen waren, und alle hohe Gebirge Alpen nannten. Die Alp liegt ganz innerhalb der Grenzen von Würtemberg und gehört, mit Ausnahme des kleinen Hohenzoller'schen Antheils, ganz zu Würtemberg. Diese Alp schließt sich unter Vermittelung der Baar bei den Quellen des Neckars unter einem spitzigen Winkel in der Gegend von Rotweil und Sulz an den Schwarzwald an. Von da zieht sie sich nordöstlich in einer Länge von 16 — 18 Meilen, und in einer abwechselnden Breite von 2 — 4 Meilen zwischen dem Neckar und der Donau über Ebingen durch das Hohenzoller'sche und von da über Haingen, Münsingen, Blaubeuren, Geißlingen, Heidenheim bis in die Gegend von Bopfingen hin. Ausgedehnter als die hier angegebene Grenzen aber sind die natürlichen Grenzen der Alp, obschon die hier angegebenen Grenzen noch weiter sind als die, welche man im gewöhnlichen Sprachgebrauch die Alp nennt. Nach dem gemeinen Sprachgebrauch wird nur der Theil des Gebirgs die Alp genannt, welcher sich von Winterlingen und Ebingen an bis Geißlingen und Alpeck erstreckt, und nordwestlich an Bahlingen durch das Hohenzoller'sche, an Pfullingen, Reutlingen, Mezingen, Neuffen, Weilheim, Wiesensteig, Geißlingen hinzieht. Precairer noch als die Grenzbestimmung ist die Eintheilung der Alp. Gemeiniglich unterscheidet man zwischen rauher Alp, Hochsträß und Albuch, allein diese Unterschiede bezeichnen mehr einige Gegenden als eine vollständige Eintheilung des Ganzen. Unter rauher Alp versteht man nämlich die Gegend von der Lauchart an bis Zainingen, die Alp im engsten Sinne; unter Hochsträß (eine von einer alten Römerstraße herrührende Benennung) die Gegend von Blaubeuern, und unter Albuch die hohe Gebirgs-Ebene zwischen Aalen, Heidenheim und Weissenstein, an dem rechten Ufer der Brenz. Von Lauchheim und Kapfenburg nach Neresheim hin, tritt die Benennung Herdtfeld ein.

Die Unterabtheilung in vordere und hintere Alp, die hauptsächlich die rauhe Alp trifft, ist am unbestimmtesten. In jeder Gegend wird anders unterschieden; unter vorderer Alp versteht man am natürlichsten den vorwärts gegen den nördlichen Rand des Gebirgs gelegenen Theil, besonders zwischen dem

Pfullinger (Oberamts Reutlingen) und dem Neidlinger (Oberamts Kirchheim) Thal, und unter hinterer Alp das, was rückwärts und hauptsächlich rückwärts von dem Ursprung der Erms gelegen ist.

In einzelnen Punkten ist die Höhe der Alp geringer als die des Schwarzwaldes, jedoch kommt sie dieser in ihren Flächen, die im Durchschnitt ungefehr 2000 Pariser Fuß sich über die Meeresfläche erheben, ziemlich gleich, und auch die einzelnen Punkte geben denen, die auf dem würtembergischen Antheil des Schwarzwaldes als die höchsten angegeben werden, nicht nur nichts nach, sondern übertreffen sie noch. So mißt z. B. der Roßberg 2679 Par. Fuß, oder 3038 würtemb. Fuß; ähnliche Höhen hat der Sternenberg bei Offenhausen, der Farrenberg bei Münsingen, der Gukenberg und die Buchhalde bei Graveneck; das Oberbörnle bei Onstmettingen mißt sogar 2911 Par. Fuß oder 3300 würtem. Fuß, folglich nur 14 Par. Fuß oder 16 würt. Fuß weniger als der Roßbühl, der höchste Punkt des würtembergischen Schwarzwaldes. Selbst das Dorf Winterlingen liegt in einer Höhe von 2385 Par. Fuß, oder 2704 würt. Fuß. Der Schaafsberg auf dem Heuberg, dessen höchste Spitze mit Ahorn, Linden und Fichten freudig bewaldet ist, übertrifft den Roßbühl des Schwarzwaldes um 196 Par. Fuß an Höhe; und auch die Ruine des Schlosses der Grafen von Hohenberg liegt um 235 Par. Fuß höher als der höchste Punkt des würt. Schwarzwaldes. Das Gebirge senkt sich auf seinem Zug nach Nordost, jedoch hat die Erdfläche, auf der das Dorf Bartholomä im Aalbuch liegt, wieder 2181 Par. Fuß oder 2473 würtem. Fuß Höhe.

Die Alp und der Schwarzwald unterscheiden sich

als Gebirge nicht nur durch ihre innere Beschaffenheit, sondern auch durch ihre äussere Gestalt und ihre Vegetation. Die Alp trägt hauptsächlich Laubholz und der Schwarzwald Nadelholz. Die Alp bildet mehr eine Gebirgs-Ebene, der Schwarzwald mehr eigentliches Gebirg ohne eine große zusammenhängende Fläche; obgleich der Schwarzwald eben so wie die Alp auf seinem Rücken bewohnt und angebaut ist, und man würde sich eine sehr irrige Vorstellung machen, wenn man sich unter dem Schwarzwalde einen zusammenhängenden Wald, und unter der Alp eine unwirthbare Höhe dächte. Die Alp wie der Schwarzwald hat ihre steile und ihre allmählig sich verflächende Seite, nur mit dem Unterschied, daß die steile Seite bei dem Schwarzwalde die linke und von dem Land abgekehrte, bei der Alp aber die rechte gegen den größern Theil des Landes gerichtet ist. Aus diesem Grunde fallen die Aussichten des Schwarzwaldes über den Rhein hinüber, während die Alp von ihren Höhen die herrlichsten Aussichten über das Land darbietet.

Auf der Alp zeichnen sich sowohl durch ihre Aussichten als durch ihre Form und meist auch durch ihr historisches Interesse folgende Berge aus: die Lochen bei Bahlingen, der Heuberg, der Roßberg, die Achalm, Hohenneuffen, die Teck, Hohenstaufen, der Rechberg und der Stuifenberg.

Ueber den Zusammenhang der schwäbischen Alp mit der schweizerischen, finden weniger Zweifel statt, als über den Zusammenhang des Schwarzwaldes mit den Schweizergebirgen. Die schwäbische Alp ist nemlich unstreitig eine Fortsetzung des Jurakalks, der die Schweizeralpen bildet, sich südlich von Genf an durch den westlichen Theil der Schweiz, zum Theil die Grenze zwischen Frankreich und der Schweiz bildet, bis Basel und Schafhausen hinzieht, und durch den Rhein unterbrochen wird. Die Felsen des Rheinfalls bildet der reinste Jurakalk. Auf dem deutschen Ufer des Rheins erhebt sich diese Kalkformation wieder zuerst unter der Benennung schwäbische Alp, und zieht sich von Süden nach Nordost unter verschiedenen Benennungen durch Schwaben fort. Gegen Nordost wird dieser Gebirgszug immer niedriger, geht von da an in die fränkischen Gebirge über, und endet sich bei Baireuth.

Die Gebirgs-Verbindung Oberschwabens zwischen der Donau und dem Bodensee besteht größtentheils aus Geschieben und Schutt anderer Gebirgsarten, oft auch aus eisenhaltigem Sandstein (Mergelsandstein und Käfersandstein).

c) Die Ellwanger und Limpurgischen Gebirge, und hievon wieder das gegen Heilbronn sich erstreckende Löwensteiner Gebirge, von welchem die erstern zum Theil mit der Alp in Verbindung stehen, sich an diese anschließen, und über die östlichen und nördlichen Gegenden des Königreichs in mehreren Zweigen sich verbreiten, indem der Schwarzwald von der westlichen Seite seine Ausläufer in dem Stromberg, dem Heuchelberg und auf der Landesgrenze im Odenwalde herüberschickt. Die Gebirge von Ellwangen und Limpurg erreichen oft eine der Alp nahe kommende Höhe. Von den einzelnen Bergen ragen hier besonders hervor der einzeln stehende Ipf oder Mpf, und Hohenbaldern bei Bopfingen, welche aber noch zur Alp gerechnet werden können, bei Ellwangen der Hohenberg, und bei Hall der Einkorn und der Streiflisberg. Auch sind der Stocksberg bei Löwenstein, der Michelsberg bei Bönnigheim und der isolirte Asperg bei Ludwigsburg mit 1162 Par. Fuß oder 1316 würt. Fuß Höhe bemerkenswerth.

Ferner der einzeln stehende Bussen mit 2364 Par. Fuß oder 2680 würtemb. Fuß Höhe, bei Riedlingen in Oberschwaben, und der berühmte Felsen, welcher die Veste Hohentwiel trägt, mit 2465 Par. Fuß oder 2795 würt. Fuß Höhe, beide durch unermeßliche Aussicht wie durch die Geschichte merkwürdig.

5) Gebirgsart und Boden.

Unter den in Würtemberg verbreiteten Gebirgsarten kommen

a) Die Urgebirgsarten vor: sie enthalten keine Ueberreste von organischen Wesen, und liegen in allen Gegenden der Erde unter dem Flözgebirge. Das Urgebirge bildet die Grundlage der übrigen Gebirgsarten, und kommt an den tiefsten wie auf den höchsten Punkten überall vor. Es ist weniger deutlich geschichtet als das Flözgebirg, und die Schichten sind mehr in größern Winkeln oft beinahe senkrecht in die Höhe steigend, als horizontal, wodurch sich oft die steilsten Berge bilden. In den frühesten Perioden scheint die Bildung dieses Gebirgs unter dem Wasser erystallinisch vorgegangen zu seyn, und es finden sich in diesen Spalten Erystalle von reiner Kieselerde. Häufig sind die Urgebirge durch Gänge (senkrechte Spalten) durchschnitten, in welchen sich Metalle befinden, daher in ihnen besonders der Bergbau betrieben werden kann; fehlt ihnen aber das Metall, so nennt man sie taube Gebirge. Die Enthung dieser Spalten ist noch höchst räthselhaft. Einige scheinen durch Erschütterung, andere uranfänglich gebildet worden zu seyn. Kiesel und Thonerde ist in ihnen das Vorherrschende.

Von der Urgebirgsart der ersten und ältesten Formation ist größtentheils der würtembergische Schwarzwald. Es erscheinen auf demselben Granit und Gnaiße; die Hauptfelsarten, die man zum Urgebirg rechnet, Thon- und Glimmerschiefer, fehlen. Den Gnaiß findet man theils als Lager im Granit, theils macht er auch ganze Gebirge aus; der alte rothe Sandstein bedeckt häufig beide, den Granit und Gnaiß. Von Herrenalb bis Gernsbach findet sich ein porphyrartiges Conglomerat mit abgerundeten Bruchstücken, die in den rothen Sandstein übergehen; der rothe Sandstein aber bildet den Uebergang zu den Flözgebirgen ohne eine Spur von Petrefakte organischer Wesen zu enthalten. Dieser alte rothe Sandstein entspricht dem sogenannten rothen und weißen todtliegenden anderer Urgebirge des nördlichen Deutschlandes, wobei jedoch die sonst sich häufig findenden Mittelglieder von Glimmer und Thonschiefer fehlen; es finden sich in diesem rothen Sandstein bei Bulach und Neuenbürg Gänge, welche bei Neuenbürg mit Eisenerzen, und bei Bulach mit Kupfer ausgefüllt sind. Dieses rothe Sandsteingebilde geht fast in ununterbrochener Lagerung vom rechten Ufer der Enz, von Pforzheim an, einerseits mit dem Laufe der Nagold über Liebenzell, Calw, Bulach, Nagold, Altensteig, Freudenstadt bis über Alpirspach hinaus, anderseits mit dem Laufe der Enz bis ins Murgthal und über den Kniebis, den Dobel, Herrenalb und Gernsbach bis nach Baden hin. Diese Lagerung ist in

einzelnen Bezirken, hauptsächlich aber in tief einge-
schnittenen Thälern durch Hervorstoßen des Granits
unterbrochen. An einer einzigen Stelle, und zwar
oberhalb Liebenzell, an der Straße nach Hirsau,
findet man den Granit zu Tage ausgehend. Auch im
Gaisthal, bei der sogenannten Tellwiese, am Ursprung der Alb, findet man den Granit zu Tage ausgehend, und bei Herrenalb steht er in großen spitzigen
Felsenmassen aufgethürmt, welche von ferne eine alte
Burg mit eingefallenen Thürmen zu seyn scheinen.
Im Enzthal kommt er auch häufig zum Vorschein,
hauptsächlich aber trifft man ihn in dem Städtchen
Wildbad, hinter den Badehäusern, und in den Anlagen oberhalb des Städtchens an, und die warmen
Quellen des Bades selbst entspringen aus Granit.
Bedeutend unterbrochen ist die Lagerung des Sandsteins durch den Granit bei Alpirsbach in der Reinerz-
au, wo er schon ganze Gebirge bildet. Hier findet
sich auch Gneiße als Lager im Granit, und man
will deswegen diesen Granit für jünger halten. Auf
jeden Fall unterscheidet sich dieser sogenannte jüngere
Granit von dem ältern durch sein mehr crystallinisches
Ansehen und gröberes Korn.

In dem Granit bei Alpirsbach und auch beim
Wildbad, findet man merkwürdige Abwechselungen,
wo er vom grobkörnigen bis in feinkörnigen übergeht,
oft große vierseitige Säulen von Feldspath enthält,
welche ihm ein porphyrartiges Ansehen geben, bald
mehr mit Glimmer, bald mehr mit Quarz, bald
mehr mit Feldspath untermengt ist, und in dieser
Vermischung manchmal ausgezeichnet silberweiß, gewöhnlich aber raben- und pechschwarz aussieht.

Die vorzüglichen Granitarten sind:

1) Der weißgrobkörnige aus dem obern Enzthal beim Wildbad, enthält grünlich = weißen Quarz, fetten Glanz, oft gelblichen Feldspath ohne Glanz, und silberweiße Glimmerblätschen.

2) Der weißfeinkörnige aus derselben Gegend, mit gleichen Gemengtheilen, verwittert leicht.

3) Der fleischrothe, der aus grau = weißem Quarz, rothem Feldspath und schwarzem Glimmer besteht.

4) Gelblich = weißer, man findet ihn halbverwittert in der Gegend von Alpirspach, auf dem Gnais.

5) Den rothen an demselben Orte.

6) Den grobkörnigen am rothen Berg.

7) Grobkörnigen mit schwarzem Glimmer und Hornblende.

8) Mit verschiedenen eingewachsenen Gemengtheilen aus dem Ellenberger Thal.

Gnais findet sich mehr am westlichen Abhange und ist dort vorherrschend, vorzüglich im untern Theile des Kinziger Thals, bei Hausach u. s. w.; weiter hinauf kommt ein jüngerer Gnais vor.

In engster Verbindung mit dem Schwarzwald steht der Odenwald. Wahrscheinlich machten beide einst ein zusammenhängendes Gebirge aus, welches erst durch die Gewalt der Fluthen von einander getrennt wurde; der Odenwald besteht ebenfalls aus Urgebirgsarten.

b) Die Flözgebirgsarten, welche man in Würtemberg antrifft, sind weit mannigfaltiger, als das Urgebirgsgebilde; sie sind:

1) Der Höhlenkalkstein oder Jurakalkstein.

Aus dieser Gebirgsart ist die würtembergische Alp gebildet; man nennt sie bald Höhlenkalkstein, von

den großen Höhlen, die sie enthält, bald Jurakalkstein, weil sie von dem Juragebirge der Schweiz,
welches ganz daraus besteht, ausgeht. Darüber aber
herrschen noch Zweifel, ob sie älter als die übrigen
Gebirgsarten ist. Man will sie an einzelnen Stellen
unmittelbar auf Granit, wie in dem Bette des Rheins
bei den vier Waldstädten und bei Donaustauf, an
andern auf Sandstein, welcher unmittelbar auf Ur-
fels liegt, aufgelagert gefunden haben; wieder an
andern Stellen, wie bei Wasseralfingen, scheint er
auf dem, die Thoneisenflöze enthaltenden, jüngern
Flözsandstein aufgelagert zu seyn.

Unter Jurakalk wird oft auch der sogenannte Rau-
stein, Rauwacke (ein sandiger rauh anzufühlender
Sandstein) verstanden, in welchem sich ebenfalls sehr
große Höhlen finden, namentlich am Harz und Fich-
telgebirge, die sich besonders von den Höhlen unserer
Alp dadurch unterscheiden, daß sie in ihrem Innern
häufig viele Fossilien, Knochen großer vierfüßiger
Thiere, finden, die ausgestorben sind, wo bis jetzt
im Jurakalk keine Spur anzutreffen ist. Diese
Knochenenthaltende Höhlen gehören durchgängig zu
einer ältern Formation, besonders Norddeutschlands.
Die untergegangenen Thierarten scheinen in diesen
Höhlen einen Zufluchtsort gesucht zu haben, in
welchen sie oft in Menge über einander gehäuft sind,
und es scheint nach allen Beobachtungen, daß die
Wasserrevolutionen sich wiederholten, wodurch in
späterer Zeit das Flözgebirge entstand. Das geognostische Verhalten dieser Gebirgsart ist sehr gleich-
förmig; das Ganze bildet hohe Ebenen, und stellt
sich nur, von den Thälern aus betrachtet, als ein
hohes Gebirge dar.

Die Gebirgs-Formation des Höhlenkalksteins verbreitet sich nach dem Zug der Alp von der östlichen Grenze des Königreichs, von wo sie sich in die Oberpfalz und bis in die Gegend von Regensburg erstreckt, einerseits über Heidenheim, Dettingen, Blaubeuren, durch das Fürstenthum Hohenzollern-Sigmaringen, bis an die ehemalige Grafschaft Nellenburg, andererseits von Bopfingen über Kapfenburg, Weissenstein, Teck, Hechingen bis nach Balingen und Ebingen; von Ebingen aus über das Hardt und den Heuberg bis Tuttlingen, und von da in einer und ebenderselben Richtung mit kurzer Unterbrechung durch das Flötztrapp-Gebilde im Hegau bis an den Rhein, so fort über den Rhein am Rheinfall bei Schaffhausen hinüber bis in die Schweiz, und dann zwischen der Schweiz und Frankreich unter dem Namen Jura bis in die Gegend von Dijon, in einer Länge von mehr als 200 Stunden. Das Gebilde dieses Gebirges zeichnet sich sowohl in den Thälern und an dem nördlichen Rande durch häufig vorkommende freistehende schroffe Felsen, und steil abgeschnittene Felswände, welche die Aufmerksamkeit des Geognosten, wie eines jeden Naturfreundes auf sich ziehen, als auch überhaupt durch mancherlei andere merkwürdige Erscheinungen aus.

Der Jurakalkstein unterscheidet sich durch eine lichte gelblich-graue Farbe, und oft ausgezeichneten muscheligen und splitterigen Bruch; er enthält an Versteinerungen besonders Ammoniten (Widderhörner), Echiniten (See-Igel), Trochiten (Rädersteine), Pentarriniten (Medusenpalmen), Ostraziten (Austern), Terebratuliten (Bohrmuscheln). Bei Steinheim, unweit Heidenheim, auch Fischversteinerungen. Da er meist eine schöne Politur annimmt, und nicht selten auch bunt erscheint, so wird er in diesem Fall Marmor genannt. Bei Kolbingen auf dem Heuberg findet man ihn in dünnen 1 — 4 Zoll dicken und 2 — 4 Schuh langen Schichten gelagert. Diese Schichten, die im ganzen Oberlande unter dem Namen der Kolbinger Platten bekannt sind, und dort zu Belegung der Hausfluren gebraucht werden, sind dieselben, die in der Gebirgsformation der Alp bei Pappenheim vorkommen, sie werden neuerlich auch, wie jene, zu Steindruckplatten benutzt. In Frankreich in der Dauphiné kommt diese schieferartige Abänderung des Alpenkalksteins auch vor, wo die Blatten zur Bedeckung der Dächer angewendet werden. Auch sind die in diesem Kalkstein vorkommenden bedeutenden großen Höhlen und Eisenerze, besonders Bohnerze, merkwürdig. Zu den Eigenschaften dieses Kalks gehört ferner, daß er nie Gips enthält, wie dieses in andern Kalkflözen so häufig der Fall ist.

2) Der alte Flözkalkstein oder ältere Kalkstein, von einigen auch Zechstein genannt, macht eine ausgedehnte Formation aus, die sich im Umfang des Schwarzwaldes auf dem alten rothen Sandstein aufgelagert findet, und dann in vielen der tiefern Gegenden, und vorzüglich in den Thälern des Unterlandes zu Tage ausgeht, wie im untern Neckarthal, bei Kochendorf und Heilbronn, in der Ebene bei Ludwigsburg bis gegen Großheppach im Remsthal, im obern Neckarthal, bei Rottenburg bis Sulz und Obernborf, im Enzthal vom Einfluß der Enz in den Neckar, aufwärts bis Pforzheim. Er hat gewöhnlich eine blaue, auch ins graue und braune übergehende Farbe. Von ausgezeichnet schwarzblauer Farbe findet er sich

in Begleitung mit Steinsalz bei Kochendorf, sein Bruch
ist gewöhnlich eben, splittrig, zuweilen muschelig;
Er unterscheidet sich vom Gryphitenkalk durch Mangel
an Gryphiten (Muschelversteinerungen), und über=
haupt durch weniger Versteinerungen, die sich seltener
und nur in einzelnen Lagern in ihm finden. Er ent=
hält besonders Pektiniten (Kammmuscheln), runde, ge=
streifte, zweischaalige Muscheln mit Ohren mittlerer
Größe, von denen gewöhnlich nur die eine Hälfte sich
findet; hie und da finden sich auch Ammoniten (Wid=
derhörner), Nautiliten (Schiffmuscheln) und Ostra=
ziten (Austermuscheln) in demselben.

3) Von Gyps findet man in Würtemberg zweierlei
Gebilde, nemlich ein älteres und jüngeres.

Das ältere Gypsgebilde scheint zur Formation des
ältern eben erwähnten Kalks zu gehören, und zeigt sich
in Begleitung des Steinsalzes und der Salzquellen. In
dieser Formation findet es sich bei Sulz am Neckar,
eben so bei Jartfeld und Kochendorf mit Steinsalz.

Bei Sulz findet sich ein schöner himmelblauer Gyps,
der Anhydrit genannt, welcher selbst von etwas Stein=
salz durchdrungen ist, als ein untergeordnetes Lager.

4) Die bunte oder jüngere Sandstein=Formation
breitet sich über einen großen Theil des Landes aus,
vorzüglich in den tiefern Gegenden und dem nordöst=
lichen Theil Würtembergs. Durch Kalk, Gips und
Mergelflöze unterbrochen, bildet sie ganze oft viele
Stunden lange Gebirgsrücken an den Seiten der
Thäler. Dahin gehören zwischen Leonberg, Herren=
berg, Tübingen und Stuttgardt mehrere Bergrücken,
eben so die Gebirgsrücken zwischen dem Neckar, der
Fils, Rems und zwischen dem Kocher und Jartthal,
so daß der größte Theil der Oberämter Canstadt,

Waiblingen, Gmünd, Welzheim, Backnang, Gaildorf, Hall, Ellwangen, Weinsberg, Heilbronn,
Brakenheim, Vaihingen und Maulbronn zu dieser
Formation gehören. Die tiefern Schichten dieses
Sandsteins, wie sie bei Stuttgardt, Heilbronn und
an vielen Stellen des Unterlandes zu Tage ausgehen,
sind meist feinkörnig von gelblich = grauer, auch röth-
licher, seltener von grünlich = grauer Farbe, zuweilen
bunt und gestreift in denselben Schichten. Die obern
Schichten sind dagegen oft sehr grobkörnig mit großen
Quarzkörnern von weißlicher, zuweilen rein weißer
Farbe. Das Bindungsmittel ist gewöhnlich thonig,
seltener kalkartig, und seine Schichten gewöhnlich
horizontal. Ausser dem vortrefflichen Baustein liefert er
in vielen Gegenden vorzügliche Mühlsteine, wie z. B.
bei Dettenhausen, Derendingen, Denzlingen, Schlaitdorf, Aich, Pliezhausen, Oberensingen u. s. w. Bei Tübingen, Ellwangen, Löwenstein, u. s. w. wo er weicher
und weiß ist, dient er als Stuben = und Streusand.

Neuere Untersuchungen haben gezeigt, daß der
weiße grobkörnige Sandstein dieser Formation zu
Sternenfels, unweit Dettingen, (Maulbronner Oberamts) etwas goldhaltig ist. Bei Stuttgardt und Tübingen finden sich in dieser bunten Sandstein = Formation stellweise zwischen Mergel schieferförmige Sand-
steinplatten, deren Oberfläche mit würfelförmigen,
meist etwas unregelmäßigen oft verschobenen Sand-
Crystallen besetzt ist. Nesterweise finden sich in dieser
Sandstein-Formation Steinkohlen, namentlich Braun-
Pech = Schiefer = und Blätterkohlen.

Auf dem ältern Kalk scheint diese ganze Formation aufgelagert zu seyn, und sie selbst ist wieder an
vielen Stellen vom Gryphitenkalk bedeckt, wie z. B.

2*

auf den Fildern und den Bergrücken zwischen Tübingen und Stuttgardt. Eingelagert in dieser Formation findet sich in sehr mächtigen Schichten Mergel und junger Gyps, die oft mehrmals mit einander wechseln. Diese Lager finden sich gewöhnlich in
den tiefern Schichten dieses Sandsteins. Bei Heilbronn sind sie von dem feinkörnigen Thonsandstein,
bei Stuttgardt von dem weißen grobkörnigen Sandstein bedeckt.

5) Der Mergel von dieser Formation hat gewöhnlich eine schieferige Textur und führt in den meisten
Gegenden Würtembergs den Namen Leberkies. Im
geschlossenen Gebirge besitzt der Mergel oft eine
steinartige Härte, spaltet sich aber leicht in schieferige
Stücke, besonders wenn er einige Zeit der Witterung
ausgesetzt ist, wo er bald in die feinsten Stückchen und
zuletzt selbst in Erde zerfällt. Seine Farbe wechselt
vom grauen bis ins grünlich-blaue und röthlich-braune,
und seine Bestandtheile sind Thon, kohlensaurer Kalk
und Eisenoxid in sehr verschiedenen Verhältnissen. In
den Weinbergen wird dieser schiefrige Mergel häufig
zur Verbesserung des Bodens gebraucht.

6) Der jüngere Gyps findet sich, wie schon erwähnt wurde, oft abwechselnd mit dem Mergel in
mächtigen Lagern in der jüngern Sandstein-Formation, und daher stellenweise in vielen Theilen des
Landes, ohne große zusammenhängende Gebirgsketten
zu bilden. Zu dieser Formation gehören die Gyps-
lager am Wartberg und Stiftberg bei Heilbronn, an
der Weibertreue bei Weinsberg, bei Wizfeld bis gegen Pfedelbach, am Heuchelberg, zu Oedendorf, bei
Westheim am Kocher, am Asperg, bei Beutelsbach,
am Rottenberg, am Bopser bei Stuttgardt, in den

Gegenden von Nürtingen, Tübingen, Rottenburg und bei Neufra, Rotweiler Oberamts, auf der Straße von Aldingen nach Rotweil, wo er sich in fast ununterbrochener Lagerung über Wellendingen, Rotweil bis nach Hasenweiler hinzieht. Der Gyps von Beutelsbach, welcher durch seine rothe Farbe ausgezeichnet ist, wird auch als Alabaster benutzt.

7) Der Muschelkalkstein oder die Gryphitenkalk-Formation, die wegen ihrer Reichhaltigkeit an länglichen, mit einem Deckel verschließbaren Muscheln, die am Schluße gebogen und schnabelförmig gekrümmt sind, und andern Seethieren, die sie enthält, auch im Allgemeinen Muschelkalk genannt wird, bildet nicht selten die Decke der bunten Sandstein-Formation, und findet sich gewöhnlich in nicht sehr mächtigen horizontalen Schichten. Der Farbe nach ist er dem ältern blauen Kalkstein oft ähnlich, unterscheidet sich jedoch von diesem noch 'ausser seinen Versteinerungen gewöhnlich zugleich durch einen unebenen, oft deutlich körnigen Bruch. In den Gegenden von Stuttgardt, Tübingen und Wasseralfingen findet sich in der Gryphitenkalk-Formation der eigenthümlich gebildete Duttenstein oder Nagelkalk. Hier und da findet sich einzeln Schwefelkies eingesprengt. In der Nähe der Alp wechseln die obern Schichten nicht selten mit einem bituminösen Schieferthon.

Ueber mehrere der höhern Gegenden des Landes verbreitet sich diese Kalkformation, und zieht sich von Aldingen über Schömberg und Bahlingen östlich bis an den Jurakalkstein der Alp am Heuberg; eben so zieht sie sich von Degerloch, größtentheils als oberste Schichte der Filder, über Plieningen, Thailfingen, Ruith, Denkendorf und den Schönbuch, ge=

gen Kirchheim und Tübingen, und wiederum bis an
den Fuß der Alp, und nur in den Thaleinschnitten
dieser Gegenden zeigt sich die bunte Sandsteinformation oft mit Mergelflözen zu Tage ausgehend. Sehr
ausgezeichnet und so reich an Versteinerungen, daß
man nur mit Mühe das Bindungsmittel entdeckt,
findet man dieses Gebilde auf der Straße von
Wasseralfingen nach Ellwangen, vorzüglich beim
Dorfe Buch.

8) **Schieferthon.** An vielen Stellen des Fußes
der nordwestlichen Alp findet sich ein häufig mit Bitumen durchdrungener bläulich = grauer Schieferthon
auf dem Gryphitenkalk in horizontalen Schichten
aufgelagert und zum Theil mit ihm wechselnd.
An mehreren Stellen bildet er sehr große, bis
einige 100 Schuh mächtige Schichten, wie dieses
vorzüglich bei Boll und Hechingen der Fall ist,
und findet sich übrigens an mehreren Orten deutlich zu Tage ausgehend, wie bei Schömberg,
Bahlingen, von Hechingen bis Jungingen, bei
Ofterdingen und an dem ganzen Fuß der Alp von
Reutlingen bis Mezingen, Neuffen, Owen, Kirchheim, Boll, Geißlingen hin; eben so am Fuße des
Hohenstaufens und bei Wasseralfingen.

9) Der **Eisensandstein,** oder eisenhaltige Sandstein,
ist ein feinkörniger gewöhnlich röthlich = brauner, stark
mit Eisenoxid durchdrungener Flözsandstein, welcher
sich über diesem Schieferthon in ausgedehnten Lage-
rungen in der Gegend von Boll, am Fuße der Alp,
gegen Staufen und Rechberg hinziehend findet, von
wo er sich bis gegen Wasseralfingen und Lauchheim
verbreitet. Die Schichten dieses Sandsteins sind oft
bis 100 Schuh mächtig, und enthalten untergeord-

nete Lager von Thoneisenstein und sandigem Schieferthon, wovon die erstern bei Aalen und Wasseralfingen auf Eisen gebaut werden. Auch bei Bopfingen soll sich dieser Sandstein wieder unter ähnlichen
Verhältnissen zum Jurakalkstein, zunächst unter diesem finden, so daß er vielleicht richtiger als eine von
der bunten Sandstein-Formation verschiedene Bildung angesehen wird.

c) Das Flöztrappgebilde, unter welchem man
die zerstreuten Flözgebirgsarten von porphyrähnlicher
Masse mit verschiedenen eingemengten andern Fossilien versteht. Diese Gebirgsart kommt in Würtemberg selten vor, und nur an einigen Orten findet
man Steinarten, die zu derselben gehören, und
zwar:

1) Porphyrschiefer und 2) Wacke; aus welchen
der Bergkegel von Hohentwiel, und seine Nachbarn,
Hohenstoffeln, Hohenhöven, Megdberg, Stauffen
und Hohenkrähen bestehen.

3) Basalt, den man mitten auf der hohen Alp,
auf dem Jurakalkstein aufgelagert, einmal bei Dottingen, auf dem Eisenrüttel, einem ganz aus Basalt
bestehenden Hügel, und dann ungefehr anderthalb
Stunden von da, bei Offenhausen, nesterweise an
dem Sternberg und im Faitel oder Bährenthal bei
Urach findet.

4) Basaltwacke liegt unter dem Kalkstein an der
Hepfsauer und an der Rauhersteig in bedeutenden
Lagern von 18 — 20 Fuß mächtig, und besteht aus
zertrümmertem Basalt, Hornblende und Olivin, und
hat zu ihrem Bindungsmittel einen schwärzlich-grauen
thonhaltigen Kalk.

d) Aufgeschwemmtes Gebirge hat alles dasjenige

Land, welches erst in spätern Zeiten, nachdem die genannten Gebirgsarten bereits sich gebildet hatten, hauptsächlich durch Fluthen angeschwemmt wurde, oder durch örtliche Ursachen entständ, namentlich das Kalkconglomerat, das Kalktuffgebirge, das Sand- und Moorland. Eben so sind auch die Granitstücke, welche man am Fuße der Alp bei Mezingen am Floriansberg und bei Ehningen an dem Rangenberg findet, aufgeschwemmt.

1) Kalkconglomerat findet sich hauptsächlich auf beiden Seiten des Neckars bei Canstadt von der Tiefe des Thals bis auf die Höhen der gegenseitigen Hügel, einerseits am Kahlenstein und anderseits an dem Seelberg und an dem Sulzerrain, so wie auch bei Berg und Gaisburg, und wird gemeiniglich auch Kalkbreccie genannt. Die kieselartigen Gerölle dieses Conglomerats bestehen gewöhnlich aus abgerolltem Jurakalkstein. Auch findet man die Kalkbreccie in der Gegend von Rottenburg und Kiebingen so wie bei Sontheim und Neckargartach. Eine andere Art, die eigentliche Kieselbreccie, kommt in Oberschwaben bei Biberach, Warthausen u. s. w. vor.

2) Das Kalktuffgebirge, welches theils durch Aufschwemmungen, theils durch örtliche Ursachen entstanden, als das jüngste Glied in dem Kalksteingebilde dasteht, findet sich wieder hauptsächlich bei Canstadt, wo der Boden reich an Mineralquellen ist, und in der ganzen Thalbreite von Berg bis Stuttgardt mit Nesterweise inneliegendem erdigen Braunsteinoxid. Ausser dieser Gegend trifft man auch bei Mönsheim ein Stück Kalktuffgebirge, hauptsächlich aber findet man dasselbe an der Alp hin, im Steinlacher, Pfullinger und Uracher Thal, so wie auch

im Beerenthal, wo man seine Bildung noch täglich beobachten kann.

3) Sandland. Leimen. Gerölle. Ein sehr weit verbreitetes aufgeschwemmtes, aus Sand, Quarz, besonders aus Grünstein, Kiesel und Glimmerschiefer-Geschieben bestehendes Gebirge bildet den obern Theil Würtembergs vom Bodensee bis Mengen herunter, und von da fast über ganz Baiern bis an den Inn. Die Mächtigkeit dieser Aufschwemmung scheint sehr beträchtlich zu seyn, denn bis jetzt ist man nirgends auf festes Gebirge gekommen.

Noch gehört auch das überall, wiewohl unter verschiedenen Gestalten vorkommende Leimenthonflöz und das Gerölle von manchfaltiger Art hieher.

4) Das Torf- oder Moorland, dessen Ursprung wieder theils in Aufschwemmungen, theils in örtlichen, noch anhaltend wirkenden Ursachen zu suchen und hauptsächlich vegetabilisch ist, zeigt sich besonders in der Gegend von Oberschwaben, vornehmlich an der Iller und an der Donau, am Federsee, an der Riß u. s. w., wo es öfters Strecken von 4 — 5 Stunden einnimmt, und mehr oder weniger als Brennmaterial benutzt wird. Weniger bedeutend, aber kunstmäßiger benutzt, sind die Torflager von Altwürtemberg, bei Schwenningen, am Ursprung des Neckars, bei Schopfloch auf der Teck, bei Sindelfingen, am bedeutendsten noch an der Brenz, zwischen Brenz und Hermaringen.

Wenn man das bisherige auf die über den Bau unsers festen Erdkörpers überhaupt gemachten Beobachtungen anwendet, so ergiebt sich, daß das Urgebirge auf unserem Schwarzwalde, der Granit und Gnais, zuerst durch die Verminderung und durch

das Zurücktreten der Wassermasse des Urmeeres, aus
dem das Urgebirge ohne Zweifel selber entstand, zum
Vorschein gekommen ist. Hierauf erfolgte die Bil=
dung des alten rothen Sandsteins, die theils mecha=
nisch, theils chemisch ist. Auf den Niederschlag des
alten Sandsteins folgten endlich die angegebenen
Flözgebirgsgebilde, so daß das Flöztrappgebilde, mit
dem Porphyrschiefer, der Wake und dem Basalt,
da es auf den jüngsten Gliedern der Flözgebirge
aufgelagert ist, als das neueste, der Jurakalkstein
aber, auf dem das Flöztrappgebilde aufliegt, unter
den eigentlichen Flözgebirgsarten Würtembergs viel=
leicht als das jüngste angesehen werden muß, wenig=
stens ist dieses die Ansicht eines der erfahrensten
Geognosten unsers Zeitalters, Leopold von Buch, der
erst vor einigen Jahren Würtemberg bereißte.

Aus der jüngsten Bildungsperiode, aus der Pe=
riode der Aufschwemmung endlich, rühren das Sand=
land, das Moorland, das Kalkconglomerat oder die
Kieselbreccie und der Kalktuff her.

Die Reihenfolge der Gebirgsarten Würtembergs
nach dem Alter geordnet, wäre demnach folgende:
Granit, ⎫ mit Erz führenden Gängen: Silber, Blei,
Gnais, ⎬   Kobolt, Kupfer, Wismuth.
Aelterer Sandstein, mit Erz führenden Gängen,
.   Eisen, Kupfer, Braunstein.
Aelterer Kalkstein, mit älterem Gyps, Anhibrit
     und Steinsalz.
Bunter Sandstein, mit Mergel, jüngerem Gyps,
     gelblichem Sandstein, weissem Sandstein.
Gryphitenkalk, mit Nagelkalk, Schwefelkies.
Schieferthon, mit Bitumen durchdrungen, auch mit
     Gryphitenkalk wechselnd.

Eisensandstein, mit Eisenerzen; Thoneisenstein.
Jurakalkstein, mit Bohnerzen.
Flöztrapp, Porphyrschiefer, Basalt.
Kalkconglomerat, häufig mit abgerollten Stücken von
    Jurakalk.
Kalktuff, mit erdigem Braunsteinoxid.
Aufgeschwemmtes Land, mit Sand, Leimen, Gerölle
    und Torf.

Die Beschaffenheit oder Eigenschaft des Bodens
in Würtemberg läßt sich aus vorstehender Uebersicht
der Gebirgsarten leicht beurtheilen; er ist meist von
gemischter Art, aber eben darum gut und fruchtbar.
Einige moorige, des Anbaues übrigens durchaus
nicht ganz unfähige Strecken, die sogenannten Rie-
den in Oberschwaben an der Donau hin, und über
den Federsee in das Algäu hinauf ausgenommen,
findet man kein unwirthbares Land, und im Allgemeinen gehört der Boden von Würtemberg zu den
vorzüglichsten in Deutschland. Uebrigens ist dessen
Beschaffenheit in den verschiedenen Gegenden sehr
verschieden; an dem einen Orte schlägt der Thon,
an dem andern der Sand und die Kalkerde vor.

Thonig und schwer ist der Boden hauptsächlich
in dem Unterlande, sandig auf dem Schwarzwalde
und in einigen Gegenden der östlichen Waldgebirge,
sehr schwer in vielen Gegenden der Alp, ebendaselbst
aber in einzelnen Gegenden wieder sehr leicht, und
aus einer schwarzen Dammerde bestehend. Auf der
Alp ist der Boden überdies mit einer Menge von
Steinen oder Kalkgerölle bedeckt; — Ueberreste von
theils verwitterten, theils durch Meeresfluthen, die
darüber giengen, zerbröckelten Felsen, so daß man
auf den ersten Anblick glauben sollte, sie würden je-

den Anbau unmöglich machen. Aber eben dieser
Steine bedient sich die Natur, um das Wachsthum
zu befördern, da durch dieselbe der leichtere Boden
gebunden, die Pflanzen die nöthige Feuchtigkeit erhalten, und dieselbe gegen Witterung und Winde
geschützt, und im Sommer mittelst der durch die
Steine sich verbreitenden Wärme in ihrer Zeitigung
befördert werden.

Uebrigens hat das Unterland den fruchtbarsten
Boden, und beinahe das ganze Neckarthalgebiet mit
den Seitenthälern. Weniger fruchtbar ist er in den
östlichen Waldgebirgen, in der Gegend von Ellwangen, auf der Alp, auf dem Schwarzwald und in
einem Theil von Oberschwaben.

6) Erdfälle und Höhlen.

Auf und in den Gebirgen des Landes, hauptsächlich dem Alpgebirge, findet man häufig Erdfälle und
Höhlen, wovon letztere häufig mit Kalksinter und
Kalkspath, so wie mit Mond- oder Bergmilch, und
mit eisenhaltiger Walkererde und Bolus ausgefüllt
sind.

Daß die Ursache ihres Daseyns in der Gebirgsart liege, erhellt schon aus einer Vergleichung mit
dem Schwarzwalde, wo dieselben vergeblich gesucht
werden. Eine nähere Beschreibung und Erklärung
dieser Erscheinungen gehört in das besondere Fach
der Geologen, und muß Gegenstand der Topo-
graphie im Einzelnen bleiben. Hier wird es genügen,
nur auf die Erscheinungen aufmerksam gemacht, und
die merkwürdigsten ihrer Art nach Namen und Ort
bezeichnet zu haben.

Die Erdfälle, oder wie man sie auch nennt, Erd=
löcher, Erdtrichter, welche durch unterirdische Wasser=
ausspülungen und Einsinken der Oberfläche entstehen,
und sich noch immer wiederholen, kommen vornehm=
lich in der Gegend von Blaubeuren, bei Seissen,
Suppingen, die sogenannten Fuchslöcher, oberhalb
Gutenberg, in der Nähe von Magolsheim, Enna=
beuren vor; die bedeutendsten Höhlen sind:

1) Die Nebelhöhle, 2 Stunden oberhalb Pfullin=
gen, in der Nähe des sehenswerthen Lichtensteiner
Felsenschlößchens.

2) Das Linkenboldslöchlein bei Onstmettingen, nach
der Nebelhöhle die bedeutendste, und hinsichtlich der
Kalksinterungen die schönste.

3) Die Friedrichshöhle zwischen Ehrenfels und
Zwiefalten, welche hauptsächlich durch den reichen
Wasserstrom merkwürdig ist, der sich aus ihr er=
gießt, und auf welchem man mit einem Nachen
mehrere hundert Schritte weit hineinfahren kann;
sie führt ihren Namen von einem Besuche des ver=
storbenen Königs Friedrichs.

4) Das Sontheimer Erdloch, zwei Stunden von
Blaubeuern, eine, wie die Nebelhöhle, mit mannig=
faltigen Tropfsteinen versehene Höhle.

5) Die Falkensteiner Höhle, eine Stunde von
Urach, unweit des Dorfs Grabenstetten, und merk=
würdig durch einen aus derselben hervorströmenden
Bach, die Elsach, und einen im Hintergrunde lie=
genden tiefen See, so wie durch unnütze Versuche
auf Gold, und durch unglückliche Schatzgräbereien.

6) Das Schillingsloch oder Schillerloch bei Witt=
lingen, welches in frühern Kriegszeiten oft zum Zu=
fluchtsort für die Nachbarschaft diente.

7) Das Sybillenloch oben an der Teck, das sich in unbekannten Tiefen hinzieht.

8) Die Schlattstaller Höhle im Lenninger Thal, wo die Lauter entspringt.

Viele vielleicht eben so bedeutende und noch bedeutendere Höhlen liegen vermuthlich noch im dunkeln Schooße der Gebirge verborgen.

So findet man in der Nähe von Feldstetten eine Spalte, wo nach Rößlers Beschreibung ein hineingeworfener Stein eine ganze Minute warten läßt, bis man sein Auffallen vernimmt.

7) Scheitellinien oder Wasserscheiden.

Würtemberg vertheilt seine Gewässer zwischen dem Rhein und der Donau. Die Vertheilungshöhe oder Scheitellinie, Wasserscheide, Schneeschmelze, zieht von dem linken Ufer des Neckars bei Wimpfen über die Höhen von Maulbronn und des Schwarzwaldes bei Neuenbürg, Dobel, Urnagold, Freudenstadt, Loßburg, die 24 Höfe, Eichhalden bis auf die Brogau (Brogen) hin. Hier theilt sie sich in 2 Aeste, wovon der eine östlich über den badischen Schwarzwald und sofort quer durch Oberschwaben über die Höhen von Altshausen, Schussenried, Waldsee und Jsny gegen Vorarlberg hinlauft, der andere nordöstlich sich um die Quellen des Neckars herumschwenkt und seinen Lauf zwischen der Donau und dem Neckar über die Alp hin und bis gegen Krallsheim fortsetzt, von wo die Vertheilungshöhe zwischen der Tauber und der Jart bis wieder an den Neckar hinüberzieht, so daß man wie in einem Kreise um den größten Theil des Königreiches trockenen Fußes,

d. h. ohne einen Bach oder Fluß zu überschreiten, herum gehen könnte. Diese Scheitellinie ist oft so scharf, daß in einigen Orten, wie z. B. in Thieringen an den Lochen und zu Sirchingen bei Urach, dasselbe Haus seine Dachtraufe von der einen Seite in die Donau, von der andern in den Rhein schickt.

8) Gewässer.

a) Quellen. Würtemberg ist sehr wasserreich, nur die Alp hat Mangel an Wasser, hauptsächlich an Quellwasser, weil in der klüftigen Gebirgsart gleich jede Feuchtigkeit versinkt. Aus diesem Grunde brechen hier auch die Flüße, an denen es in den tiefern Thälern keineswegs fehlt, gleich in ihrer vollen Kraft aus dem Gebirge hervor, wie z. B. die Lauter bei Offenhausen, und die im Lenninger Thale, die Aach bei Ehrenfels und Zwiefalten, die Blau, die Brenz, Pfeffer und der Kocher bei Königsbronn, wovon mehrere gleich bei ihrem Ursprung große Mühlen treiben. Eine besondere Art von Quellen sind die Hungerbronnen, die nur zu gewissen Zeiten fließen, wie z. B. der berühmte Bröller im Lauchartthale, und von dem Volk als Verkündiger fruchtbarer oder unfruchtbarer Jahre angesehen werden. Diese Bronnen fließen, wenn die innern Wasserbehälter sich ergießen, und fließen zu bestimmten Zeiten, wenn äußere Ursachen entweder eine regelmäßige Anfüllung der Ergießung der Behälter bewirken, wobei vielleicht öfters dasselbe hydraulische Gesetz statt findet, dessen Wirkung wir bei der Entleerung eines Faßes durch die Sponten=Oeffnung, mittelst des sogenannten Weindiebs, wahrnehmen.

In großem Rufe stand lange auch der Hungerbronnen bei Heldenfingen, Heidenheimer Oberamts,
bei welchem ehemals die sonderbare Freiheit statt
fand, daß in einem versteinten Bezirke von 40 Fuß
ins Gevierte jeder Unfug ungestraft begangen werden konnte.

b) Flüße. Die Hauptflüße von Würtemberg
sind: der Neckar und die Donau, jener von Alt-
dieser von Neu-Würtemberg. In diese beiden Flüße
ergießen sich beinahe alle andere Flüße von Würtemberg. Nach diesem sind die bedeutendsten die Iller,
die Enz, der Kocher, die Jart, die Tauber.

1) Der Neckar, der das Land seiner Länge nach
durchströmt, entspringt im Oberamt Tuttlingen auf
einer Wiese bei Schwenningen. Auf seinem Laufe
berührt er die Städte Rotweil, Oberndorf, Sulz,
Horb, Rothenburg, Tübingen, Nürtingen, Eßlingen, Canstadt, Marbach, Beßgheim, Lauffen, Heilbronn, Neckarsulm, Gundelsheim, wo er nach einem
Laufe von ungefehr 70 Stunden, mit allen Krümmungen, das Königreich verläßt, um sich bei Mannheim mit dem Rhein zu vereinigen. Sein Ursprung
liegt 2084 Par. Fuß oder 2364 würt. Fuß; sein
Spiegel bei Tübingen 978 Par. Fuß oder 1109
würt. Fuß, bei Canstadt 635 Par. Fuß oder 720
würt. Fuß, bei Heilbronn 446 Par. Fuß oder 506
würt. Fuß, und bei Gundelsheim 384 Par. Fuß oder
435 würt. Fuß über der Meeresfläche. Vergleicht
man die Höhe des Flußspiegels bei Gundelsheim,
5 Stunden unter Heilbronn, so ergiebt sich bis dahin ein Fall von 1700 Par. Fuß, und demnach (den
Weg des Flußes bis Gundelsheim nach den Haupt-
Krümmungen des Thals zu 52 Stunden angenom-

men — im Mittel auf eine Stunde von 32⅓ Fuß. Der Fall ist aber mehr oder weniger stark, je nach der kleinern oder größern Entfernung von dem Ursprung des Flußes, wie dieses näher aus der hier folgenden Zusammenstellung zu ersehen ist. Hienach kann man die Höhen der an einerlei Fluß liegenden Orte beiläufig schätzen, wenn sie zwischen Punkten dieses Flußes liegen, deren Höhen über dem Meere bestimmt sind. So liegt z. B. Sulz ungefehr in der Mitte zwischen Tübingen und Schwenningen, (nach den Krümmungen des Flußes gemessen). Da nun der Fall des Neckars von Schwenningen bis Tübingen im Mittel 52⅔ Fuß auf eine Stunde ausmacht, so wird Sulz beiläufig 527 Fuß höher als Tübingen, mithin 1455 Fuß über dem Meere liegen. Weil aber der Fall des Neckars mit der Entfernung von seinem Ursprung abnimmt, so wird die hier gefundene Höhe noch zu groß seyn.

Fall des Neckars.	Höhe des höhern Orts über dem Meer.	Höhe des tiefern Orts über dem Meer.	Mittlere Entfernung in Stunden.	Fall des Neckars auf diese Entfernung.	Mittlerer Fall auf die Stunde.	Mittlerer Fall auf 1000 Schuhe.
	Par. Schuhe	Par. Schuhe	Stund.	Par. Schuhe	Par. Schuhe	Par. Schuhe
Von seiner Quelle bei Schwenningen bis Sulz.	2084	1316	11	768	69,9	5,3
Von Sulz bis Tübingen.	1316	978	10	338	33,8	2,6
Von Tübingen bis Neckar=tailfingen.	978	843	5	135	27,0	2,07
Von Neckar=tailfingen bis Canstadt.	843	635	8½	208	24,4	1,87
Von Canstadt bis Besigheim.	635	511	7½	124	16,5	1,26
Von Besigheim bis Heilbronn.	511	447	4¾	64	13,4	1,03
Von Heilbronn bis Gundelsheim	447	384	5¼	63	12,0	0,902
Im Mittel von Schwenningen bis Gundelsheim	2084	384	52	1700	32,6	2,5

In den Neckar ergießen sich die meisten andern Flüße von Würtemberg, und zwar, auf der rechten Seite: die Prim bei Rotweil, die Schlichem bei Epfendorf, der Mühlbach bei Mühlheim, die Eyach bei Börstingen, die Starzel bei Bieringen, die Steinlach bei Tübingen, die Echaz bei Kirchentellinsfurt, die Erms bei Denzlingen, die Steinach bei Nürtingen, die Lauter bei Köngen, die Fils bei Plochingen, die Rems bei Neckarrems, die Murr nebst der Bottwar bei Marbach, die Schozach bei Sontheim, die Sulm bei Neckarsulm, der Kocher bei Kochendorf, die Jart bei Wimpfen.

Der Kocher nimmt auf seinem Laufe die Lein, deren Lauf gerade die umgekehrte Richtung von der Rems hat, die Roth, Biber, Bühler, Kupfer, Sall, Ohrn, Brettach u. s. w. auf.

Auf der linken Seite: die Eschach bei Villingen, die Glatt bei Glatta, die Ammer bei Tübingen, die Aich oder Aia bei Oberensingen, die Kersch bei Zell, der Nesenbach bei Berg, der Feuerbach bei Mühlhausen, die Enz bei Besigheim, die Zaber bei Lauffen, der Leinbach bei Neckargartach.

Die Enz nimmt auf: die Eyach, (Schwarzwälder), die Nagold mit der Würm, beide nicht unbedeutend, den Strudelbach, die Glems, die Metter, die von Zaisersweiher aus der Gegend von Maulbronn kommt.

2) Die Donau, der größte Strom in Europa, entsteht durch Vereinigung der Brigach und Brege mit derjenigen Quelle in dem Schloßhofe zu Donaueschingen, welche ihr den Namen giebt. Sie betritt das Königreich bei Tuttlingen und fließt von da an den Städtchen Mühlheim und Friedingen vorbei,

verläßt hierauf das Königreich wieder und betritt es abermals bei Scheer. Von da fließt sie an Riedlingen, Munderkingen, Ehingen und Ulm vorbei, wo sie das Königreich für immer verläßt, um ihren weitern Lauf in das schwarze Meer fortzusetzen. Ihre Quellen liegen ungefehr in gleicher Höhe mit den Quellen des Neckars; bei Tuttlingen ist ihr Spiegel 1933 Par. Fuß oder 2192 würt. Fuß, bei Ulm 1404 Par. Fuß oder 1592 würt. Fuß über der Meeresfläche erhaben.

Der Fall der Donau, so weit sie durch Würtemberg fließt, ergiebt sich näher aus folgender Zusammenstellung, so weit bis jetzt nähere Messungen hierüber angestellt sind:

Fall der Donau.	Höhe des höhern Orts über dem Meer.	Höhe des tiefern Orts über dem Meer.	Mittlere Entfernung in Stunden.	Fall der Donau auf diese Entfernung.	Mittlerer Fall auf die Stunde.	Mittlerer Fall auf 1000 Schuhe.
	Par. Schuhe	Par. Schuhe	Stund.	Par. Schuhe	Par. Schuhe	Par. Schuhe
Von Tuttlingen bis Sigmaringen.	1933	1692	11	241	26,7	2,05
Von Sigmaringen bis Ulm.	1692	1404	19	288	15,3	1,17
Im Mittel von Tuttlingen bis Ulm.	1933	1404	28	529	18,8	1,44

In die Donau ergießen sich auf dem Wege, welchen sie durch Würtemberg macht:

Auf der rechten Seite die Osterach bei Hunder-

fingen, die Schwarzach bei Neufra, die Kanzach bei
Taugendorf, die Riß bei Ersingen, die Westernach
bei Erbach, die Roth bei der Riß, die Iller bei
Ulm. In die Iller gehen aus Wirtemberg die
Aitrach, die Weihung. Auf der linken Seite: die
Elta bei Tuttlingen; die Beer, (Beera), die gerade
in entgegengesetzter Richtung von der Schlichem fließt,
bei Fridingen; die Schmieh, (Schmieha), Ursprung
bei Onstmettingen, Bahlinger Oberamts, Einfluß
bei Sigmaringen, in entgegengesetzter Richtung von
der Eyach. Die Lauchart bei Sigmaringen-Dorf,
die Lauter bei Marchthal, die Schmichen bei Ehingen, die Blau zu Ulm, die Brenz, welche die Lontel aufnimmt, bei Gondelfingen in Baiern, eben so
die Egge bei Dillingen, und die Egar, welche die
Sechta aufnimmt und über Nördlingen geht.

3) Rhein-Einflüsse. In den Rhein gehen unmittelbar: die Kinzig, welche bei Alpirspach entspringt,
die Murg, die ihren Ursprung am Fuße des Kniebis
hat, und durch Vereinigung der weissen und rothen
Murg und des Rohrbachs bei Reichenbach entsteht;
die Alb, welche bei Herrenalb, die Pfinz, welche
bei Feldrennach und Gräfenhausen, die Salza oder
der Salzbach, der bei Maulbronn, und die Kraich,
die bei Sternenfels entspringt. Sie gehen sämmtlich
bald über die Grenzen.

4) Bodensee-Einflüsse. In den Bodensee
fließen; die Argen, (Ober- und Unterargen, die bei
Gopertsweiler sich vereinigen) bei Langenargen; die
Schussen, die bei Schussenried entspringt, unterhalb
Eriskirch in den See. Die Aach, welche von Pfrun-
gen kommt, oberhalb Friedrichshafen in den See.
Endlich geht die Tauber, welche unweit Michel-

bach an der Lucke entspringt, und an Weikersheim, Markelsheim und Mergentheim vorbeifließt, bei Werthheim in den Mayn.

c) Seen. Die bedeutendsten Seen sind: 1) der Bodensee, sonst auch das schwäbische Meer genannt, liegt 1175 Par. Fuß oder 1332 würt. Fuß über der Meeresfläche, auf der südlichen Grenze von Würtemberg, und hat seinen Namen von dem an seinem Gestade gelegenen Schlosse Bodmann. Er ist 17 — 18 Stunden lang und bei Friedrichshafen 4 Stunden breit. Bei stürmischer Witterung wird die Schifffahrt auf demselben gefährlich. Uebrigens bietet der Anblick dieses Sees mit seinen großen Umgebungen ein prächtiges Schauspiel dar. Die würt. Ortschaften, welche daran liegen, sind: Fischbach, Manzell, Seemoos, Friedrichshafen, Eriskirch, Langenargen und Thunau.

2) Der Federsee, liegt bei Buchau und ist ungefehr 1 Stunde lang und breit. In frühern Zeiten scheint er ungleich größer gewesen zu seyn, und noch unter der vorigen Regierung wurde er eingeengt. Seinen Namen hat der See von der federartigen Blüthe der um und in demselben wachsenden Sumpfgräser, Wollgräser. Um den See herum liegen: das Städchen Buchau und die Ortschaften Oggelshausen, Tiefenbach, Seekirch, Alleshausen, Monsdorf und Brackenhofen.

3) Der wilde See, sonst auch Hornsee genannt, liegt ungefehr 2 Stunden von Wildbad, auf der rechten Seite der Enz, oben auf dem Gebirge, auf einer Ebene von vielleicht einigen tausend Morgen; er ist etwa 20 Morgen groß, und von einer Menge ganz kleiner Seen umgeben, die wahrscheinlich vor-

mals mit einander. Einen großen See gebildet haben.
Die ganze Gegend ist mit Moos bedeckt und hat
einen Torfgrund, in den man tief einsinkt, jedoch
ohne naß zu werden. Das Wasser des Sees ist
crystallhell, beherbergt aber keine Fische, und alle in
ihn gesetzte Fische sollen sterben, wahrscheinlich durch
das phosphorsaure Eisen, welches sich auf seinem
Grunde befindet. Seine größte Tiefe soll 18 Fuß betragen. Um diesen See kommt die gemeine Forche
sehr verkrüppelt vor, selten höher als 10 Fuß.

Die Waldschnepfe brütet häufig in den benachbarten Dickigten, und macht in der Morgen- und
Abenddämmerung ihre Excursionen um diesen See.
Auch der Auerhahnen-Stand ist in den angrenzenden Nadelholz-Beständen vorzüglich, und es sind besondere Wege zur Auerhahnen-Jagd angelegt. Eine
Viertelstunde von diesem See befindet sich das großherzoglich badische Jagdhaus, der Kaltenbronnen genannt, Gernsbacher Forsts, das bestimmt ist die
Prinzen des Hauses aufzunehmen, wenn sie zur Balz-
zeit hier verweilen, um das Vergnügen dieser höchst
interessanten Jagd zu genießen. Auf der Seite gegen das Enzthal hat der See einen unterirdischen
Abfluß, der in einem Seitenthal aus Felsen, unter
dem Namen Rollwasser, hervorkommt, und eine
Stunde über Wildbad in die Enz fällt.

Durch einen Theil des wilden Sees zieht die
Grenze zwischen Würtemberg und Baden. Diese
Gegend ist sehr lebensarm, und die Erdbiren werden
oft nicht mehr reif.

Die übrigen Seen des Landes sind alle von keiner
großen Bedeutung. Dahin gehören der Bärensee
und der Pfaffensee bei Stuttgardt, der Poppelsee im

Poppelthal, Nagolder Oberamts, merkwürdig durch seine steinerne Schwellung, von welcher in der Folge noch weiter die Rede seyn wird. Ferner, der nicht weit davon entfernte, im andern Thalzinken etwas kleinere aber sehr tiefe Kaltenbachsee, mit steinernem Damm und im Rückgang der Ursprung der großen Enz. Der größte See in Alt-Würtemberg ist der See bei Lauffen, welcher ungefehr eine halbe Stunde lang aber sehr schmal ist, und jetzt trocken gelegt wird. Der See bei Roth, im Oberamt Gerabronn, welcher ungefehr von gleichem Flächeninhalt mit dem vorigen ist. Eben so große und noch größere Seen giebt es in Oberschwaben, welches überhaupt reich an Seen ist. Die bedeutendsten sind hier: die Seen bei Wolfegg, Blizenreuthe, Engenreuthe, Altshausen, die Sackweyher und Langsee bei Neukirch, der Bad-see bei Enkenhofen u. s. w.

9) Thäler und Ebenen.

Im Allgemeinen ergiebt sich die Kenntniß der Thäler aus der Kenntniß der Flüße, da beide, Thäler und Flüße, gemeiniglich mit einander verbunden sind. Die merkwürdigsten Thäler sind:

A. Das Neckarthal.

Es ist die größte und tiefste Einfurchung in dem Lande zwischen der Alp und dem Schwarzwald. Man theilt es in das obere, mittlere und untere Neckar-thal, und nimmt als die Grenzen zwischen denselben Tübingen und Canstadt an. Wenn man sich an das Ende des Neckarthals und überhaupt eines jeden Hauptthals stellt, so erscheinen die daran sich an-schließenden Seitenthäler wie die Aeste und Zweige eines Baumes, welche, je mehr sie sich von dem Stamme entfernen, desto enger und vielzweigiger, aber auch, je höher sie steigen, desto rauher und kälter werden. Wir bemerken:

a) die östlichen Seitenthäler.

1) Das Jarttthal. Es schließt sich bei Jart-hausen an das Hauptthal an, und steigt anfänglich mild und fruchtbar, aber immer wilder und rauher, bald durch dichte Wälder gegen Ellwangen, wo die Jart bei Walxheim im Oberamt Ellwangen ent-springt, hinauf. In dem Thale liegen die Städte: Möckmühl, Widdern, Krautheim, Jartberg, Lan-genburg, Kirchberg, Crailsheim, Ellwangen.

2) Das Kocherthal. Es beginnt bei Kochen-dorf und zieht sich in derselben Krümmung wie das Jarttthal, mit dem es auch meist gleiche Beschaffen-heit hat, durch die Tannenwälder von Gaildorf nach Aalen, bis zu dem Ursprung des Kochers bei Unter- und Oberkochen hinauf. Die Städte, die im Kocher-thal liegen, sind: Neuenstadt, Sindringen, Forchen-berg, Niedernhall, Ingelfingen, Künzelsau, Hall, Gaildorf, Aalen.

3) Das Weinsbergerthal. Es zieht sich von Neckarsulm nach Affaltrach und Eschenau hinauf, wird von der Sulm bewässert, ist sehr weinreich und hat seinen Namen von der darin liegenden Stadt Weinsberg.

4) Das Murrthal. Es fangt unterhalb Murr und Steinheim an, und verliert sich in den rauhen Tannenwäldern von Murrhardt, wo die Murr ent-springt. In demselben liegt außer Murrhardt auch noch die Stadt Backnang.

5) Das Remsthal. Es geht bei Neckarrems

von dem Neckarthal aus, und zieht sich bis in die Gegend von Aalen, wo die Rems bei Essingen ihren Ursprung hat, hinauf. In diesem schönen und fruchtbaren Thale liegen die Städte: Waiblingen, Schorndorf, Gmünd.

6) Das Filsthal. Es geht von Plochingen nach Göppingen, wo es in dem obstreichen Donzdorfer, Eibacher, Geißlinger und Wiesensteiger Thal sich verzweigt.

7) Das Lauerthal. Sein Stamm geht von Köngen bis Kirchheim, hier theilt es sich vor der Teck in das Neidlinger, Bissinger und Lenninger Thal, welche, wie die drei folgenden, zu den schönsten und fruchtbarsten Thälern gehören, und sich noch insbesondere durch eine Reihe merkwürdiger Burgruinen auszeichnen.

8) Das Neuffener Thal. Es zieht von Nürtingen bis in das Gebirgsamphitheater hinter dem Städtchen Neuffen, von dem es seinen Namen hat, und ist von der Steinach bewässert.

9) Das Uracher Thal. Es geht von Metzingen nach Urach, und heißt von da bis Seeburg das Seeburgerthal. Sowohl das Thal selber als seine Verzweigungen gewähren äusserst malerische Naturansichten. In demselben fließt die Erms, welche bei Seeburg entspringt.

10) Das Pfullinger Thal. Sein Zug geht von Reutlingen über Pfullingen, weiter hinauf heißt es das Honauer Thal. Es wird von der Echaz bewässert, und enthält die merkwürdige Nebelhöhle und das Felsenschlößchen Lichtenstein.

11) Das Steinlacher Thal. Es geht von Tübingen gegen den Roßberg hin und enthält die volk-

reichen und gewerbsamen Ortschaften: Dußlingen, Ofterdingen, Mössingen, Gomaringen, Ebningen ꝛc.

12) **Das Lautlinger Thal.** Es ist ein Theil des Eyachthals und liegt zwischen Balingen und Ebingen. Es wird mit Recht zu den angenehmsten Thälern gerechnet.

13) **Das Spaichinger Thal.** Es zieht von Rotweil nach Spaichingen, von welchem Orte es seinen Namen hat, hin, und wird von der Prim bewässert.

b) **Die westlichen Seitenthäler.**

1) **Das Zaberthal.** Es zieht von Lauffen nach Zaberfeld hinauf, wo die Zaber entspringt, und wird von der alten Gaueintheilung auch Zabergau genannt. In demselben liegen die Städte Brackenheim und Güglingen.

2) **Das Enzthal.** Es zieht von Besigheim aus, dem milden und fruchtbaren Gebiet des Unterlandes, tief in den rauhen Schwarzwald bis über Wildbad hinauf, wo oberhalb des Enzklösterleins die Enz entspringt. In demselben liegen die Städte Vietigheim, Vaihingen, Neuenbürg und Wildbad. An das Enzthal schließen sich an: a) das Glemsgau mit Markgröningen und Leonberg; b) das Würmgau mit Weilerstadt und Merklingen; c) das Nagoldsthal, besonders schön bei Hirsau, mit Liebenzell, Hirsau, Calw, Wildberg, Nagold, Altensteig.

3) **Das Ammerthal.** Es liegt zwischen Tübingen und Herrenberg, und ist ein stilles anmuthiges Thal.

4) **Das Glattthal,** auf dem Schwarzwald ꝛc.

Die übrigen Seitenthäler auf dieser Seite sind von wenig Bedeutung.

B. Das Donauthal.

Die Donau durchschneidet anfänglich die Alpguer, und das Thal ist deswegen von Tuttlingen an eng und felsig, und trägt überall die Spuren eines gewaltsamen Durchbruchs an sich. Von den Höhen der Felsen blicken häufig die Ueberreste zerfallener Schlößer herab. Bei Scheer erweitert sich das Thal, ist übrigens, theils um seiner höhern Lage, theils um seines moorigen und sumpfigen Grundes willen, weder so mild noch so fruchtbar, als das Neckarthal. Ebendasselbe ist meist bei seinen Seitenthälern der Fall, wovon folgende die merkwürdigsten sind.

a) Südliche Seitenthäler der Donau.

1) Das Illerthal. Es schließt sich durch ein großes Ried bei Wiblingen an das Donauthal an, und ist von da auf einer Strecke von ungefähr zwölf Stunden, bis Aitrach, auf dieser aber nur auf der linken Flußseite würtembergisch.

2) Das Rißthal. In demselben liegt Biberach. Die übrigen südlichen Donau = Seitenthäler bieten wenig Merkwürdiges dar. Schöner und sehenswerther sind die von der Alp herziehenden.

b) Nördliche Seitenthäler.

1) Das Brenzthal. Es geht von Gundelfingen, oder auf würtembergischem Boden, von Brenz bis Königsbronn, ist ein sehr angenehmes Thal, in welchem Brenz, Giengen, Herbrechtingen, Heidenheim, Königsbronn liegen.

2) Das Blauthal. Es zieht von Ulm nach Blaubeuren hin, ist reich an großartiger Natur und Bewunderung erregenden Felsenmassen, und enthält den merkwürdigen Blautopf.

3) **Das Lauterthal.** Es fängt bei Marchthal an, und zieht von da bis Offenhausen hinauf, wo die Lauter entspringt. Das Thal ist besonders merkwürdig wegen seinen vielen Burgen und Burgruinen.

4) **Das Beeren= oder Beerathal.** Es zieht von Friedingen gegen die Lochen hin, ist von wilder Natur, und macht die Scheidelinie zwischen dem Heuberg und dem Hardt.

C) Die Rhein = Seitenthäler.

1.) **Das Murgthal.** Es ist von Schönmünzach an aufwärts bis Baiersbronn ꝛc. würtembergisch, und wegen seines wildschönen Charakters besonders berühmt.

2) **Das Kinzigerthal.** Es gehört nur in seinen Endverzweigungen, worunter vornehmlich das Ellenbogerthal bei Alpirsbach sich auszeichnet, zu Würtemberg.

3) **Das Argenthal** — und

4) **Das Schussenthal.** Diese beiden Thäler gehen von dem Bodensee und also gleichfalls von dem Rheinthale aus.

D) Das Tauberthal.

Es ist ein Nebenthal des Mainthals, und, obgleich ganz im Norden des Königreichs gelegen, wegen seiner tiefen Lage doch sehr mild und fruchtbar. In demselben liegen die Städte Creglingen, Weickersheim, Mergentheim.

Auf der Alp giebt es auch Thäler ohne Wasser, sogenannte trockne Thäler. Sie sind gemeiniglich höher gelegen, als die bewässerten Thäler, und der Grund ihrer Trockenheit erklärt sich aus dem, was

oben über die Alp gesagt wurde. Dergleichen Thäler
sind: das Weidenthal bei Maßhalderbuch, das wilde
und felsige Glasthal bei Ehrenfels, das Stubenthal
zwischen Böhmenkirch und Heidenheim ꝛc.

E) **Ebenen und Gegenden mit besondern**
Namen.

A) Ebenen von Bedeutung hat Würtemberg nicht;
die größten liegen in Oberschwaben, hauptsächlich an
der Donau und Iller hin, namentlich bei Kirchbier-
lingen, Ertingen, Mengen, Erolzheim. Landab-
wärts sind die Filder und die Ebenen längst der Jagst,
bei Crailsheim und Ilshofen, besonders aber die
fruchtbare Kupferzeller Ebene zu bemerken.

B) Gegenden mit besondern Namen sind: das
Algäu, die Baar, das Hardt, das Gäu, die Filder,
das Hardtfeld, das Rieß ꝛc.

a) Das Algäu erstreckt sich von Memmingen und
Kempten über Leutkirch bis an den Bodensee hin,
und ist besonders wegen seiner Rindvieh- und Pferdezucht berühmt.

b) Die Baar, deren Name, wie Gau in frühern
Zeiten einen Verwaltungsbezirk bezeichnete, breitet
sich um Tuttlingen her aus, ist fruchtbar, und sowohl
durch die eigenthümlichen Sitten und Tracht ihrer
Bewohner, als durch das hohe Alterthum, in welches ihre Geschichte hinaufreicht, merkwürdig.

c) Das Hardt liegt neben dem Heuberge zwischen
der Beera und der Schmiech, ist aber nur zum Theil
würtembergisch. Es gehört zu der Alp und hat seinen Namen, wie das Hardt bei Münsingen, ohne
Zweifel von seiner rauhen Lage und von dem rauhen
Boden.

d) Das Gäu, (Nagoldgäu), dehnt sich zwischen

Herrenberg und Nagold aus, und ist wie das Gäu um Leonberg und Markgröningen (Glemsgäu) sehr kornreich.

e) Die Filder (Gefilde) breiten sich oberhalb der Weinsteig bei Stuttgardt aus, und sind durch den trefflichen Kohl, den sie hervorbringen, berühmt.

f) Das Herdtfeld ist eine unebene, rauhe, noch zur Alp gehörige Hochfläche, welche sich um Neresheim herum zwischen dem Kocher und der Eger ausdehnt, und deren Name ohne Zweifel gleiches Ursprungs mit Hardt ist.

g) Das Rieß dehnt sich von Bopfingen längs der Eger über Nördlingen in Baiern aus, und grenzt einerseits an das Herdtfeld, andererseits an die Werniz. Es ist schon seit der Römer Zeiten wegen seiner Gänsezucht berühmt.

10) Höhentafel der wichtigsten Punkte.

Zur Vergleichung und richtigern Vorstellung über die Oberfläche unsers Landes und ihre Verhältnisse, werden hier die wichtigsten Berge und andere Punkte, mit Angabe der Höhe, in der sie über der Fläche des mittelländischen Meeres liegen, zusammengestellt. Diese Angaben rühren von bewährten Männern her, und beruhen theils auf trigonometrischen, theils auf barometrischen Messungen.

a) Höhe der Neckargegenden.

	Pariser Fuß.	würt. Fuß.
Quellen des Neckars bei Schwenningen	2084	2363
Schwenningen, vor dem Bären	2151	2439
Weilerburg, ein Berg bei Rotenburg .	1710	1939

	Parisr. Fus.	wttr. Fus.
Tübingen, Spiegel des Neckars bei der Brücke	978	1109
— — Pflaster beim Ochsen	988	1120
— — Spitze der Sternwarte	1327	1391
Oesterberg bei Tübingen	1365	1548
Spitzberg, eine der höhern Stellen im Wald	1433	1609
Wurmlinger Kapelle	1483	1681
Eckhof, Bergrücken südlich v. Neckar	1517	1712
Krespach, Erdfläche am Schloß	1441	1604
Bläsiberg	1190	1357
Waldhausen bei Tübingen	1515	1718
Bebenhausen, Erdfläche am Forsthaus	1146	1299
Jordan, Berg bei Bebenhausen	1489	1687
Steineberg, höchste Weinberge der Tübinger Gegend	1490	1689
Fall des Neckars von Schwenningen bis Rotweil	449	508
Roseck, Schloß	1348	1528
Einsiedel im Schönbuch, Erdfläche	1346	1526
Schaichhof im Schönbuch, Erdfläche am Wohnhaus	1576	1786
Dettenhausen, Höhe im Schönbuch	1579	1790
Waldenbuch, vor der Post	1063	1205
Eßlingen	703	797
Cannstadt, Spiegel des Neckars bei der Brücke	635	720
Stuttgardt, vor dem rothen Hause	766	868
Hasenberg bei Stuttgardt	1376	1544
Bopser	1450	1644
Feuerbacher Heide	1208	1370
Solitude	1544	1751
Stammschloß Würtemberg am Eingang	1210	1372

	Pariser Fuß.	würt. Fuß.
Katharinen=Linde	1390	1576
Dorf Rotenberg	1123	1273
Fellbach	920	1043
Roracker	900	1020
Ludwigsburg	890	1009
Hohenasperg	1025	1162
Michelsberg	1170	1326
Bessigheim	511	579
Buoch, ein sehr hoch gelegenes Dorf mit weiten Aussichten, im Oberamt Waiblingen	1585	1797
Schorndorf	755	856
Stocksberger Jagdhaus bei Löwenstein	1657	1879
Steinknigle, Berg bei Wüstenroth . .	1568	1778
Schloß Waldenburg	1562	1771
Heilbronn, Neckar bei der Brücke . .	447	506
Wartberg bei Heilbronn	923	1047
Heuchelberger Warte, Boden . . .	925	1049
Göppingen	987	1111
Weinsberg	1450	1644
Kernberg	1527	1731
Pfaffensee	1268	1532
Bärensee	1283	1486
Schichte der Sandstein=Crystallisation	1096	1242
Schichte d. Nagelflühe (Kalkstein=Breccie)	1261	1429

2) Höhen auf und an dem Schwarzwalde.

Basel	835	947
Feldberg	4582	5195
der Belchen	4370	4955
der Blauen, Berg bei Badenweiler .	3597	4078

4

	Pariser Fuß.	würt. Fuß.
Kandelberg	3903	4432
Freyburg beim Wildenmann	841	954
Hornberg	1074	1218
Brogau	2732	3098
Donaueschingen, vor der Post . . .	2010	2279
Kniebis	2560	2903
Roßbühl, Schanze	2925	3316
Schwedenschanze, neben der vorigen .	2915	3305
Freudenstadt vor der Linde	2175	2466
Christophsthal	1970	2234
Kl. Reichenbach	1548	1755
Dobel	2192	2485
Schönmünznach an der Murg . . .	1360	1542
Gernsbach, Murgspiegel	482	547
Baden vor dem Salmen	616	698
Carlsruhe	361	409
Pforzheim vor der Post	825	935
Mözingen im Gäu	1658	1880
Hochdorf bei Nagold	1752	1987
Sulz	1359	1540
Immnau	1165	1320
Rippoldsau	1712	1933
Alpirspach	1356	1492
Dornhan	2239	2539
Wildbad	1338	1534
Calw	1036	1174
Altburg	1940	2199
Herrenberg	1356	1506
Böblingen	1389	1575

3) Höhen an und auf der Alp.

| Sigmaringen Donauspiegel . . . . | 1692 | 1918 |

	Pariser Fuß.	württ. Fuß.
Landstraße von Sigmaringen nach Ebingen	2463	2792
Winterlingen, vor der Kirche	2385	2704
Ebingen, Marktplatz	2167	2465
Onstmettingen	2428	2753
Hohenzollern	2621	2973
Hechingen, vor der Post	1626	1844
Backofenfelsen auf dem Oberhörnle bei Onstmettingen	2911	3301
Salmandinger Kapelle oder Kornbühl	2732	3098
Grenzstein zwischen Würtemberg, Hohenzollern und Fürstenberg	2637	2990
der Roßberg	2679	3038
Achalm	2180	2472
Schaafsberg auf dem Heuberg	3121	3491
Deilinger Berg auf dem Heuberg	3127	3545
die Ruine des Schlosses der Grafen von Hohenberg	3160	3583
der grüne Fels bei St. Johann	2477	2809
Der Guckenberg bei Grafeneck auf der Straße von Urach	2637	2990
Buchhalde zwischen Urach und Münsingen	2679	3038
Ferenberg	2651	3006
Sternenberg bei Offenhausen	2554	2896
Hohenneuffen	2253	2555
Grabenstetten	2260	2562
Bartholomä auf dem Aalbuch	2181	2473
der Braunenberg bei Aalen	2182	2472
Ulm, Donau	1404	1592
Ellwangen, Spiegel der Jart	1346	1526
Ellwangen, Schloß	1548	1755
Burgfelden	2800	3175

	Pariſer Fuß.	württ. Fuß.
Hoſſingen	2767	3137
Wizdorf	2765	3135
Schalksberg	2803	3178
Bahlingen	1570	1780
Lauffen bei Ebingen	1951	2212
Roßwangen	1164	1319
Oſmattingen	2586	2932
Gechingen bei Urach	2537	2818
Zainingen	2623	2966
Feldſtetten	2412	2734
Ennabeuren, die Höhe	2609	2958
Urach	2160	2409

4) Höhen von Oberſchwaben.

Bodenſee	1175	1332
Dieſenhofen, Waſſerſpiegel unter der Rheinbrücke	1129	1280
Rheinfall bei Schaffhauſen, unten am Grunde	1013	1148
Sallmannsweil, Erdfläche an der Poſt	1474	1671
Hohentwiel auf dem Wall	2174	2465
Mühlhauſen, am Fuß von Hohentwiel	1419	1608
Buſſen	2364	2680
Waldburg	2473	2804
Mößkirch	1864	2114
Engen	1634	1853
Tuttlinger Höhe	2627	2979
Tuttlinger Donau	1933	2192
Schömberg	2059	2335
Frittlingen	2053	2328
Balheim	2124	2408

11) Klima und Witterung.

Das Klima von Würtenberg ist, wie es schon die geographische Lage des Landes mit sich bringt, im Ganzen mild und gemäßigt, nach Verhältniß der größern oder geringern Erhebung des Bodens über die Meeresfläche ist es, wie überall, in den einzelnen Gegenden wieder verschieden. Da das Land seine Hauptabdachung nach Norden hat, so ist es in den nördlichen, als den niedrigern Gegenden, wärmer und gelinder als in den südlichen. Nur da, wo sich das Land nach der entgegengesetzten Seite von der Haupt= abdachung gegen den Bodensee südlich senkt, kommt es in seinem Klima den bessern nördlichen Gegenden wieder gleich, und würde diese ohne Zweifel über= treffen, wenn es sich nicht auch hier noch weit über die Thäler des Unterlandes erhöbe. Uebrigens ver= läugnet sich die südliche Natur so wenig, daß hier in einer Höhenfläche Wein wächst, wo im Unter= lande nicht mehr daran zu denken ist, denn die Ge= genden des Unterlandes, welche 600—800 Pariser Fuß über der Fläche des mittelländischen Meeres liegen, haben mit den Bodensee Gegenden, welche 1200—1400 Pariser Fuß über der Meeresfläche lie= gen, gleiche Temperatur, und 600 Par. Fuß Erhe= bung über die Meeresfläche, sind gleich einer Pol= höhe Abnahme von 53 Stunden, und am nördlichen Abhange der Alp vermindert sich die Temperatur bei 500 Par. Fuß um einen Grad.

In Absicht auf das Clima kann Würtemberg in dreierlei Gegenden eingetheilt werden:

1) in diejenigen, wo Wein, Mays (Zea Mays. L.), Obst und Frucht gedeihen. Die Thäler und Ebenen

dieser Gegenden liegen von 400—1000 Fuß über der Meeresfläche. Der Weinbau selbst erstreckt sich übrigens am Abhange gegen Süden geneigter Berge in diesen Gegenden oft bedeutend höher, und 1500—1600. Schuh über das Meer.

Die obere Grenze des Weinbaus ist in diesen Gegenden unter 48½ Grad nördlicher Breite. Auch die höchsten Weinberge bey Tübingen auf dem sogenannten Steinenberg reichen bis 1490. Par. Fuß; im benachbarten Ammerthal, am Grafenberg bey Kayh aber reichen sie bis 1600. Par. Schuhe; bessere Weine werden jedoch kaum bis auf 1000 Par. Schuh Höhe gezogen. Zu diesen Gegenden gehören noch ferner: Das mittlere und untere Neckarthal, und die in dieselben eingreifenden Seitenthäler bis auf eine gewisse Strecke, ebenso das Tauberthal, und der kleine Fleck an dem westlichen Abhang des Schwarzwalds gegen das Murgthal, bei Loffenau, ferner aus dem eben bemerkten Grunde, ausnahmsweise die schon höher liegenden Gegenden des Bodensees bis Ravensburg und Weingarten.

2) in diejenige Gegend, wo nur noch Obst, Wallnüsse und Frucht wächst, welche noch 500—600 Fuß höher als Wein gedeihen, wenn sie zum guten Fortkommen eine gegen Winde etwas geschützte Lage haben, von 1000—2000. Fuß. Dahin gehören die Filder oberhalb Stuttgardt, das obere Neckarthal mit seinen Seitenthälern, die obern Theile von den Seitenthälern des mittleren und untern Neckarthals, z. B. das Filsthal von Göppingen an, das Remsthal von Gmünd an, wo sie sich über 1000. Fuß erheben, das Thalgebiet der Donau und dessen Seitenthäler ꝛc. Bey Roßwangen am nordwestlichen Fuß der Alp

1950. Schuh über dem Meer, finden sich noch schö=
ne Obst= und Nuß=Bäume, selbst in dem 2700. Schuh
hoch liegenden Alpthal des Lochenhofs bey Bahlingen,
finden sich bey einer geschützten Lage noch Obstbäume;
bey freyer Lage, auf der Fläche des Gebirgs zeigen
sie jedoch schon bey 2000. Schuhen kein gehöriges
Fortkommen.

3) in diejenige, welche nur Frucht und Holz er=
zeugt, von 2000. Fuß aufwärts, wie alle höhern
Theile des Schwarzwaldes und der Alp, die Höhen
von Oberschwaben, die im Osten gelegene Gebirgsge=
genden von Ellwangen ꝛc. — In dieser Region sind
zwar die Sommertage sehr heiß, die Nächte aber sind
kalt, der Winter dauert länger, der Schnee fällt häu=
figer, und die Luft ist ungleich schärfer als in den
niedrigen Gegenden des Landes. Auf den höchsten
Flächen, wie z. B. auf dem Kniebis, kommt nur noch
die magere Legforche (Pinus montana) fort.

Der Mehlbaum (Crataegus Aria. Lin.) zeigt selbst
auf den höchsten Gegenden der Alp, oft zwischen den
steilsten Felsen, baum= und strauchartig, ein gutes Ge=
deihen, hie und da finden sich auf der Höhe des Alp=
Gebirgs von dieser Baumart mannsdicke Stämme,
wie man sie in den tiefern Gegenden Würtembergs
nie findet; man versuchte daher auch seit Kurzem die
Landstraßen einzelner dieser Gegenden, statt der Obst=
bäume mit diesen Bäumen zu besetzen. Der Hafer
wird in dieser Gegend vollkommener und schwerer,
als in den tiefern Gegenden Würtembergs. In Hö=
hen von 2200—2500. Schuhen, sind noch schöne zu=
sammenhängende Fruchtfelder; selbst bei 2820. Schu=
hen Höhe wird auf ebenen Flächen noch Getraide
gebaut, wie bey Burgfelden dieses der Fall ist; hö=

her findet man keine Gegend der Alp, wo noch Getraide gebaut wird. So weit noch Haber gezogen werden kann, gedeihen auch die Eichen gut; die Traubeneiche (Quercus Robur) jedoch besser als die Stieleiche (Quercus Faemina).

Nach zwanzigjähriger Durchschnittsberechnung ist die höchste Temperatur in den Solstitien in Stuttgardt 27,4° R. Die niedrigste aber 13,13° R., und die Veränderung des Barometer-Standes beträgt im Sommer selten mehr als 6''', im Winter hingegen kann sie auch 1½'' betragen. Der mittlere Barometerstand ist in Stuttgart 27,5. Die Regenmenge ist nach 6jähriger Beobachtung 27'' 6'''.

Was die Gesundheit betrifft, so ist ihr die Luft im Ganzen überall zuträglich. Ueberhaupt aber verdient Würtemberg, in Absicht auf sein Clima, unter die glücklichen Länder gerechnet zu werden, obgleich schnelle Abwechslungen in der Luft und schädliche Frühlingsfröste nicht selten sind, und oft großen Schaden, nicht nur in den Weinbergen, sondern auch an den Obstbäumen und andern Gewächsen anrichten.

Einen großen Vorrath von Metallen, Steinen, Erden und brennbaren Fossilien, enthält Würtemberg, ebenso eine Menge merkwürdiger Versteinerungen, bedeutende Salzquellen und einen Reichthum an Mineralquellen, wie ihn kein anderes Land besitzt. Vornemlich findet man Eisen in großem Vorrathe, hauptsächlich auf dem Härdtfelde, in den Oberämtern Heidenheim und Aalen, auf dem Heuberge und dem Schwarzwalde. Sparsamer als das Eisen, kommen andere Metalle vor, doch fehlt fast keines ganz. Selbst Gold hat man neuerlich, wenn gleich höchst sparsam, in dem Sandstein bey Steruenfels entdeckt. Silber-

erze findet man bey Bulach, Alpirspach und im Chri-
stophsthale, ebendaselbst Kobolt und Kupfer. Blei-
erze enthält die Gegend von Welzheim, Heilbronn
und Ellwangen.

Das aufgeschwemmte Land von Oberschwaben hat
Mangel an Werksteinen, sonst aber bietet sich fast
aller Orten ein Ueberfluß von Steinen dar.

Einige besondere Arten sind:

1) aus dem Kieselgeschlechte: Feuersteine, welche
in der Gegend von Heidenheim, Ellwangen, Alpirspach ꝛc. gefunden werden. Achat bey Neuler, Ellwanger Ob. Amt, und an andern Orten. Karneol,
ausgezeichnet schön bey Blaufelden. Kalzedon, bey
Schmidelfeld, Heilbronn, Hohentwiel. Jaspis, gemeiner bey Altburg, Calwer Ob.Amt. Ferner finden
sich in einigen Gegenden Holzsteine, Holzopale, Ame-
thyste, Granaten, und bei Hohentwiel kommt der sel-
tene Nátrolit vor.

2) Aus dem Kalkgeschlechte: Marmor, welchen man
sehr häufig und mannigfaltig, hauptsächlich auf der
Alp antrifft, und im Grunde besteht die ganze Gebirgsart der Alp aus Marmor, da dieser nichts anderes ist als ein Kalkstein, der eine solche Härte besitzt, daß er eine Politur annimmt. Er findet sich
theils einfärbig, wie z. B. gräulich schwarz bey Hattenhofen, theils gebändert wie bei Böttingen, Münsinger Ob.Amt, theils gefleckt wie an der Teck. Schönen Marmor giebt es auch bey Neresheim und land-
abwärts an der Enz, bey Vaihingen und Dürrmenz.
Kalkschiefer findet sich bey Kolbingen auf dem Heuberge, und ist ein in dünnen Platten brechender Kalkstein, der sich besonders dadurch wichtig gemacht hat,
daß er zum Steindruck tauglich erfunden wurde. We-

sonders schöner, honiggelber und weingelber Kalkspath kommt bey Neresheim und bey Vaihingen an der Enz vor. Rauwacke kommt zwischen Rottenburg und Niedernau und auf der Straße nach Rotweil vor.

3) Gypsarten. Fraueneis, ein ganz weisser Gips an dem Rothenberg bei Sulz, Murrhardt ꝛc. Bey Sulz ein himmelblauer Gips, der Anhydirt. Alabaster, ganz harter Gips, welcher eine Politur annimmt, wird besonders schön fleisch = und hochroth, bey Geradstetten im Remsthale; graulich bey Wurmlingen zwischen Tübingen und Rothenburg gefunden.

4) Steinsalz findet man bey Sulz; nach neuern Entdeckungen aber hauptsächlich in der Saline Friedrichshall bey Jartfeld. Auch Salpeter wird überall angetroffen.

5) Von brennbaren Fossilien kommen an mehreren Orten, am meisten bey Bickelsberg, Sulzer Ob.A. Steinkohlen, wiewohl überall nur nesterweise vor; Vitriolschiefer wird hauptsächlich zu Mittelbronn und Gaildorf gefunden. Alaunerde enthält die Gegend von Ravensburg ꝛc. Pechkohle, Gagat, sogenannten schwarzen Bernstein, hauptsächlich die Gegend von Bahlingen, Dotternhausen ꝛc. Pflanzenhaltiger Torf bey Schwenningen, Sindelfingen und in Oberschwaben.

6) Von Erdarten wird der Töpferthon vorzüglich gut bei Schelklingen, Heidenheim, Neresheim ꝛc. gegraben; Porcellanerde von gemeiner Art, bey Ellwangen, Heidenheim, Krailsheim, die beste bey Barthobomä auf dem Aalbuch. Farbenerden, als blaue Eisenerde, natürliches Berlinerblau, bey Hall, Trippel bey Abtsgmünd, Mehrstetten Münsinger Ob.Amt, und bey Kannstadt; bey Stuttgardt Bolus; bey Nattheim und Kannstadt, Umbra; Okker, bey Kannstadt, Stuttgardt und Neuenbürg; Kreide bey Söflingen,

Ellwangen; Walkererde bey Urach, Bahlingen; Mer-
gelerde in sehr vielen Gegenden.

7) Versteinerungen erscheinen besonders häufig in
der Gegend von Bahlingen, in der Steinlach, bey
Kannstadt, Boll, Heidenheim u. s. w. Sie enthalten theils Pflanzen, als Gräser, Schilfe, Blätter,
oft ganze Baumstämme, theils Thiere, als Fische,
Amphibien, Schnecken, Seemuscheln, und sind merkwürdige Zeugen großer Veränderungen auf unserm
Erdboden.

Am häufigsten kommen die Ammonshörner und
Belemniten als Katzensteine, Pfeilsteine vor.

Bey Steinheim im Stubenthal liegen ganze Felsen, die aus lauter Schnecken und Muscheln bestehen. Die merkwürdigsten Erscheinungen sind jedoch die
großen Landthiere, deren Ueberreste man theils ver-
steinert, theils in der bloßen Erde begraben findet;
Thiere, welche unter den jetzigen Gattungen und Arten häufig gar nicht vorhanden sind. Dahin gehört
vornemlich das Mammuth, eine ungeheure Elephan-
tenart, von der man besonders viele Ueberreste zu
Kannstadt findet, und im Jahr 1816 Zähne ausgegraben hat, wovon der größte in seinem vollkommenen Zustande eine Länge von 16—18 Fuß, und ein
Gewicht von mehr als 1000 Pfund gehabt haben muß.
Bey Boll wurde einst ein versteinertes Krokodill ausgegraben.

8) Von Mineralquellen und zwar von Sauerbronnen sind vorzüglich geschätzt, die zu Kannstadt, Berg,
Göppingen, Niedernau, Deinach. Von Schwefelquel-
len, Reuttlingen, Boll, Bahlingen, und von Heilquellen anderer Art, hauptsächlich Wildbad, Liebenzell, Löwenstein. Die Wildbaderquellen sind natür-

lich warm, und haben den großen Vorzug vor andern
warmen Quellen, daß sie gerade die dem menschlichen
Körper angemessene Wärmegrade besitzen. Unter die
wichtigsten Salzquellen gehören Sulz, Hall, Jagst=
feld, Weißbach, Niedernhall. Auch zu Murrhardt,
Gerabronn, Schwenningen 2c. finden sich Salzquellen.

Die in ganz Deutschland vorkommende Bäume,
Sträucher, Stauden, Gräser, Kräuter, Moose und
Schwämme, wovon in der Folge mehr die Rede seyn
wird, kommen mit wenigen Ausnahmen auch in Wür=
temberg vor. Ebenso die Säugthiere, Vögel und
Reptilien. Unter den Fischen sind die vorzüglichsten:

Der Aal, die Forelle, der Rothfisch, der Hecht,
der Karpfe, der Bbrs, die Schleie, die Karausche 2c.
Die gemeinsten: die Weißfische und Schupfische. Aale
führen hauptsächlich die Enz, der Neckar und die Jaxt;
Forellen, die klare Gebirgswasser; der Rothfisch ist in
der Iller und Donau zu Hause, wo er oft 30—36
Pfund schwer gefangen wird. In den kleinern Bä=
chen giebt es auch viele Grundeln, in der Erms und
Nagold zuweilen Neunaugen oder Birken. Im Fe=
dersee hält sich der Wels oder die Wälin auf, ein
Raubfisch, der bis 100 Pfund schwer wird. Im
Bodensee finden sich: Die Rheinlake, eine Salmen=
art, manchmal 40—50 Pfund schwer, die Lachsfo=
relle, 100 Pfund schwer, die Quappe, und vornem=
lich die Gangfische, welche in Menge gefangen und
versendet werden; erwachsen heißen sie Blaufelchen.

Unter den Insekten giebt es viele Krebse, Edel=
krebse, besonders in dem Forbach bei Weickersheim,
in der Roth bei Murrhardt, in der Brenz, in der
Lauter bei Dapfen und bei Tuttlingen, Einsiedel und
Bitzfeld.

Von andern Insekten verdienen auch die spanischen Fliegen genannt zu werden, die in den Apothe-
ken gebraucht und bei Nagold häufig gefangen werden.

12) Vegetation und Produktions-Fähig-keit des Landes.

Bei der Verschiedenheit der in Würtemberg vorkommenden Gebirgsarten, und der hienach verschiedenen Beschaffenheit des Bodens, so wie bei der manch-
fachen Abwechslung des Berg = und Thal = Landes,
müssen im Einzelnen die Vegetations = Verhältnisse
sehr von einander abweichen.

Am fruchtbarsten ist die Gegend von Herrenberg
und Nagold (Gäu), das Glems = Gäu (Gegend von
Leonberg), die Gegend von Winnenden, Ludwigsburg
und einzelne Gegenden des Unterlandes, wo der Spelz,
Triticum spelta, nach Abzug des Zehenten, das 8te
bis 12te Korn liefert. Gersten, Hordeum distichum
und vulgare, auch Winter = Gerste, hordeum hexa-
stichon, wird, wiewohl letztere nicht sehr häufig, gebaut, Haber, gemeiner Haber, Avena sativa, und
Zoddelhaber, avena orientalis, L. liefern wie die
Gerste, in den besten Lagen das 15te Korn. Ausserdem wird auch Roggen, Secale cereale L. Einkorn,
Triticum monococcum L., Emmer, (Triticum di-
coccum Sch.) und Weizen, Triticum aestivum und
hybernum L. mit dem besten Erfolge gebaut. Die
allgemeinste Fruchtgattung ist der Dinkel, Triticum
spelta. L. und das Verhältniß, in welchem der Anbau dieser Fruchtgattungen zu einander steht, ist: ein
Theil Weizen, 3 Theile Einkorn, 10 Theile Roggen,
15 Theile Gersten, 40 Theile Haber und 150 Theile

Dinkel. Auf der Alp und dem Schwarzwald geräth der Haber besonders gut, im Oberamt Ellwangen aber der meiste Roggen, im Oberamt Heidenheim das weiße Einkorn, im Oberamt Schorndorf der meiste Weizen, und in den Oberämtern Leonberg und Tübingen wird der meiste Emmer gebaut. Die hauptsächlichsten Gegenstände, die ausserdem gebaut werden, sind:

1) Hülsenfrüchte: Erbsen, Linsen, Wicken, Ackerbohnen, seltener Hirsen, Panicum mileaceum, L., noch seltener Buchweizen, Polygonum Fagopyrum. L.

2) Welschkorn, Zea mays. L. 3) Kartoffeln, die auch in den rauhesten Gegenden des Landes im Ueberfluß wachsen, und auch als ein treffliches Mastungs-Mittel gebraucht werden. 4) Gemüsse und andere Gartengewächse aller Art, sowohl auf Aeckern in der Brach, als in Gärten. 5) Handelsgewächse, und zwar: a) Flachs und Hanf. b) Rebs. c) Mohn. d) Rübsaamen. e) Hopfen. f) Tabak. g) Krapp. 6) Futterkräuter, Klee, Esper oder Espersett. 7) Heu und Oehmd. 8) Wein. 9) Obst. 10) Nüsse. 11) Holz.

Die Verhältnisse, in welchen das Land der Produktion nach vertheilt ist, sind folgende: von dem erzeugenden Boden ist ungefähr $\frac{1}{21}$ unangebaut, fast $\frac{1}{2}$ ist Ackerland, $\frac{1}{5}$ besteht aus Wald, $\frac{1}{4}$ aus Wiesen, $\frac{1}{25}$ aus Gärten, $\frac{1}{30}$ aus Weinbergen. Rechnet man den ganzen Flächen-Inhalt alles erzeugenden Bodens zusammen, so erhält man 5,241,000 Morgen. Da der Flächen-Inhalt des ganzen Landes 355½ Quadrat-Meilen beträgt, so bleiben also noch 975,875 Morgen, oder etwas über 55 Quadrat-Meilen für Ortschaften, Straßen, Wege, Gewässer ıc. übrig.

Genaue und zuverläßige Bestimmungen müssen wir erst von der neuen Landes-Vermessungs-Anstalt er-

warten. Es geht daraus hervor, daß Würtemberg
im Verhältniß zu seiner Bevölkerung noch nicht so
angebaut ist, als es vermöge der natürlichen Beschaffenheit des Landes seyn könnte; so lange es noch
Oberämter giebt, die mehrere tausend Morgen unangebaute Allmanden besitzen, — das Oberamt Bahlingen zählt 16,955 Morgen, — so lange überhaupt
noch 188,000 Morgen unangebaute Allmanden,
und 200,000 Morgen Ausfelder oder Wechselfel-
der in Würtemberg sind, so lange manches angebaute Land nicht noch besser angebaut, mancher bestehende Kulturzweig mit einem vortheilhaftern ver-
tauscht, hauptsächlich nützliche Futtergewächse eingeführt und die ungeheure Summen, die für Hopfen,
Tabak, Krapp, Räps u. s. w. ausser Landes gehen,
erspart werden können, so lange kann man noch von
keiner Vollkommenheit des Landbaues sprechen, und
so lange kann auch den schädlichen Waldneben-Nu-
zungen, als Weide, Streuzeug u. s. w. nicht entsagt
werden.

Mangel an Klee und Futterbau zwingt meistens
den Bauer, das in geringer Menge erzogene Stroh
dem Vieh zu füttern, und den Mangel an Streustroh
durch Waldstreu zu ersetzen, wodurch in Würtemberg
die schönsten Holzbestände ruinirt wurden, und noch
fortdaurend ruinirt werden; denn kaum hat der Wald
von den untersten Aesten sich gereinigt, so kommt der
Bauer und führt junges und altes Laub fort.

Die größten und zusammenhängendsten Hauptwal-
dungen von Würtemberg sind: der Schwarzwald, die
Odenwald-Gegend um Schönthal, die Gegenden von
Mainhardt, Murrhardt, Gaildorf, Ellwangen, der
Welzheimer Wald, und in Oberschwaben der Altdor-

fer und der Wolfegger=Wald, welche sämmtlich mit
Nadelholz dominirend, bestanden sind; ferner die Alp,
hauptsächlich der Aalbuch, welcher bei Heidenheim an=
fängt, und sich gegen Böhmenkirch, Weissenstein,
Geißlingen, bis in die Gegend von Blaubeuren er=
streckt. Er ist mit Buchen und etwas Birken, aber
mit keinem Nadelholz bestanden. Diese Kalkforma=
tion ist die Wiege eines einträglichen Compositions=
Betriebes, und die schönste Bestände hat das Revier
Steinheim aufzuweisen. Ferner sind die bedeutendsten
Waldgegenden die von Adelberg, der Schurwald zwi=
schen dem Neckar und Remsthal im Schorndorfer Forst,
der Stromberg, von Freudenthal nach Maulbronn,
der würtembergische Theil des Hagenschießes, der
Haidel=Wald genannt, Mönsheimer Revier, Leonberger
Forstes, der Schönbuch zwischen Stuttgardt, Tübingen
und Herrenberg, welche beinahe mit lauter Laubhöl=
zern bestockt sind, obschon auch in andern Landesthei=
len, wie z. B. zwischen Rottenburg am Neckar und
Hohenzollern Hechingen, die Waldflächen sehr zusam=
menhangend liegen.

Es kommen in diesen Waldungen überhaupt sämt=
liche, in Deutschland wildwachsende, Holzarten, mit
Ausnahme einiger wenigen, vor.

Auf dem Schwarzwald kommen die Weißtannen
(im ganzen Schwarzwalde, doch im untern mehr als
in andern Theilen), die Rothtanne (mehr im mittlern
und obern Schwarzwald), die Forchen (in allen Thei=
len des Schwarzwaldes), die Buchen (mehr im obern
und untern Schwarzwald), und die Eichen (gegen
die südlichen und westlichen Grenzen hin im untern
Schwarzwald), — letztere nehmen nur einen mäßigen

Flächenraum ein — rein vor, das heißt, weder unter sich noch mit andern Holzarten gemischt. Außer diesen kommen noch vielerley Mischungen vor, und zwar besonders

a) Weiß= und Rothtannen, stark und in ansehnlichen Abtheilungen, in vielerlei nicht genau anzugebenden Verhältnissen, der Anzahl nach auf jedem Morgen, vorzüglich im mittlern und obern Theil des Schwarzwaldes.

b) Weißtannen und Forchen, erstere meist dominirend, im Ganzen nicht sehr häufig, mehr nur im mittlern Theil des Schwarzwaldes gegen Osten und Südosten hin.

c) Rothtannen und Forchen, der Anzahl nach in verschiedenen Verhältnissen unter sich.

d) Weißtannen und Rothbuchen, sehr häufig in großen Abtheilungen und bei verschiedenen Verhältnissen gegeneinander; doch meist dominiren die Weißtannen; vorzüglich im nordwestlichen und westlichen Theil, aber auch im nördlichen untern Theil des Schwarzwaldes.

e) Weißtannen und Eichen in geringeren Abtheilungen. Erstere dominiren gewöhnlich stark, und kommen mehr im nördlichen und im mittleren Theil gegen die Grenze hin, vor.

f) Forchen und Eichen, von welchen erstere dominiren, mit seltener Ausnahme. Diese Mischung kommt im nördlichen Theil bis gegen die Mitte hin, vor, immer mehr gegen die Grenzen hin, oder doch nicht tief im Schwarzwald.

g) Rothtannen und Eichen, von welchen erstere stark dominiren, im mittleren Theil mehr gegen Osten hin vorzüglich, in geringen Abtheilungen.

h) Forchen und Birken, im östlichen und südlichen

Theil, ziemlich selten und in geringen Waldtheilen.
Erstere gewöhnlich dominirend.

i) Birken, Forchen und Eichen.

k) Birken, Forchen und Rothtannen.

l) Eichen, Birken, Forchen und Rothtannen.

m) Eichen und Birken gegen die Mitte des Schwarzwalds in geringeren Abtheilungen.

n) Weißtannen, Kiefern, Buchen, Eichen, Birken im untern Theil des Schwarzwaldes an manchen ziemlich hohen Bergwänden, in mäßig großen Abtheilungen und nicht häufig. Auf dem platten Rücken dergleichen Berge, welche gewöhnlich trocken und steinigt sind, stehen Kiefern und Birken, im ganzen Berg zerstreut aber Weißtannen, die dominiren. Einzelne Eichen stehen gegen das Thal hin, und Buchen kommen an der ganzen Abdachung hin zerstreut in mehr einzelnen Stämmen, zuweilen auch in Gruppen, vor.

In künstlich gesäten Anlagen von verschiedener Größe, kommen Lerchen ganz rein, oder mit Birken oder mit Kiefern gemischt, vor. Auch durch Pflanzungen entstandene reine Abtheilungen trift man von dieser ursprünglich nicht im Schwarzwald vorhandenen Holzart an.

Niederwaldbestände kommen im Schwarzwalde rein ganz wenige, und nur Birken auf kleinen Plätzen, vor; aber mit vielen Holzarten gemischt, mehrere. Z. B. im Altensteiger Forst, Revier Nagold, kommen mehrere Bestände vor, wo Eichen, Buchen, Hainbuchen, Birken, Aspen, Haseln, Salweiden, Vogelbeere, Hartriegel, Liguster in verschiedenen Verhältnissen gegeneinander, und zuweilen in Gruppen vorkommen. Ferner in dem Schönbronner Revier, bei Wildberg, Bulach, bei Calw ꝛc. Im Neuenbürger

Forst in den Revieren Schemberg und Schwann. Die Umtriebszeit ist auf 25—30 Jahre festgesetzt.

Die ausserdem vorkommenden Waldbaumarten, welche in einzelnen Stämmen in dem Schwarzwalde mehr oder weniger vollkommen, angetroffen werden, sind: der wein = und spitzblätterige Ahorn, die Traubenkirsche, die Zitterpappel, der Vogel =, Mehl = und Elsebeerbaum, die Vogelkirsche, die Eiche, die wilde Birn und der wilde Apfelbaum, die Winterlinde, die Schwarzerle, die glatte und rauhe Ulme, die Hainbuche, der Maßholder und die Salweide.

Von den Sträuchern und staudenartigen Gewächsen kommen in dem Schwarzwalde vor: die Stechpalme, zuweilen Baumartig und eine Spielart ohne Stacheln. Ilex inermis.

Der Weißdorn Crataegus oxyacantha und monogyna. Die schwarze und gemeine Heckenkirsche, Lonicera nigra und Xylosteum. Der Schwarzdorn, der Kreuzdorn, das Pulverholz, der Schlingstrauch, der Wasserholder (viburnum opulus) der Hartriegel, die gemeine Haselstaude, die Aschgrauweide, Salix cinerea, oder Salix aurita der deutschen Floristen, die lorbeerblätterige Weide, (baumartig) Salix pentandra, die Korbweide, Salix viminalis, die Weide mit 3 Staubfäden, Salix triandra, die Hanbuttenrose, Rosa canina, die weiße Rose, rosa alba, die dörnigte Heckrose mit der schwarzen Frucht, rosa spinosissima, die Zimmtrose, Rosa cinnamomea, die Alpen = Heckenkirsche, Lonicera alpigena, Himbeerstrauch, Rubus idaeus, Ackerbrombeerstrauch, Rubus caesius, hoher Brombeerstrauch, Rubus fruticosus, Alpen = Johannisträublein, Pfaffenköpfe, Evonymus europaeus, der Liguster, ligustrum vulgare, der

5 *

schwarz und rothe Hollunder, Sambucus nigra und
racimosa, die Heidelbeere, Vaccinium myrtillus in
zahlreicher Menge, die Preuſſelbeere, vaccinium vi-
tis idaea, der Kellerhals, Daphne mecereum, die
Waldrebe, Clematis vitalba, die Beſempfrieme, spartium scoparium, die ſtachlichte Ginſter, genista ger-
manica, die haarige Ginſter, genista pilosa, die Fär-
berginſter, genista tinctoria, Hauhechel, ononis spi-
nosa, der Nachtſchatten, solanum Dulcamara, und
die Wachholderbeere, Juniperus communis.

Noch muß der Sauerklee (oxalis acetosella), erwähnt werden, der in den Hoffſtätter- Enzlöſterle-
und Wildbader-Revieren, überhaupt aber im ganzen
Schwarzwald in großer Menge vorkommt, und auf
Sauerkleeſalz techniſch benutzt wird.

Die höchſten Bergrücken, die von allem hochſtäm-
migen Holz ganz entblößt ſind, ſind auſſer der Legforche mit ſtaudenartigen Gewächſen bedeckt. Dahin
gehören die Rauſchheidelbeere, auch Wolfsbeere genannt
(Vaccinium uliginosum), Moosbeere (Vaccinium
oxycoccos), Torfſcheide (Andromeda polifolia,) die
Krähenbeere (Empetrum nigrum) und die Bären-
beere (Arbutus uva ursi).

Auſſerdem verdienen für Liebhaber der Pflanzen-
kunde noch folgende Gewächſe, welche um die Gegend des wilden Seees wachſen, angeführt zu werden.

Eriophorum vaginatum, ſcheidiges Dunengras.

Teucrium montanum, (wilder Rosmarin).

Arnica montana, (Mutterkraut). Ranunculus
platanifolius, (Platanusblättriger Ranunckel).

Ledum palustre, (Sumpfpoſt).

Gentiana lutea, (gelber Enzian).

Drosera rotundifolia, (Sonnenthau), und von

kryptogamischen Gewächsen: Lichen pyxidatus, Becherflechte an Steinen. Sphagnum acutifolium (spitzblättriges Torfmoos). Politrichum juniperinum (wachholderblättriger Widerthon). Lycopodium clavatum (Bärlappen). Auch wachset um die Gegend des wilden Sees' vieles isländisches Moos, (Lichen islandicus) das gesammelt und an die Apotheker verkauft wird. Unter den Forstunkräutern kommt die Besenpfrieme (spartium scoparium), in dem Schwarzwalde häufig vor, aus dieser ragt die rothe, giftige Blume des Fingerhutes (Digitalis purpurea), die hier in ihrer größten Vollkommenheit wächst, hervor, und auch das Haidekraut, die Himbeere und Heidelbeere sind nicht selten. Da wo diese Unkräuter in großer Menge sind, verhindern sie das Einbringen des zarten Keimes in den Boden, schwächen den Einfluß des Lichtes und der Luft, und entziehen die im Boden vorhandenen Nahrungstheile; sind sie aber in geringem Grade vorhanden, so wirken sie gleichsam schützend auf die zarte Holzpflanzen.

Im Revier Baiersbronn ist die berühmte Brandstätte vom Jahr 1800. wo das Feuer über 3 Wochen wüthete, und die totale Zerstörung von etlichen 1000. (nach Spöneck S. 68. 8000. Morgen) Morgen Nadelwaldungen zur Folge hätte. Die künstlichen Mittel, welche angewendet wurden, diese unglückliche Fläche wieder in Holzbestand zu bringen, haben im Allgemeinen einen schlechten Erfolg gezeigt, desto emsiger hat die Natur für die Bedeckung des nakten Erdreichs durch die Hervorbringung von Besenpfriemen gesorgt. Daß die Vorbereitung dieser großen Verödung für die Saat nicht sorgfältig, vielweniger ängstlich seyn durfte, wird Jeder zugeben, der die Grundsätze der

Waldkultur kennt. Aber den Saamen blos auf den nakten, der Sonnenhitze heftig ausgesetzten Boden, ohne alle Bedeckung (und wenn es gleich Fichten und Forchensaamen wären) hinzuwerfen, hätte nicht geschehen sollen, um so weniger, da voraus zu sehen war, daß die Wurzeln der Besenpfriemen durch das Feuer nicht getödtet, und daher ihrer Natur gemäß mit neuer Verzweigung emporwachsen, um die einzelnen, hie und da mager aufgekeimten, Nadelholzpflänzchen zu verdämmen. Nur an einzelnen Stellen, als nördlichen Ab = und Einhängen, ist dieses nicht der Fall, wahrscheinlich weil der fettere und etwas feuchte Boden, die Keimungsbedürfniße des Saamens und Entwiklung der zarten Pflanzen befriedigen konnte. Uebrigens erscheint das Kulturunternehmen als ein schlecht gelungenes.

Ueber die Beschaffenheit der Waldbestände in der Baiersbronner Revier läßt sich soviel bemerken, daß sie einem großen Theile nach, durch schlechte Behandlung und übermäßige Nebennutzungen in einen übeln Zustand gerathen sind. Gegen das erste ist zu bemerken: daß es nicht zu vermeiden war, indem einem einzigen Förster gegen 28,000 Mrgn. Gebirgs = Waldungen übertragen wurden. Gegen das zweyte: daß das Holz in der ganzen Umgebung einen geringen Werth besitzt, die Ausübung der Nebennutzungen in einem hohen Grade den frühern Bewohnern von der Herrschaft zugestanden, deren Aufhebung seither um so weniger geschehen konnte; als mehr der Wohlstand dieser Gebirgsbewohner von der Größe dieser Art von Nutzung abhängig ist. Uebrigens sind schöne Waldbestände von Tannen und Fichten gebildet, nicht selten. Nur Schade, daß sie sich gewöhnlich in Terrainen befinden, wo die Nutzung äußerst beschwerlich, und so der Ausübung des Eigennutzes ein Hinderniß gesezt ist.

Im Gebiet Reichenbach giebt es Staats =, Geminds = und ehemals Kirchenräthliche =, jetzt Stiftungs = Waldungen; in den ersten trift man vortreffliche Kulturen, wenn solche so heissen — wo im Verhältniß der Fläche eine ungeheure Anzahl von Pflanzen nebeneinander wachsen und würgen. Das Forstpersonal ist auf diese, nach ihren Begriffen herrliche, Culturen äußerst stolz. An vortrefflichen Beständen fehlt es nicht. Gesemmelt wurde früher sehr stark, und man bemüht sich, die Spuren derselben möglichst zu vertilgen, aber der Erfolg ist nicht sonderlich. Die Gemeinde = Waldungen sehen an einigen Orten erbärmlich aus, namentlich in der Gemeinde Röth. Druck der Zeiten haben die ehemals wohlhabende Einwohner zu einer übermäßigen Nutzung genöthigt; die aufsehende Behörden haben es um so weniger verhindern können, als die Eigenthümer außer Stand gesezt worden, ihre Abgaben zu entrichten.

In der Nähe von Freudenstadt, in einem Waldbistrickt, welcher sehr leicht befahren werden kann, wie der Pfaffenwald, siebet man ganze Stämme verfaulen; hier sollte man eine solche Geringschätzung des Holzes nicht suchen, und am wenigsten an der Straße, wie dieses im genannten Wald der Fall ist. Sehr viele Stämme beinahe alle über ½ Klftr. Inhalt, liegen theils halb — theils ganz verfault, kreuz und queer übereinander. So gering der Werth des Holzes in jener Gegend seyn mag, so kann man doch keinen Anstand nehmen, eine solche Waldwirthschaft eine schlechte zu nennen. Ist wirklich der Holzreich=

thum so groß, daß die Produktion alle Consumtion übersteigt, so vermindere man die Waldfläche in gehörigem Verhältniß; indem der Nationalreichthum durch nichts mehr erhöht werden kann, als durch eine, unter richtigen Verhältnissen, ergriffene Waldausstockung. Wo die Behandlung und Benutzung der Wälder einen solchen Gang hat, kann es an einem bedeutenden Reichthum von Dammerde nicht fehlen, wenn nur die freye Wirkung der Natur durch den Forstmann nicht gestört wird; aber diese traurige Bemerkung kann man in der Umgebung von Freudenstadt öfters zu machen Gelegenheit haben, man darf sich z. B. nur an die eiserne Hand, eine halbe Stunde westlich von Freudenstadt, und an den Hirschkopf in dem Revier Baiers-bronn erinnern.

In der Erzgrube — so heißt nemlich ein hochliegendes Thal, durch welches die Nagold, nachdem sie eine Stunde nördlich entsprungen, nach mannichfaltigen Krümmungen fließt — findet man die schönste Holzbestände. Schöne Bestände darf man nicht sagen, weil es Femelbestände sind, entstanden durch eine Behandlung, welche kein anderes Gesetz kennt, als die Winke der Natur, die jedoch nur befolgt wurden, wenn es der Drang der Nutzungsverhältnisse erforderte. Wie wenig sich diese Methode eignet, für die Staatswald = Erziehung und Erhaltung, ist durch mehr oder weniger einseitige Gründe von vielen gezeigt worden, und im Allgemeinen muß die Verdrängung derselben mehr als gebilligt werden; aber es giebt doch wirkliche (keine eingebildete) Verhältniße, wo ihre Beibehaltung von Wichtigkeit ist.

Abgesehen ob der Femelbetrieb im Ertrag dem Schlagbetrieb vor oder nachstehe; so darf nicht unsbeachtet bleiben, daß es Holzbedürfniße giebt, die nur aus Femelbeständen befriedigt werden können. So wird man z. B. selten oder nie Holländerstämme in einem regelmäſſigen (beſſer gleichförmigen) Holz- waldbeſtand ſehen, alle haben ſich durch den Femel- betrieb erzeugt. Wenn aber der Wohlſtand vieler Schwarzwaldbewohner und ein großer Ertrag der Waldungen dieſer Gegend von dem Handel mit Hol- länderholz abhängig iſt, ſo kann die Erziehung die- ſes Holzſortiments nicht anders, als wichtig erſchei- nen, und die gänzliche Verdrängung des Femelbe- triebs dürfte vielleicht Reue zur Folge haben. Wo Privatwaldwirthſchaft getrieben wird, iſt ohnehin keine Verdrängung der Femelbetriebe möglich.

Aus der bisherigen Darſtellung wird ſich die Fä- higkeit des Schwarzwaldes zum Anbau der verſchiede- nen Holzgattungen ergeben. Jedoch iſt es in Er- manglung von Forſtvermeſſungen nicht möglich, ein all- gemeines Verhältniß der verſchiedenen Beſtandsarten, ſo wie der eigentlichen Größe aller Waldfläche des Schwarzwaldes anzugeben, auch ſind die Grenzlinien nicht ſcharf gezogen, wo der Schwarzwald anfängt oder aufhört, (der rothe Sandſtein endet bei Dorn- ſtetten) und immer werden jährlich viele geringere Theile zu Gartenland, Fruchtfeld und Wieſen abge- geben. Beiläufig enthält der würtembergiſche Antheil des Schwarzwaldes 311,665 Morgen, und darunter 189,805 Morgen Staatswälder.

Für die Ertragsfähigkeit der Waldflächen bei ver- ſchiedenen Betriebs- und Holzarten, ſoweit dieſe nach Probegrößen ausgemittelt worden ſind, ergeben ſich nachſtehende Reſultate:

1) Ein würtembergiſcher Morgen vom beſten Hol-

länder Holzbestand, bey ungefähr 150 jährigen über-
ständigen Weißtannen, im sogenannten Babwald,
Hofstätter Revier, Neuenbürger (nunmehr Wildbader)
Forsts, 71 Klafter zu 6' Höhe, 6' Breite, und 4'
Tiefe, wodurch sich der jährliche Zuwachs im Durch-
schnitt bestimmt, auf — $\therefore$ $\frac{71}{110}$ Klafter.

2) Ein gleich großer Plaz im Altensteiger Forst,
Pfalzgrafenweiler Revier, Waldplaz Sattelacker,
mit Roth- und Weißtannen gemischt, ungefehr
110 Jahr alt, 62 Klafter, mithin der einjährige Zuwachs — $\therefore$ $\frac{31}{55}$ Klafter.

3) Ein 110 jähriger Buchenbestand 49 Klafter, jedoch alles ohne Zwischennuzungen.

4) Ein im Durchschnitt 110 jähriger Weißtannen-
Bestand, der Commun Arnbach gehörig, Schwanner
Revier.

Der Boden ist thonreiches Kiesgemenge, mit
einer bedeutenden Quantität Humus. Die Höhe
über dem Spiegel des mittelländischen Meeres etwa
1900 — 2000 Fuß, sehr sanft gegen Nordost abhängig.

Auf 500 würtembergischen Ruthen (10 füßige),
wurden gefunden 115 Stämme. Der Durchmesser
wurde von Stamm zu Stamm genommen, und auch
von Stamm zu Stamm geschätzt, nach welcher diese
115 Stämme abwerfen — $\therefore$ $79\frac{1}{4}$ Klafter.

Hienach kommen auf 1 würtembergischen Morgen
88 Stämme, und 60 $\frac{181}{192}$ Klafter, wodurch sich im
Durchschnitt der jährliche Zuwachs sehr nahe bestimmt auf $\frac{6}{11}$ Klafter.

5) Ein ebenfalls der Gemeinde Arnbach gehöriger
Eichenbestand.

Der Boden ist ebenderselbe, und die Lage eben.

Das Alter etwa 180 — 200. Jahre, und die Stämme ungeheuer stark, aber wenig vorhanden.

Auf 296 Ruthen wurden gefunden:

43 Stämme = 10⅛ Klafter, und zwar: worunter 2 Weißtannen = Stämme mit etwa 2 Klafter Inhalt mitbegriffen sind.

Hiernach trift es auf den Morgen 55 Stämme, 14 Klafter Holz, und an gemeinjährigem Zuwachs ⅞ Klafter.

6) Ein Morgen Heidenberg an Forchen und Birken, 3 Klafter Prügelholz, und 12 Stück Wellen, 3' lang, und 1' dick.

7) Ein Morgen hoch gelegener Sümpfe — nach der Trivial = Sprache — Mißen genannt, an Birken und Forchen ¼ Klafter, und 8 Stück Wellen.

8) Ein Morgen vermischte Niederwälder, 1 — 2 Klafter Scheiterholz, 8 Klafter Prügelholz, und 100 Wellen in gutem Bestand.

9) Ein Morgen vermischte Niederwälder, 4 Klafter Prügelholz, kein Scheitholz, und 60 Stück Wellen in schlechtem Bestand, mit 25 Jahr Umtrieb geliefert haben.

Es läßt sich annehmen, daß diese Erträge, die größerntheils sehr gering sind, bei dem folgenden Turnus, sich merklich erhöhen werden, da die Femelwirthschaft bisher vorzugsweise in vielen Gegenden des Schwarzwaldes betrieben worden, besonders auch bei Abgabe der Holländerhölzer, in neuern Zeiten aber durch Schlagwirthschaft allenthalben verdrängt wird, die Abfindung der den Waldungen nachtheiligen Servituten, gegen Abtretung eines Theils der Waldfläche an die Berechtigten bewirkt werden solle, und neben der Gewinnung, des der

Holzproduktion bisher entzogen gewesenen Waldboden, die Vervollkommnung und Veredlung bereits
vorhandener Holzbestände, die nächsten Gegenstände
der Forstkultur geworden sind.

Die Fauna der würtembergischen Schwarzwalds-
Forste zeichnen keine besondere Merkwürdigkeiten vor
dem übrigen Deutschlande aus, es sey dann etwa
das gescheckte und weisse Reh, von welchen noch einige hier im Würtembergischen seyn sollen. Auch ist
das Roth = Reh = und Haasenwild in dem Schwarzwalde und der Alp, von dem in den andern Theilen von Würtemberg, durch eine auffallend größere
Leibesstärke ausgezeichnet, so, daß z. B. ein Haase
in dem Schwarzwalde und der Alp 10 und mehrere
Pfunde, in den Unterlandsgegenden aber zwischen
7 und 9 Pfund wiegt.

Der Wildstand im Schwarzwalde ist bis zur Unschädlichkeit vermindert, und begreift hier:

A) Vierläufiges Hochwild.

Das edle Rothhirschgeschlecht, Damwild, Reh-
wild, und Schwarzwild.

B) Zur hohen Jagd gerechnetes Federwild.

Auerwild.

C) Zur niedern Jagd gehöriges Haarwild.

Haasen, Füchse, Dächse, wilde Kazen, Fischotter,
Edelmarder, Steinmarder, Iltis, Wiesel, Eichhör-
ner, sowohl rothe, als braune und schwarze.

Dann finden sich noch im Schwarzwald von vierläufigen Thieren, Igel und Haselmäuse; erstere werden aber nicht häufig angetroffen.

D) Zur niedern Jagd gehöriges Feder-wild, nebst den Raubvögeln.

Haselhühner, Feldhühner, Wachteln, Wachteln-könig, Feld- Wiesen- Wald- und Haubenlerchen, Ringeltauben, Hohltauben, Turteltauben, Wald-schnepfen (Scolopax rusticola), Heerschnepfen (Scolopax Gallinago), wilde Enten, vorzüglich die Stock-ente (anas boschas), und die Kriekente (anas crec-ca), Wasserhühner, Misteldrossel, Krametsvögel, Ringamseln, Schwarzamseln, Sing- und Rothdros-seln, Goldamseln, die gemeine Staaren, die Wasser-amseln, der Schwarzspecht, der Grünspecht, die grö-ßern und kleinern Buntspechte, der gemeine und der röthlichte Kukuk, der Wiedhopf, der Eisvogel, der Wendhals, der Blauspecht, die Baumklette, von den Loxia - Arten: der Goldfink, der Grünling, der Krummschnabel, der Gimpel und der Kernbeißer. Ferner: die Goldammer, die Zippammer, der Buch-fink, der Distelfink, der Zeisig, der Hänfling, der Zitronen-Hänfling, die Nachtigall, die weiße und gelbe Bachstelze, so wie die graue Bachstelze (motacilla boarula), der Mönch, das Schwarz- und Rothkehlchen, das Rothschwänzchen, der Zaunkönig, das Goldhähn-chen, die Spiegel- Blau- Sumpf- Schwarz- Hauben-und Tannenmeise, überall ziemlich häufig. Die Rauch-Haus- und Thurmschwalbe, der Nachtschatten (ca-primulgus europaeus). Von Raub- und Krähenartigen Vögeln. Der Steinadler (falco aquila), wiewohl selten, der Flußadler (falco haliaëtus), die Gabelweihe (falco milvus), der Hühnerhabbicht (falco palumbarius) , die Mausweihe (falco buteo), der Sperber (falco nisus), der Thurmfalke (falco Tinunculus), der Schuhu (strix Bubo), die Ohreneule (strix otus), die Perleule (strix flammea), und der Steinkauz (strix passerina), der Kielrabe (corvus corax), der gemeine Rabe (corvus corone), die Saatkrähe (corvus Frugilegus), die Nebelkrähe (corvus cornix), die Dohle (corvus monedula), die Elster (corvus pica). Von den Lanius - Arten drei species, nemlich: excubitor, collurio und spinotosquus. Der Nußheher (corvus glandarius) und der Tannenheher (corvus caryocactates).

Die Benutzung der landesherrlichen Jagd auf dem Schwarzwald geschieht durch Verpachtung. Der Vorrath des noch übrigen Haar = und Federwilds, so wie der der Raubthiere hat sich bis zur Unschädlichkeit vermindert, und die Jagd ist weder als Sache der Schutzwehr und der sichernden Polizei mehr von besonderer Wichtigkeit, noch als Gewerbe, durch ihre Ausbeute an Wildpret und Nebenprodukten, sehr einladend. Mit wenigen örtlichen Ausnahmen ist sie fast nur Gegenstand des Vergnügens, und auch in dieser Hinsicht vielleicht mehr der Jagdlust als Weidmännischer Kunst.

Insecten, die schädlich im Schwarzwald vorkommen, sind:

a) Der gemeine Borkenkäfer (Dermestes typographus, nach Linne.)

b) Der kleinere zottige Borkenkäfer (Bostrichus villosus, nach Bechstein).

c) Der Holzbock (cerambyx inquisitor).

Bekanntlich greift der erstere die Rothtanne vorzüglich an, und man kann wohl sagen, daß er das

dieser Holzart eigenthümliche und zugleich schädlichste
Insekt ist, und beinahe in allen dergleichen Wäldern
in großer Anzahl und zuweilen bis zum Ueber-
maaß und zum Verderben derselben angetroffen wird.
An den östlichen, südöstlichen und südlichen Seiten
des Schwarzwaldes wurde derselbe bisher mehr oder
weniger schädlich beobachtet, auch gegen die Mitte
des Schwarzwaldes und an der Nord- und nordwestlichen Seite, doch hier ohne auffallenden Schaden.

Beträchtliche Waldtheile haben zwar im Freudenstädter Forst, in angeharzten Wäldern besonders,
doch auch an andern licht gestandenen Rothtannen-
örtern, die zuweilen mit Weißtannen gemischt waren,
gelitten, aber eigentliche Verheerungen haben sich
nirgends ergeben.

Der zottige Borkenkäfer (Bostrichus villosus)
wird meistens nur in Weißtannen angetroffen. Dieser kleine Käfer, dessen Gänge auch geringer sind,
gegen die des gemeinen großen Borkenkäfers, ist nicht
im Stande, in einem Sommer einen gesunden Stamm
ganz zu verderben und zum Absterben zu bringen,
daß dazu wahrscheinlich einige seiner Vermehrung
günstige Jahre nach einander nöthig sind, um den
Baum auf allen Seiten und tief am Stamm herab
anzustechen und die Saftgänge zu zerstören, daß
aber doch die Folgen wichtig und sehr gefährlich werden können, wenn Nachlässigkeit oder Unwissenheit
dem Käfer keine Hindernisse in seiner schädlichen Arbeit in den Weg legen. Am größten wird freilich die
Gefahr, wenn auch der gemeine Borkenkäfer zugleich
mit diesem angetroffen wird, dann geht die Zerstörung schnell, und die passenden Mittel müssen schnell,

pünktlich und im Großen angewendet werden. Hier ist baldige Entdeckung von der größten Wichtigkeit.

In den Jahren 1802 und 1803, Anfangs Juli zeigte sich dieser zottige Borkenkäfer in den Revieren Liebenzell und Langenbrand, Neuenbürger Forstes, meist an Stämmen, die gegen Mittag etwas licht standen, und wovon die meisten von Südwestwinden geschoben waren, also einen schiefen Stand zeigten, und es wurden damalen gegen 80 krankscheinende Weißtannen herausgehauen, alsbald ins Nagoldthal geschafft, dort ausserhalb des Waldes entrindet, die Rinden in Gruben und auf Haufen verbrannt, und die bloßen Stämme ins Waffer als Gestöhre ver=bunden, mit Steinen beschwert, so weit gesenkt, daß das Waffer über alle gieng, und nach vierzehn Tagen als Floßholz mit anderem dergleichen Holz, etwas wohlfeiler als das gesunde, verkauft.

Der Holzbock (cerambyx inquisitor) wird öfters im Schwarzwalde und zwar an solchen Rothtannen=stämmen angetroffen, die durch Ausästen, langes Anharzen, oder sonst durch Beschädigungen stark gelitten haben, und bereits auch vom gemeinen Bor=kenkäfer angegriffen sind. Dieses Insekt schadet einzeln einem Baum mehr, als der gemeine Borken=käfer, weil es im Larvenzustand rings um sich her alles wegnagt, in der Rinde ein höheres Alter er=reicht, und zu seiner Verwandlung einer tiefern Aus=höhlung bedarf. Der im Herbst erscheinende Käfer nährt sich wie die Larve vom Safte der Rothtanne.

Im untern etwas mildern Theile des Schwarz=waldes werden öfters mehrere, frei gegen Südosten und Süden gestandene Eichen von Maikäfern kahl gefressen.

Von Raupenarten ist im Schwarzwalde bis jetzt nichts bekannt worden, obgleich viele tausend Morgen reine Forchenbestände vorkommen. Die Ursache, daß außer den angeführten schädlichen Käferarten keine schädlichen Raupen für die Nadelwälder im Schwarzwalde vorkommen, z. B. die große Kienraupe (Phalaena bombyx pini); der eben so gefährliche Nonnenspinner (Phalaena bombyx monacha) u. a. m., möchte wohl in folgendem zu suchen seyn.

a) In dem rauhen Klima mit hoher Lage verbunden. Aus der Naturgeschichte dieses Insekts ist bekannt, daß jede nasse, rauhe Witterung während der Metamorphosen = Periode, wenn sie auch nur einige Tage anhält, für das Insekt in diesem Zustand tödtlich wird. In dem Schwarzwalde ist es bis Mitte Juny rauh, und Hagelschauer auch ohne Gewitter nicht selten.

b) In den vielen mit Laubhölzern gemischten Nadelholzbeständen.

Die Laubhölzer locken viele Vogelarten herbei, die in reinen Nadelholzbeständen gar nicht vorkommen, welche theils auf den Laubhölzern nisten, theils die Insekten fressen, die sich häufig auf diesen Holzarten befinden, theils auch mehrere Insekten auf den Laubhölzern vorkommen, die als natürliche Feinde der Nadelholzinsekten bekannt sind.

c) Die unbestrittene Erfahrung der neusten Entomologen, daß die Ameisen die Eier dieser schädlichen Phalänen anfressen und zerstören. Im Schwarzwalde kommen keine Fasanerien vor; die Nachtigallen werden nur an den Grenzen angetroffen, und die Ameiseneier daher nicht in Quantität aufgesucht und fortgeschafft.

6

d) Der Umstand, daß so viele vermischte Wälder auch mit Laubhölzern vorkommen, ergeben sich keine großen an einander hängende Strecken reiner Nadelwälder, sondern es werden durch diese Abwechslungen gleichsam natürliche Isolirungen und Abscheidungen gebildet, daß wenn auch solche Insekten als Raupen vorkämen, die Mittel sicherer und besser wirken könnten, bei geringer Größe der insicirten Fläche.

e) Werden die Expositionen im Schwarzwald mehr und schneller verändert, als in andern Gegenden durch die vielen Einhäuge, Thalzinken, große Felsenmassen, Krümmungen der Thäler, und dieses hat auch Einfluß auf diesen Punkt, denn südliche Bergseiten sind jeder Gefahr von Insekten mehr ausgesetzt, weil es in dem Instinkt dieser Thiere liegt, solche Lagen zu suchen, wo ihre Vermehrung durch besondere Wärme der Sonnenstrahlen begünstigt wird. Es können also wieder nur durch Veränderung der Exposition entstandene kleinere Theile mehr verdorben und die andern mehr gesichert werden, öfters noch dadurch, daß andere Mischungen vorkommen, die als solche schützend werden aus obigen Gründen.

Das geognostische Vorkommen in der Umgebung von Wolfegg ist durchaus aufgeschwemmtes Land. Sand und Lehmschichten wechseln mit einander ab. Nagelfluhe ist selten. Ziemlich reiner Töpferthon wird nesterweise auch gefunden. Ein Gemenge aus sehr viel Thon mit Sand oder statt Sand Kalk, nennt der Bauer zum Unterschied des eigentlichen Lehms, den er statt Mergel beim Bauwesen anwendet, Mergel, und den er auch als Düngungsmittel benutzt. Als Geschiebe liegen in diesem aufgeschwemmten Lande: Sandsteine, Quarz, sehr viele Glimmerschiefer, der ältere blaue Kalk, auch Zechstein genannt. In den Beeten der Flüsse findet man den jüngern Sandstein, der häufig als Baustein benutzt wird. Vor mehrern Jahren soll ein Geschiebe des Alpenkalksteins, der als Marmor benutzt wurde, gefunden worden seyn. Kalktufe finden und bilden sich vorzüglich an den Seitenwänden des Flüßchens Aach. Sie werden zu Bausteinen ausgebrochen, und die durch das Behauen entstehende kleine Brocken werden zu Kalk gebrannt. Das Faß kostet 3 Gulden.

Einen sehr großen Flächenraum nehmen die Torfrieden weg (auch Waasenmöhre genannt). Die Mächtigkeit dieser Moorgründe beträgt 11 — 15'. Man unterscheidet einen rothen (leichtern) und schwarzen schweren Torf. Jener liegt gewöhnlich über diesem untern. Der schwarze besitzt mehr Hitzkraft. Chemische Versuche wurden bis jetzt über die Hitzkraft noch keine angestellt. Im Geldwerth werden 3000 Stücke gleich einem Klafter 4schuhigem Fichtenholz geschätzt. Das Ausgraben des Torfes beginnt mit dem Frühjahre. Ein Mann kann täglich 4500 — 5000 Stück stechen. Zwei starke Personen sind im Stande, solche mittelst Karren wegzuschaffen, und auf der trocknen Erde auszubreiten. Je besser der Torf ist, desto mehr Hitze bedarf er zum Trocknen. Den Hauptnutzen gewährt dieser Torf als Brennmaterial; 5000 Stücke sind hinreichend, den Winter hindurch einen gar nicht ökonomisch gebauten Ofen, wie ihn der Bauer hat, zu heizen. Zum Anzünden bedient man sich kleiner Holzschnitten. Er brennt sehr dauerhaft, verbreitet aber einen gar nicht angenehmen

6 *

Geruch. Landleute, die ihre Felder nahe an solchen Niedern zu liegen haben, führen diesen Torf auch auf die Felder, bedecken ihn mit Rasen, verbrennen ihn und streuen die Asche als Düngungsmittel aus. Außerdem wurden die getrockneten Torfstücke in der neuesten Zeit auch zum Bauen statt der Ziegelsteine zum Ausfüllen der Riegelwände benutzt. Zur Holzproduktion ist der Torfboden wenig geeignet. Man kann beinahe sagen, daß außer Forchen und Birken keine Holzart auf ihm gedeiht; wo letztere vorkommen, muß die Oberfläche schon trocken seyn. Wenn der Ertrag bei 50 — 60jährigem Umtrieb von den Ried = Forchen 3 — 3½ Klafter abwirft, darf man wohl zufrieden seyn. Die Birken werden meistens als Besenreißig benutzt, weil dort die Pfrieme ganz fehlt. Wo es nicht zu naß ist, eignet er sich zum Fruchtbau ziemlich gut, vorzüglich dann, wenn ihm seine Lockerheit durch einen sandigen Lehm benommen wird. Schönen Dinkel sieht man auf ihm nie wachsen, wohl aber Haber und Gersten, auch Roggen.

Waldungen findet man noch sehr schöne; ganz schlechte (mit Ausnahme des benachbarten, über 20,000 Morgen großen Altdorfer Waldes und der Herrschaft Kißlegg, woran übermässige Servituten schuldig sind) nur wenige. Die größten Bestände bildet die Fichte, dann die Buche; aus beiden Holzarten gemengte Bestände sind häufig. Eichen=Bestände fehlen ganz; die Eiche findet sich nur noch einzeln auf der sogenannten Raine noch nicht arrondirter Güter. Einen kleinen Bestand von Ulmen oder Eschen gemengt, hat das Wolfeggische Spital; außerdem findet man beide Holzarten nur einzeln an Ufern und feuchten Orten; den Ahorn und Maßholder findet man noch seltner.

Die Niederwaldungen verdienen kaum einer Erwähnung; wo sie vorkommen, bestehen sie aus Erlen und Birken. Alle übrige Waldungen sind Hochwaldbestände. Die durchschnittliche und zugleich ökonomische Haubarkeit ist für Nadel = und Buchenwaldbestände das 90te Jahr. Es giebt jedoch auch Räume, wo der Boden so schlecht ist, daß die Fichte schon im 60ten Jahre kernfaul wird; hingegen auch solche, wo die Buche erst zwischen dem 120ten und 130ten Jahre haubar wird.

Die Nachhaltigkeit der Wolfeggischen Hochwaldungen kann im Durchschnitte auf etwa 55 bis 60 Kubikfuß per Morgen angenommen werden. Früher war der Fehmelbetrieb eingeführt. Seit etwa 20 Jahren sucht man die Spuren desselben durch die Schlagwirthschaft zu verdrängen. Dorther schreibt sich auch die sonderbare Physiognomie, welche die meisten Waldbestände darbieten. Es verdient vielleicht erwähnt zu werden, daß zur nämlichen Zeit alle Waldungen der Herrschaft Wolfegg und Waldsee genau vermessen und taxirt wurden.

An einzelnen Bestandes = und Baumschönheiten sind die Waldungen nicht arm. Im Bannholz z. B. findet man drey Buchen beisammen, welche über 40 Klafter abwerfen dürften. In der Haidgauer Revier steht eine Fichte, welche nach genauer stereometrischer Messung über 1500 Kubikfuß Masse enthält; den körperlichen Inhalt der Aeste nicht mit eingerechnet. Vorzüglich starke einzelne Eichen findet man in der untern Herrschaft.

Die Holzpreise sind im Durchschnitte folgende: 1 Klafter Buchenholz mit 144 Kubikfuß Raum-Inhalt . . . . 6 fl. —

1 Klafter Nadelholz	.	.	.	4 fl.	——	
1 Kubikfuß Buchenwerkholz	.	.	——	6 kr.	
1 —— Nadelwerkholz	.	.	——	4 kr.	
1 —— Nadelbauholz	.	.	——	3 kr.	

Unter den manchen Waldübeln steht das Vieh-weiden oben an. Windstürme haben im Februar 1817. großen Schaden gemacht. Man konnte die umgeworfene Holzmasse nicht verwerthen. Dieß gab Anlaß zu einer musterhaften Erweiterung eines schon früher bestandenen Holzmagazins. Das rohe Holz wurde theils beschlagen, theils zu Bretter geschnit-ten, und dieses nach Quadratschuhen, nach einem besonders hiezu verfertigten Tarif, — jenes aber nach Kubikfüßen verwerthet.

Der Grund, daß immer noch sehr viel Holz beim Bau- und Feuerwesen verwendet und verschwendet wird, dürfte im Wesentlichen in folgenden Verhält-nissen gesucht werden: a) im Mangel an dauerhaften Bausteinen; b) in der ungeschickten Bauart der mei-sten Oefen. Denn um für einen strengen Winter eine leidliche Stubenwärme hervorzubringen, sind wenigstens 2 1/2 Klafter Fichtenholz (mit 144 C') nöthig. Dieser Aufwand vermindert sich jedoch beim gemeinen Manne um viel, weil ihm der Torf sein Brennholz-Bedürfniß einem großen Theile nach ent-behrlich macht. Dagegen bemüht er sich, diesen Vortheil beim Bauwesen und Brodbacken wieder aus-zugleichen. — c) Die Wohlfeilheit des Holzes. Denn die Klage des gemeinen Mannes über hohe Holz-preise bezieht er lediglich nur auf eine Zeit (die er vergebens zurückwünscht), wo der ganze Holzertrag nicht hinreichen würde, ein, nach den gegenwärtigen Verhältnissen organisirtes, Forstpersonal zu besolden.

d) Die Abhängigkeit des Ackerlandes vom Reisig= brennen (sogenannten Motten). Diesem Zweck wird beinahe der ganze Reisig=Ertrag geopfert *); e) der baufällige Zustand der meisten Gebäude des Lands= mannes — und endlich f) die Geringschätzung des Holzes durch die Bauleute einestheils, und durch Holzberechtigte (denen man das Bauholz unentgeld= lich verabreichen muß) andererseits.

Ueber das Gedeihen der einzelnen Holzarten in Oberschwaben ist hauptsächlich zu bemerken: daß in dieser Beziehung zwischen der Fichte, Tanne und Buche kein wesentlicher Unterschied angegeben werden kann, sobald der Anfang ihrer Jugendzeit einmal vorüber ist, nur daß die Fichte sich am leichtesten fortpflanzen läßt.

Der ganze Landstrich ist wie mit Holzungen über= sät, wodurch der Transport der Waldmaterialien sehr erleichtert wird; nur der weit ausgedehnte Altdorfer= wald macht, daß sich einige Bewohner ihre Holzbe=

---

*) Die Befriedigung dieses Bedürfnisses kann ohne einen gewissen Grad von Wohlstand nicht gänzlich aufgeho= ben werden. Denn wenn dem Landmanne einerseits die Mittel fehlen, den Futterbau zu erweitern, und andererseits das Vermögen abgeht, sich so viel Vieh anzuschaffen, als es die Ausdehnung seines Ackerlan= des nothwendig macht, so nimmt er seine Zuflucht zu dem einfachsten Mittel; und dieses findet er in dem Verbrennen des Reisigs auf seinen Feldern. Uebri= gens ist der Verfasser sehr lebhaft überzeugt, daß angeerbte Unwissenheit, Unbeholfenheit und verderb= liche Gewohnheiten mancher Güterbesitzer zu dieser Vermögenslosigkeit vieles beigetragen haben.

dürfnisse 2 1/2 bis 2 Stunden weit her verschaffen müssen.

Ueber diesen Wald noch kurz Folgendes:

Seine Gränzen sind ringsum Ackerfeld, seine Lage im Durchschnitte sanft nach Norden abhängig, hin und wieder unterbrochen durch niedere, steile Abhänge. In der Richtung von Osten nach Westen wird er durch zwei Hauptstraßen und zwei Flüßchen durchschnitten. Die höchste Erhebung über die Meeresfläche ist bei Waldburg, etwas über 2,000 pariser Fuß; die mittlere dürfte auf 1,700 anzunehmen seyn; einzelne Niederungen befinden sich in der Region des Weinbaues. Er ist ein Eigenthum der Krone Würtemberg, der Grundherrschaft Wolfegg und dem kleinsten Theile nach der Familie Wooser. Seine Ausdehnung beträgt wahrscheinlich über 20,000 Morgen. Etwas über 10,000 Morgen wurden im Jahre 1811 und 1812 vermessen und taxirt. Dieses Unternehmen brachte die Holzgerechtsamen um die Hälfte ihres (sogenannten) Quantums; eine Maßregel, welche das Resultat dieser Taxation nothwendig gemacht haben soll.

In dem südlichen und zugleich höher liegenden Theile des Altdorfer Waldes ist die Verjüngung der Bestände sehr leicht, indem der magere Boden selten so viel Gras erzeugt, daß das Eindringen des abfallenden Saamens in die feuchte Erde verhindert würde; auch haben die flachwurzelnden Fichten, welche den größten Theil wegnehmen, der Trockenheit des Bodens wegen, einen festen Standort. In dem nördlich und zugleich tiefer liegenden Theil zeigen sich durchaus die umgekehrten Verhältnisse. Und unter dieser großen Menge von Schwierig-

selten gelingt es selten, einen Fichtenbestand natürlich
zu verjüngen, selbst die Kunst muß mit großer
Umsicht realisirt werden; daher kommt es, daß im
Jahr 1819 mancher Besaamungsschlag, der früher
mit seinem zu erwartenden Anflug im Nutzungsplan
gestanden, nun in Kulturplan verschoben werden
mußte. — In dem Revier Baind, welches sehr fetten, aber meist nassen Waldboden besitzt, hat im Jahr
1817 ein einziger Sturm 1500 Klafter umgeworfen.

Auf dem Wege von Wolfegg bis Rotweil ist in
der Umgebung von Salem die Fichte, dann die Buche
vorherrschend, untermengt ist beiden Holzarten oft
sehr reich die Birke. Die Behandlung hat jedoch die
Ausrottung aller weichen Holzarten zum Zwecke.
Der Boden ist beinahe durchgehends eines sehr hohen
Ertrags fähig; die Bestände größtentheils schön.
Durchforstungen dürfen des Schneedrucks wegen nur
sparsam vorgenommen werden.

In der Nähe des Bodensees ist das Revier Owin-
gen bergig, und hat sehr schöne Bestände von Buchen,
Fichten und Forchen. Man siehet es hier sehr gern,
wenn in den jungen Forchenbeständen viele Birken
aufwachsen, welche man, wenn sie Reifstärke erlangt
haben, mit der gehörigen Vorsicht herausnimmt, und
an die Bewohner der Bodenseegegend um hohen Preis
verkauft. Der Seekreuzdorn findet sich hier in großer
Menge.

In einem Buchenbesammungsschlage (Revier
Tüfingen) siehet man 65 — 70jährige Buchenstöcke
recht freudig ausschlagen. Der mittägige Hang hat
trockenen Boden. Bei Aldingen zeigt sich ein sehr
schöner 8 — 10jähriger Fichtenanflug mit so viel schönen haubaren Eichen und nur sehr wenig beigemeng-

ten Fichten, daß sie beinahe einen ordentlichen Licht-
schlag formiren. So scheint also die Fichte auch den
kleinen Rest von Eichen in Oberschwaben zu verdrängen. Der nemliche Fall findet statt, bei einigen
alten Eichenbeständen in der Herrschaft Aulendorf.
Zwischen Mößkirch und Tuttlingen sieht man ebenfalls in 20 — 30jährigen Fichtenbeständen eine nicht
unbedeutende Menge alte abgelebte Eichen. Wahrscheinlich vegetirte auf dieser Fläche früher ein Eichenbestand, dem Fichten untermengt waren, welche in
diesem Falle nunmehr die Herrschaft errungen. In
der Umgebung von Tuttlingen scheint die Buche vorherrschende Holzart zu seyn. Gegen Rotweil hin
wird es die Fichte. Sehr angenehm ist das nicht
tief liegende Thal über Aldingen, Spaichingen nach
Rotweil. Man fühlt es, daß man dem Schwarzwalde immer näher kommt. Die Buche verschwindet
größtentheils; die Weißtanne zeigt sich immer zahlreicher; auch Forchen kann man oft sehen. Die
steinernen Häuser verlieren sich, man sieht jetzt statt
ihnen einfache, nicht schöne, aber für den Landmann
sehr bequeme, ganz von Holz gebaute. Ehe man
nach Schramberg kömmt, sieht man die ersten Häuser mit einer Gallerie, die durch die weit hervor-
stehenden Dächer gegen übeles Wetter geschützt sind.
Die früher vorkommenden hölzernen Häuser haben
die größte Aehnlichkeit mit denen in Oberschwaben.
Den ächten Schwarzwaldhäusern fehlt das Kamin
ganz, sie sind gewöhnlich mit Stroh bedeckt und
sollen nicht feuergefährlich seyn. Unter dem Koch-
herde ist ein steinernes Gewölbe, in dieses setzt der
Ruß sich ab, und die Bäurin reinigt dasselbe von
Zeit zu Zeit selbst.

An der Staig von Sullgen nach Schramberg hinunter sieht man den rothen Sandstein zum erstenmal zu Tage ausgehen. Der Vegetation nach zu urtheilen sollte Schramberg tiefer als der Bodensee liegen; denn die Kirschbäume blüheten an den mittägigen Bergseiten sehr deutlich, während zwei Tage früher die Kirschbaumknospen am Bodensee noch sehr verschlossen waren; es hatte freilich in der Nacht geregnet. Die Bergseiten des Gutacherthales sind mit Weißtannen und Fichten bewaldet. Die Gutach schäumt murrend durch wilde Granitblöcke hindurch.

Im Lauterbacher Thal zeigt sich zum erstenmal die Besempfrieme, sie nimmt sehr große Flächen weg. Ein regsameres Leben wird man auf dem Schwarzwalde nicht leicht finden, als es sich im Kinzig =, Schiltach = und Wolfachthale äußert. Pochwerke, Holzflöße und eine große Anzahl Sägemühlen beleben dieselbe auf eine äußerst angenehme Art. In Hausach beginnt der Weinbau. Hier finden sich zwei merkwürdige Verkohlungsöfen, die der Herr von Uechtriz erbaut hat, und von welchen in der Folge die Rede seyn wird.

Taxations = Versuche, welche im Revier Wolfegg gemacht wurden, gaben folgende Resultate:

Auf 435 ☐ Ruthen standen 279 Nadelholzstämme. Der Bestand war 90 — 100 Jahre alt und von Weiß= und Rothtannen vermischt. Diese 379 Stämme warfen ab 133 Klafter, folglich p. Morgen 246 Stämme, und 117 Klafter Holz. Der Boden ist ein sehr humusreiches Kiesgemenge mit etwas Thon. Die Lage sanft gegen Nordwest abhangend. Die Stämme außerordentlich lang. Selten einer unter 100 Fuß, viele aber 120 Fuß hoch.

Die übrigen Waldungen des Landes bestehen theils in großen zusammenhängenden Bezirken, die sich oft mehrere Meilen weit erstrecken und Städte und Dörfer enthalten, wie z. B. der Schönbuch zwischen Tübingen und Echterdingen, die Waldungen der Alp und der Gegend von Murrhardt, der Welzheimer Wald; theils in kleinen abgerissenen Flächen und in Feldhölzern. Der Schönbuch erzeugt auf der jüngern oder bunten Sandsteinformation mit untergeordneten Lagern von rothem und weißem Quadersandstein, vorzüglich Eichen und Buchen, die Alpwälder auf etwas tiefem Kalkboden in der mittlern Region, vorzüglich Buchen in ihrem schönsten und besten Wuchse. An einigen Stellen der Alp in Basalt und Kalkboden gedeihet auch der Niederwaldbetrieb der sonst gewöhnlich bei dieser Holzart nicht zu empfehlen ist, da sie wegen ihrer harten Schaale nicht gern vom Stock ausschlägt, am besten, und man findet da bei einem 30 — 40jährigen Umtrieb sehr alte Stöcke, welche noch immer ihre Reproduktionskraft zeigen. Boden und Lage sind zwar, wie es in einem ganzen Lande nicht anders seyn kann, sehr verschieden, doch im Ganzen zu dem Holzwuchse sehr vortheilhaft.

In den tiefern Punkten der Alp findet man nur ausnahmsweise Flächen, welche so bestanden sind, wie es die Ertragsfähigkeit des Standorts hervorzubringen vermag; alles übrige ist theils durch schlechte Behandlung allein, theils verbunden mit einer sehr geringen Ertragsfähigkeit in einem erbärmlichen Zustande. Im Lichtensteiner Revier sind seit 15 Jahren 1000 — 1200 Morgen mit Nadelholz in Kultur gesetzt worden, wovon einige vortrefflich gelungen sind.

Bei Balingen und Schömberg siehet man auf der Gryphitenkalkformation an den nördlichen und westlichen Abhängen die schönsten Weißtannenbestände, größtentheils rein, selten mit Rothtannen untermengt. Ebenso kommen bei Roßwangen, Hausen am Than, bei Obernheim auf dem Jurakalkgebilde, Weiß= und Rothtannenbestände vor, wie sie in dem Schwarzwalde der alte rothe Sandstein nicht schöner aufzuweisen hat.

Die übrigen Landestheile sind mit den gewöhnlichsten deutschen Laubhölzern, die, je nachdem Boden und Lage wechseln, — sehr verschieden bestanden, wie man denn überhaupt sämmtliche in Deutschland wildwachsende Holzarten, mit Ausnahme einiger wenigen, in den würtembergischen Forsten antrifft.

Das Donauthal ist die Grenze der Buche und Kalkformation. Beide übersetzen zwar die Donau, erstere kommt aber im Allgemeinen nur als untergeordnete Holzart vor, und der Kalk macht dem aufgeschwemmten Lande Platz.

Auf beiden Seiten nach Sigmaringen finden sich sehr materialreiche Buchhochwaldungen. Einige Niederwaldbestände haben abgelebte Eichen zum Oberholze. Hinter dem Städtchen Scheer erweitert sich das Donauthal immer mehr, und ist mit wohlgebauten Dörfern übersäet. Die Gegend von Mengen und Saulgau bis Aulendorf, hat sehr schöne Fichtenbestände aufzuweisen, wo übertriebene Viehweiden und schlechte Behandlung kein großes Hinderniß waren.

Das Städtchen Buchau ist von Sümpfen, Riedern und dem Federsee umschlossen, viele 1000 Stücke Torf werden in dieser Gegend gegraben.

Der Welzheimer Wald ist vorzüglich mit Weiß- und Rothtannen — und nur die südlichen Bergseiten mit Forchen, hie und da aber mit Eichen bestanden, auch jene Nadelhölzer sind zum Theil mit Rothbuchen Baumholz vermischt.

Mißgriffe in der wirthschaftlichen Behandlung, eine zu lichte Stellung der Weißtannenschläge haben bedeutende Verwüstungen angerichtet. Diese Bewirthschaftungsart aber ist nicht so allgemein, wie der Femelbetrieb, wodurch sich die Bestände noch weit besser, als bei der zu lichten Schlagstellung erhalten haben, ungeachtet eine Waldfläche bei der Femelwirthschaft nicht so viel Holzmasse jährlich hervorbringen kann, als sie bei der regelmäßigen Schlagwirthschaft liefert.

Außer der Alp und dem Schönbuch im Tübinger Forst, war ehemals der Schurwald im Engelberger-, jetzt Schorndorfer Forst, vorzüglich reich an Rothbuchenbeständen. Durch eine zu lichte Stellung der Besaamungsschläge in Hochwaldungen, sind hier die Hochwaldbestände, wie im Schönbuch und auf der Alp, im glücklichsten Fall in Mittelwaldbestände verwandelt worden, wo der Unterholzbestand nur aus weichen Holzarten besteht, und die Buchen nur noch als Oberholz vorhanden sind, wodurch freilich in der Folge, jedoch mit ungleich größerer Mühe, wieder reine Buchenbestände erzogen werden können.

Aber in vielen Gegenden des Landes, vorzüglich auf der Alp, haben sich die Rothbuchen nicht einmal als Oberholz erhalten, und die Waldbestände sind mit Birken und Salweiden Horstweise bestockt.

Die sogenannten Unterlandsgegenden, vorzüglich diejenigen, die auf beiden Seiten des Neckars aufgeschwemmtes Land enthalten, sind meistens mit

Mittelwaldungen bestanden, in welchen Eichen und Hainbuchen als Oberholz prädominiren. Diese Wald-distrikte liefern zwar des, in dieser Gegend sehr ho-hen, Holzpreises wegen, einen sehr hohen Gelbertrag; allein das Holzbedürfniß der Bewohner dieser Ge-gend, muß zum Theil durch Herbeiflößen des Hol-zes, aus Gegenden des Schwarzwaldes, der Alp und des Welzheimer Waldes befriedigt werden, da die Inwohner jener Gegend offenbar einen, der Größe der Waldfläche nach sehr geringen Materialertrag aus ihren Wäldern beziehen.

Die Waldbdistrikte der Umgegend von Heidenheim sind ursprünglich Buchenbestände, in denen die Eichen viele Jahre ihr Recht behauptet haben mögen, die nun aber auf sehr ausgedehnten Flächen ganz fehlen. Im Durchschnitt genommen sind diese Waldungen von der Natur hinlänglich begünstigt, aber durch eine fehlerhafte wirthschaftliche Behandlung, und durch Holz=, Weide= und Grasfrevel, die zum Theil auf lagerbüchlichen Bestimmungen beruhen, verdor-ben. Die Buchenschläge sind durch eine zu lichte Stellung und durch Weidfrevel sehr verdünnt wor-ben, und haben sich größerntheils in Birkenbestände verwandelt, so daß man auf beträchtlichen Distrikten von dem noch dürftig vorhandenen Buch=Reidelholz auf den ehemaligen eblern Holzbestand kaum noch einen Schluß machen kann. Die Reste von übergehalte-nen buchenen Stangenhölzern liefern den auffallend-sten Beweiß, wie sehr der Holzwuchs in der dorti-gen Gegend gewonnen haben würde, wenn man beim Abtriebe mehrere Vorsicht gebraucht hätte, und wenn die Bestände nicht vor ihrer Reife zum Hiebe ge-bracht worden wären.

Das rauhe Klima der Gegend veranlaßt durch Duft, Schnee und Eis alljährlich in den Schlägen großen Schaden, und es kommen ganze Bestände vor, die wegen allzu lichter Stellung nicht ein Laßreiß enthalten, dessen Gipfel nicht durch Duft und Schnee beschädigt wäre. Die zu licht gestellten Schläge hat das Gras überzogen, so daß man viele Distrikte, die ohne Nachwuchs sind, für junge Schläge hielte, wenn die Zeit nicht bereits jede Spur von den ehemaligen Stöcken zerstört hätte. An andern Stellen hat die benachbarte Birke die Schläge vor Verödung bewahrt. In neuern Zeiten hat man aber eine bessere Bewirthschaftungsart in diesen Walddistrikten gewählt, und man sucht mit der größten Sorgfalt den Buchen wieder ihr ursprüngliches Recht zu verschaffen, und richtet die Hiebe ganz darauf ein, diese Holzart wieder als herrschende zu erheben. Zu diesem Ende wird die dunkle Stellung der Schläge, wo es nur immer die Holzbestände und das Verhältniß ihrer Mischung mit den weichen Hölzern zuläßt, als erstes Gesetz betrachtet, und auf diese Art eine gleiche Besaamung erreicht, weswegen sich auch nicht zweifeln läßt, daß nach Verfluß einer Umtriebszeit, diese Bestände wieder in den besten Zustand versetzt seyn werden, da auch die künstliche Cultur auf verödeten Distrikten und verhauenen Schlägen nicht vernachlässigt wird, und die Waldungen von allen verheerenden Holz-, Weide- und Grasgerechtigkeiten, die durch lagerbüchliche Bestimmungen privilegirt sind, purificirt werden. Demnach trifft man in Würtemberg jede Art von Waldbetrieb an.

In den Nadelhölzern die Schlagwirthschaft neben der Femelwirthschaft, in den Laubwaldungen den reinen Hochwaldbetrieb, den Compositionsbetrieb und den reinen Niederwaldbetrieb. Der gewöhnliche Betrieb beim Laubholz ist indessen der Compositions- oder Mittelwaldbetrieb.

Die außerdem in diesen Laub- und Nadelhölzern noch vorkommenden baumartigen Hölzer zeichnet nichts Besonderes aus. Von den Sträuchern fehlt die Stechpalme ganz, welche nur im Schwarzwalde vorkommt; außerdem fehlen noch einige für den Forstbetrieb indifferente Sträucher und Waldstauden, welche dem Schwarzwalde eigen sind.

Unter den Forstunkräutern kommt die Besenpfrieme (Spartium scoparium) nicht so häufig, wie im Schwarzwalde vor, so daß sie große Waldstrecken dicht überzieht, und so eines der schädlichsten Forstunkräuter wird. Dagegen wird die Himbeerstaude (Rubus idaeus) in den zu licht gestellten Saamenschlägen der Rothbuche mehr schädlich, wo sie oft in kurzer Zeit so ausnehmend stark wuchert, daß sie bald ganze Schläge überzieht. Auch die Heidelbeere (Vaccinium myrtillus) werden zuweilen schädlich, gegen deren Verbreitung der Forstwirth aber weniger zu schützen vermag, als gegen die übrigen Forstunkräuter, deren Daseyn immer ein Beweiß übel geführter Wirthschaft ist.

Einige specielle Taxations- Versuche im Tübinger Forste, Revier Rothenburg haben folgende Resultate geliefert:

Auf einem Probemorgen standen in einem 70—80 jährigen Rothtannenbestande: 240 Piecen, welche an Holzmasse enthielten: —:. 5425 Cubikfuß.

Bei der Inhaltsberechnung wurde jeder Baum als Kegel betrachtet, und zu diesem Kegelinhalt noch

28 p. C. addirt, die Aeste aber gar nicht in Anschlag gebracht.

Der Boden ist ein humusreiches Gemenge von Sand und Lehm, mit etwas rothem Thon und die Lage eben.

In derselben Gegend standen auf einem Probemorgen, in einem Rothtannenbestande, in welchem vor etlich und zwanzig Jahren gesemelt wurde, 228 Piecen, die an Holzmasse enthielten —:- 5026 Cubikfuße.

Auf einem 50jährigen Forchenbestande fanden sich auf einem Probemorgen 609 Stämme, welche an Holzmasse ohne das Astholz enthielten —:- 3609 Cubikfuße.

Der Boden ist leichter, magerer, sandiger Lehm, der oft bald sehr steinigt wird, und die Lage ein nördlicher Abhang.

In einem 50jährigen, mit einzelnen Rothtannen durchsprengten Forchenbestand, fanden sich 382 Stämme auf einem Probemorgen, welche ausschließlich des Astholzes an Holzmasse enthielten: —:- 5458 Cubikfuße.

Auf einem Morgen Mittelwald standen:

Gattung Eichen als Oberholz.	Stamm-zahl.	Beschattung		Inhalt	
		Eines Stammes □'	aller Stämme □'	Eines Stammes C.'	aller Stämme C.'
1ste Classe.	4	867	3468	102	408
2te Classe.	15	507	7605	35	525
3te Classe.	8	300	2400	10	80
4te Classe.	10	243	2430	4	40
5te Classe.	16	108	1728	$1\frac{1}{2}$	20
Summa	53		17631		1073

Aus dem Vorstehenden ist sichtbar, daß bei diesem Verhältniß der Astverbreitung noch 1569 □' zur
Beschattung der Hälfte der Schlagfläche fehlen, und
daß für den Unterholzbetrieb noch 20,769 Fuß Flächenraum bleibt. Das Unterholz ist in einen 15jährigen
Umtrieb gesetzt und wirft p. M. ab: — 300 Wellen.

Die Resultate der Ertragsfähigkeit der Waldflächen
bei verschiedenen Betriebs- und Holzarten, wie diese
durch die Taxation im Jahr 1819 ausgemittelt wurden, sind folgende:

Der gesammte Flächeninhalt der Staatswaldungen
in Würtemberg ist . . . 608,419 Morgen.

Hievon sind mit Holz bestanden 548,654 Morgen,
und Holzleer . . . . 59,765 —

7 *

Von der mit Holz bestandenen Fläche sind:

In Hochwaldungen:

Eichenbestände . . . 5,804 ⅞ Morgen.
Buchenbestände . . . 47,343 ¼ —
Gemischte Laubholzbestände 5,609 —
Nadelholzbestände . . 217,563 ⅞ —
Gemischte Laub= u. Nadelholz=
bestände . . . 73,435 ⅞ —

Summa 349,756 ⅞ Morgen.

In Niederwaldungen.

Zu 40jährigem Umtrieb . . 129,084 Morgen.
— 30jährigem — . . 61,956½ —
— 15jährigem — . . 2,402¼ —
— 40jährigem — gemischte
Bestände 5,454⅜ —

Summa 198,897⅛ Morgen.

Die Umtriebszeit der Hochwaldungen wurde nach den Verhältnissen der Oertlichkeit und der herrschenden Form des Material=Debits in einigen Forsten zu 120, in andern zu 100, und in noch andern zu 80 — 90 Jahre angenommen; der Umtrieb der Eichenbestände aber auf 200 Jahre bestimmt.

Nach diesen Bestimmungen wurden für jedes Revier die Ordnungs= und Taxationsregister hergestellt, und auf dieselben stützte sich dann der Entwurf der allgemeinen und periodischen Nutzungspläne für die normalmäßige Umtriebsperiode der Forste. Zur Zusammenstellung der Materialproduktion sämmtlicher Forste, mußte bei der Verschiedenheit der Umtriebsperioden der einzelnen Forste eine Mittelperiode festgesetzt werden, und diese wurde zu 120 Jahren angenommen; durch diese Zusammenstellungen ergab

sich für die gegenwärtig mit Holz bestandene Waldfläche von 543,654 Morgen die Materialproduktion
von 120 Jahren zu 25,133,671 Klafter Holz, p. M.
also etwas über 45 Klafter, und der jährliche Zuwachs bestimmte sich im Durchschnitt auf $\frac{3}{8}$ Klafter.

Bei jener Materialproduktion würde die Fraction
für $\frac{1}{12}$ den Nutzungsbetrieb für ein Jahrzehend bestimmen: auf 2,094,472 Klafter. Da es aber der
Periode von 1839 — 1868 an den ihre Haubarkeit
erreichenden Beständen fehlt, so muß der normalmäßige Umtrieb bis zu 100, 110, 120, 130, 140
und 150 Jahre in der ersten und zweiten Ordnung
erhöht werden.

Die gegenwärtige Nutzung vermindert sich also
in gleichem Verhältnisse, und es gehen die für ein
Jahrzehend bestimmten 2,094,472 Klafter für das
erste Jahrzehend oder von 1819 — 1828 zurück auf
2,041,874 Klafter, und beträgt also weniger
52,598 Klafter.

Von der für ein Jahrzehend berechneten Schlagfläche von 84,672 $\frac{1}{2}$ Morgen werden durch die Nachhiebe und Durchforstungen gedeckt 8,964 Morgen;
es vermindert sich also die Schlagfläche in den Hochwaldungen um diese Summe, wodurch also von dem
ersten in das zweite Jahrzehend, ohne Einrechnung
des Zuwachses 48,550 Klafter übertragen werden.
Von der schon oben angegebenen holzleeren Fläche
zu 59,765 Morgen gehen ab für Wege, Felsen und
Sümpfe 13,447 Morgen, bleiben also an kultur-
fähigem Boden 46,318 Morgen, wovon in einem
Jahrzehend kultivirt werden 21,757 $\frac{1}{2}$ Morgen, bleiben also für spätere Perioden 24,560 $\frac{1}{2}$ Morgen;
wird nun die Produktion jener 21,757 $\frac{1}{2}$ Morgen bei

120jährigem Alter auf 40 Klafter p. Morgen angenommen, so findet sich hierin für die mit 1829 be-
ginnenden weitern 120 Jahre ein Zuwachs von
870,305 Klafter; hiezu der Zuwachs von jenen 8964
Morgen mit 48,550, zusammen 918,855 Klaftern.

Der Nutzungsbetrieb für das erste Jahrzehend von
1819 — 1828 stellt sich also auf 2,041,874 Klafter;
für das zweite Jahrzehend erhöht er sich theils durch
den Zuwachs aus 8964 Morgen, theils auch aus der
Produktion des $\frac{1}{12}$ der kultivirten 21,757 $\frac{5}{8}$ Morgen
um 76,571 Klafter und beträgt also im Ganzen
von 1829 — 1838: 2,118,445 Klafter; für die drei
Jahrzehende der dritten Periode produziren, außer
der gegenwärtig bestandenen Fläche und dem Zuwachs
aus den Kulturen des ersten Jahrzehends, die in
dem 2ten Jahrzehend zur Kultur bestimmten 12,661
Morgen, im Ganzen also für die 3te Periode oder
von 1839 — 1868: 6,470,106 Klafter. In der 4ten
Periode produziren außer den für die 3te Periode
wirksam gewesenen Beständen noch die übrigen 11,899$\frac{1}{2}$
Morgen kultivirten Blößen, im Ganzen also von
1869 — 1938: 26,986,391 Klafter. Hiernach bestimmt
sich im Durchschnitt der Nutzungsbetrieb zu $\frac{1}{12}$ oder
für ein Jahrzehend auf 2,248,866 Klafter.

Der jährliche Nutzungsbetrieb ist also diesem zu Folge
für die 1ste Periode von 1819 — 1828 204,187 Klafter.
— — 2te — — 1829 — 1838 211,844 —
— — 3te — — 1839 — 1868 215,670 —
— — 4te — — 1869 — 1938 224,886 —

In diesen Verhältnissen ist also die Nachhaltigkeit des gegenwärtigen Nutzungsbetriebes hinreichend
gesichert, und da am Schlusse eines jeden Jahrzehends ein neuer Nutzungsplan hergestellt, und die

in dem eintretenden Jahrzehend zur Nutzung kom=
menden Flächen vermessen werden, so wird die Be=
wirthschaftung der Staatswaldungen mit der größten
Sicherheit betrieben.

Die im Schwarzwalde vorkommenden Wildarten
kommen auch, mit Ausnahme des Auerwilds, in den
übrigen Waldungen von Würtemberg vor.

Der Fasan (Phasianus colchicus), der in eini=
gen Gegenden des Unterlandes vorkommt, findet sich
eigentlich nicht wild, sondern verwildert nur leicht
in Fasanengärten.

Die Edelmarder, vorzüglich die des Schönbuches,
besitzen gewöhnlich nur eine weißliche, schwach gelb=
lich gefärbte Kehle, und zeigen nicht eine hochgelbe
Farbe an dieser Stelle, wie dieses in mehreren an=
dern Gegenden, namentlich im Schwarzwalde, der
Fall ist; sie werden von den Jägern für Bastarte von
Haus = und Edelmardern gehalten. Zu den schönern
Raubvögeln gehören der rauhfüßige Falke (Falco
lagopus) und der Baumfalke (Falco subbuteo).

Die schädlich in diesen Waldungen vorkommen=
den Insekten sind: der gemeine Borkenkäfer (Dermestes typographus), der sich in den Jahren 1819
und 1820 im Schorndorfer Forst, Plüderhauser Re=
vier, in einzelnen Beständen zeigte, ohne jedoch
eigentliche Verheerungen anzurichten. Der Maikäfer
(Melolontha vulgaris) frißt oft die Blätter von
ganzen Eichwäldern ab, und die Processionsraupe
(Phalaena bombyx processionea L.) entblättert oft
in Gesellschaft ganze Eichenbestände; schädlicher und
häufiger als diese Insekten sind in Würtemberg die
Spätfröste, welche oft das hoffnungsvollste Mastjahr
verderben. Von Fichten und Forchenraupen haben

die Nadelwaldungen in Würtemberg nie bedeutend gelitten.

Die Phaláne mit federbuschartigen Fühlhörnern (Phálaena geometra piniaria L.) hat sich schon öfters (in naßen Sommern jedoch mehr als in trokenen) im Tübinger Forste, Revier Rothenburgs, an den Nadeln 10 — 12jähriger Forchen gezeigt, wo sie in Dickigten im August und September die Nadeln einzelner Forchen bis an die Scheide kahl abgefresfen hat; der Schaden beschränkte sich jedoch immer nur auf einzelne im Dikigt stehende Pflanzen, und dehnte sich nie auf ganze Bestände aus.

Auch die gemeine Ameise (Formica rufa) habe ich als Nadelholzfrevlerin kennen gelernt, und mich schon darüber in den Lauropschen Annalen der Forst- und Jagdwissenschaft im 5ten Bande des 4ten Heftes 1819 Seite 121 ausgesprochen. Niemann im 2ten Bande des 1sten Stückes, Altona 1821, Seite 196. stellt auch die Schädlichkeit der Ameisen nicht nur in den Nadelholz-, sondern auch in den jungen Buchenbeständen als erwiesen dar; als auffallend hingegen, daß die Eichen von diesem Insekte gar nicht leiden.

Die Kieferblattwespe (Tenthredo pini), die im Königreich Preußen schon große an einander hängende Strecken reiner Kieferwälder verheert hat, und auch in den nördlichen Provinzen des Königreichs Baiern in mehreren Revieren sich schon bedeutend verbreitet, und einen nahmhaften Schaden angerichtet hat, ist bis jetzt unter den Insekten von Würtemberg noch nicht aufgefunden worden. Wohl aber von ihren Gattungsverwandten die Tenthredo rosae, coryli und abiotis. Das vollständigst gedruckte Verzeich-

niß inländischer Insekten hat man vom Herrn Pfar=
rer Kunkel in Wißgoldingen, in D. Werfer's To=
pographie von Gmünd 1813; es enthält 2267 Arten,
und unter diesen 1139 Käfer, 287 Schmetterlinge
und 384 bienenartige Insekten. In Deutschland zählt
man gegen 4000 Insekten.

Daß die Laub= und Nadelholzinsekten im süd=
lichen Theil von Deutschland weniger fühlbaren
Schaden anrichten, als im nördlichen Theil dessel=
ben, scheint seinen Grund darin zu haben, daß im
südlichen Deutschland die Witterung mehr und schnel=
ler sich verändert, als in nördlichen Gegenden des=
selben, welches für die Insekten in ihrer Metamor=
phosen = Periode oft tödtliche Folgen hat.

Zweite Abtheilung.

Volkswirthschaftlicher Zustand von Würtemberg.

Einwohner.

1.) Anzahl und Bevölkerungsverhältniß.

In Europa ist Würtemberg, Holland ausgenommen, das volkreichste Land. In jenem leben auf einer Geviertmeile 3,972, in Holland hingegen 4,549 Menschen. Am ersten November 1819 zählte Würtemberg 1,412,246 Einwohner; am bevölkertsten sind das mittlere und untere Neckarthal mit den nächsten Angrenzungen der Seitenthäler und die Gegend an der Alptraufe hin, von Reutlingen, Mezingen, Kirchheim ꝛc.; am wenigsten bevölkert sind die Gegenden von Ellwangen, von der Alp, vom Schwarzwalde und von Oberschwaben. Im Allgemeinen nimmt die Bevölkerung jedes Jahr um ungefähr 10,000 Menschen, im Jahr 1819 um 14,682 zu. Es sterben nemlich ungefähr 40 — 45000 Menschen und werden 50 — 55000 gebohren. Unter der Einwohnerzahl befinden sich 687,381 männlichen und 724,865 weiblichen Geschlechts, und von ungefähr 235,000 Ehen, welche auf dieselbe kommen, werden jährlich 11,000 neue geschlossen.

Das Verhältniß nach Religion ist:

1) Protestanten.

    a) Lutheraner   .   .   .   964,666.

b) Reformirte . . . . . 2,330.
2) Katholiken . . . . . 436,172.
3) Sektirer . . . . . 495.
4) Juden . . . . . 8,583.

Das Verhältniß nach Stand ist:
1) Adeliche . . . . . 1,625.
2) Bürgerliche . . . 1,410,621.

Das Verhältniß nach Nahrung und Beschäftigung:

Militärpersonen . . . . 22,023.
Königliche Civildiener . . 10,665.
Gutsherrschaftliche Diener . 1,753.
Commundiener . . . . 23,265.
Vom Vermögen lebende . . 9,022.
Handels = und Gewerbsleute . 107,405.
Bauern und Weingärtner . 100,094.
Taglöhner . . . . . 41,687.
Im Allmosen stehende . . 25,193.

Es versteht sich übrigens von selbst, daß unter den hier aufgeführten Dienern alle, auch die Kanzlei = und Amtsdiener begriffen sind, ebenso, daß ein großer Theil der Handwerksleute zugleich den Feldbau betreibt.

2.) Abstammung, Eigenschaften und Bildung.

Die Einwohner sind meist landeseingebohrne Schwaben, und nur ein kleiner Theil besteht aus ehemaligen Franken, und ein noch kleinerer aus eingewanderten Fremdlingen, wie die reformirten Landeseinwohner, die sogenannten Waldenser, welche um ihrer Religion willen aus ihrer Heimath — Piemont und Frankreich — vertrieben, zu Ende des

17ten Jahrhunderts, 1699 und nachher im Lande aufgenommen wurden, und sich hauptsächlich in dem Oberamte Maulbronn niedergelassen haben, wo sie eigne Dörfer und Gemeinden bildeten, und ihre verdorbene französische Muttersprache zum Theil bis auf den heutigen Tag beibehielten.

Die Würtemberger bilden im Ganzen einen gesunden und kräftigen Menschenschlag. Sie sind von Charakter gutmüthig und treuherzig, in ihrem Berufe arbeitsam und im Kriegsdienste tapfer, und, was besonders zu loben ist, im Allgemeinen religiös.

Was die Vorzüge des Geistes betrifft, so können dieselben dem Würtemberger so wenig abgesprochen werden, als die Vorzüge des Charakters.

Die berühmtesten deutschen Universitäten zählten immer unter ihren angesehensten Lehrern würtembergische Gelehrte, und die Namen eines Schillers und Wielands beweisen, daß es ihm eben so wenig an Anlagen zu den schönen Wissenschaften als zur strengen Schulgelehrsamkeit fehlt. Auch hat das Land eine Reihe von Künstlern hervorgebracht, wie sie schwerlich ein anderes Land von gleichem Umfange aufweisen kann.

Was aber die Volksbildung überhaupt betrifft, so zeichnet sich der Würtemberger, wenn man darunter nicht die äußere Bildung, woran es ihm allerdings der feinere Ausländer zuvorthut, versteht, bekanntlich hierin vor jedem andern Volke aus. Während z. B. in dem reichen England ganze Geschlechter weder lesen noch schreiben lernen, ist in Würtemberg nicht ein einziges Kind, das nicht dazu angehalten würde.

3.) Sprache, Sitten und Gebräuche.

Die Hauptmundart in Würtemberg ist die schwä=
bische. Man findet diese hauptsächlich in der Stein=
lach, in andern Gegenden weicht sie nach der Lage
mehr oder weniger ab, so daß sie in Oberschwaben
der schweizerischen, von Heilbronn an einerseits der
Pfälzischen, andererseits der Fränkischen sich nähert,
und in die eine oder die andere übergeht. Die Sit=
ten sind im Allgemeinen noch ziemlich einfach, in
einzelnen Gegenden hingegen hat der Luxus in Klei=
dung, Wohnung und Lebensart auch unter dem
Volke und besonders unter den Mittelständen sehr
überhand genommen, und je größer die Klagen über
harte Zeiten wurden, desto mehr stieg der Aufwand.
Dabei verschwanden die alten einheimischen Trachten
in vielen Gegenden, und das Eigenthümliche einzel=
ner Stände und Gegenden gieng immer mehr verlo=
ren. Doch ist dies hauptsächlich nur in Städten
und in der Nähe der Städte der Fall; in den ent=
fernten Gegenden hat sich die alte Sitte größten=
theils noch behauptet, und der Schwarzwälder, der
Aelpler, der Oberschwabe, der Baarer, der Stein=
lacher, der Welzheimer unterscheiden sich immer noch
durch ihre Kleidung eben so wohl, als durch ihre
Sitten.

Herrschende Nationalgebräuche gibt es nicht, wohl
aber merkwürdige Lokalgebräuche, vornemlich bei
Taufen, Hochzeiten und Leichen, welche besonders
noch auf dem Schwarzwalde und in Oberschwaben
sehr feierlich begangen werden. Taufen und Hoch=
zeiten sind neben den Kirchweihen und Märkten auch
die gewöhnlichen Gelegenheiten zu gemeinschaftlicher
Fröhlichkeit; außerdem ist es hie und da auch die

Weinlese und das Erndtefest — Sichelhänge. An manchen Orten wird auch in den Städten das Frühlings = oder Maienfest gefeiert, das hauptsächlich für die Schuljugend bestimmt ist.

4.) Bewohnung.

a) Ueberreste aus früherer Zeit, oder Alterthümer.

Eine Menge Ueberreste früherer Bewohnung, die theils aus dem römischen, theils aus dem spätern deutschen Alterthum herrühren, stellen uns den Wechsel der menschlichen Dinge vor Augen.

Die römischen Alterthümer — Ueberreste von Gebäuden, Straßen und Bevestigungswerken; Kunstwerke, Münzen, Geräthschaften, Altäre und Inschriften, welche noch von den Römern, die ihre Herrschaft ungefähr 160 Jahre nach Christi Geburt auch über unsere Gegenden ausdehnten, herrühren, sind fast über das ganze Land verbreitet. Vornemlich entdeckt man dieselben zu Canstadt und auf= und abwärts am Neckar, zu Rotweil, Köngen, Marbach, Besigheim, Böckingen, und noch mehr müßte man sie bei gehöriger Aufmerksamkeit auf der rechten Seite der Donau, in Oberschwaben entdecken.

Zu Besigheim stehen noch ganze Thürme und Mauern, die ohne Zweifel von den Römern gebaut wurden, und zu Canstadt stecken ganze Felder voll von römischem Mauerwerk, und der Boden ist mit Trümmern von römischem Geschirr wie übersäet. Ebenso entdeckte man im Hohenlohischen, vornemlich bei Oehringen, auf dem Welzheimer Walde und in Oberschwaben mancherlei Denkmähler von römischer Niederlassung, und mehrere unserer Burgen, Städte und Dörfer rühren ohne Zweifel noch aus den Zeiten der

Römer her. Zwischen Canstadt und Pforzheim findet
man Ueberreste einer römischen Kunststraße, die durch
das Leonberger Oberamt und den Hagenschieß und
von da bis an den Rhein hinlaufen; auf der Alp
hat eine ganze Gegend von einer solchen Straße noch
den Namen Hochsträß, und von dem großen Grenz=
walle, der sogenannten Teufelsmauer, die von den
Römern gegen das unbesiegte Deutschland von der
Donau bis an den Rhein gezogen wurde, hat man
jetzt die Spuren von Ellwangen bis in das Hohen=
lohische verfolgt.

Die deutschen Alterthümer, Ueberreste von Be=
wohnung aus späterer Zeit, bestehen hauptsächlich in
zerstörten Schlössern und in Spuren von verschwun=
denen Ortschaften und einzelnen Höfen. Fast von
allen Höhen blicken die Ruinen zerfallener Burgen
herab, und in der Gegend von Stuttgardt und Can=
stadt allein standen einst 6 Dörfer und Weiler, von
welchen man jetzt kaum noch die Namen kennt. Sie
giengen in verheerenden Kriegen unter und standen
nicht wieder auf, weil man es zuträglicher fand, bei=
sammen in größern Dörfern und in Städten, als
wie es ehedem der Fall war, und noch jetzt zum
Theil in Oberschwaben, auf dem Schwarzwalde und
selbst um Eßlingen her der Fall ist, in einzelnen Hö=
fen und Häusern zu wohnen.

b) Jetzige Bewohnung.

Jetzt leben die Menschen meist in größern Ort=
schaften beisammen; doch giebt es in den eben be=
merkten Gegenden, und in den Waldgegenden von
Welzheim, Gaildorf, Ellwangen ꝛc. auch noch viele
einzelne Höfe und Häuser. So zählt das Oberamt

Ravensburg allein 426 Höfe und 104 einzelne Häuser.

Im Ganzen enthält Würtemberg:

Städte	. . 133.	Weiler .	. . 1882.
Marktflecken	. 165.	Höfe . .	. . 2300.
Dörfer	. . 1603.	Schlösser .	. 269.

Die 10 größten Städte des Königreichs sind:

Stuttgardt	mit 26,906 E.	Hall	mit 6,314 E.
Ulm . .	— 11,417 —	Eßlingen	— 5,568 —
Reutlingen	— 9,000 —	Gmünd	— 5,548 —
Heilbronn	— 6,839 —	Ludwigsbnrg	— 5,472 —
Tübingen	— 6,630 —	Rothenburg	— 5,209 —

Die schönsten und größten Dörfer sind:

Ehningen an der Achalm mit 4,464 Einw.

Mezingen, Uracher Oberamts — 3,449 —

Fellbach, Canstadter Oberamts — 2,536 —

Auf der Alp sind die Häuser meist noch mit Stroh=
dächern, auf dem Schwarzwalde mit Schindeldächern
bedeckt. Der Werth sämmtlicher Gebäude in Wür=
temberg kann auf 200 Millionen Gulden angenommen
werden; die Zahl der besteuerten Gebäude ist 266,988,
welche in der Brandversicherung zu 140 Millionen
angeschlagen sind.

5.) Gewerbe und Produktion.

Ackerbau, Viehzucht, Handel, Kunst und Ge=
werbfleiß machen in Würtemberg die Nahrungs=
quellen aus. Die guten Straßen und schiffbaren
Flüsse sind nicht blos dem Handel, sondern auch
dem innern Verkehr äußerst günstig. Zu den wich=
tigsten Produkten gehören folgende:

A) Mineralische Produkte.

Die Mineralien, welche der Boden von Würtem=
berg darbietet, werden theils auf einfachem Wege,

d. h. ohne besondere künstliche Anstalten, theils auf künstlichem Wege, durch Bergbau gewonnen und benutzt:

I) Auf einfachem Wege.

a) Die Erden, als Ziegelerde, Töpfer- und Porcelanerde, Farbenerde, Walkererde, Mergel ꝛc.

b) Steine, und zwar Sandsteine, deren das Land einen großen Vorrath von allen Arten besitzt.

In vielen Gegenden sind ansehnliche Steinbrüche angelegt, aus welchen die schönsten Werk- und andere Bausteine gewonnen werden, insbesondere in der Gegend von Stuttgart und Heilbronn; zu Derendingen, Dettenhausen, Denzlingen, Schlaitdorf, Aich, Pliezhausen, Ensingen ꝛc. werden treffliche Mühlsteine gebrochen. Die Kalksteine werden in den Ziegelhütten zu Kalk gebrannt, und auf andere Weise verwendet. Die Kolbinger Platten dienen außer dem Steindruck, wozu sie neuerlich in dem litographischen Institut zu Stuttgart benutzt werden, in ihrer Gegend zu Belegung der Hausfluren; der Marmor, Kalkspath und Alabaster, finden ihre Anwendung in den Schlößern und Palästen, und bei Verfertigung von Tischplatten, Ziergeräthen und Kunstwerken; und sehr schöne Proben davon kann man in dem Residenzschloße zu Stuttgart, und in andern Königl. Gebäuden sehen. Der gemeine Gips wird wieder mannigfaltig benutzt. Von dem schönen Sulzer Anhidrit ist einer der schönsten Sääle im Schloße zu Stuttgart, und das schöne Grabmahl des Grafen Zeppelin zu Ludwigsburg gebaut, und von dem Hohentwieler Na-

8

krolith stehen bewundernswürdig schöne Tischchen in dem Stuttgarter Residenzschloße.

Die Tuffsteine, Tauchsteine werden besonders da wo sie, wie im Uracher und Pfullinger Thal, weich aus der Erde brechen, und in diesem Zustande, ehe sie sich an der Luft verhärten, sich sägen lassen, häufig und mit Vortheil zum Bauwesen benutzt. Auch die Feuersteine, wenn sie gleich nicht von der feinsten Art sind, bleiben nicht unbenutzt; zu Entringen, und an andern Orten, werden Wez = und Schleifsteine gewonnen, und der Gagat, bei Bahlingen, wird häufig zu Verfertigung von Knöpfen gesucht.

c) Torf wird zu Schwenningen und an mehreren andern Orten, besonders in Oberschwaben gestochen.

Der Torfplaz zu Schwenningen, am Ursprung des Neckars, gehört der Gemeinde, welche wenig Waldungen besizt. Es werden hier alle Jahre etliche Millionen Torfstücke ausgestochen, und man rechnet 4000 Stück einem Klafter Tannenholz an Brennkraft gleich. 1000 Stücke kosten 40 kr. Das Stück Torf à 210 Cubikzoll, 122 Cubikschuh Torf = 100 Cubikschuh Nadelholz. In der ganzen Gegend sind lauter Nadelholzwaldungen, das Torfmoorland aber ist holzleer, und liegt auf der Wasserscheide zwischen der Donau und dem Neckar. Zu Sindelfingen, Schopfloch, und Hermaringen an der Brenz, befinden sich herrschaftliche Torfgräbereyen, die dermalen zusammen eine Ausbeute liefern, welche ungefehr 2000 Meß Tannenholz gleich kommt.

135 Pf. trockener Sindelfinger Torf, soll ebensoviel Hizkraft entwickeln, als 100 Pf. geflößtes Buchenholz.

Die Verkohlungs-Versuche in Meilern zeigten sich als ganz schlecht und verwerflich. Auch die Verkohlung in Oefen gab kein günstiges Resultat, indem nur ungefehr 20 Cubikfuß Torfkohlen von 500 Stück Torf, dagegen aber außerordentlich viel Asche erzeugt wurde.

d) Die Mineralquellen werden ebenfalls nicht unbenutzt gelassen, und theils die damit verbundenen Brunnen und Badanstalten, theils der Verkauf des Sauerwassers machen einen nicht unwichtigen Erwerbzweig aus.

2) Bergbau.

Die Gewinnung der Mineralien auf einfachem Wege, die sich mit den an der Oberfläche liegenden Mineralien beschäftiget, ist Gegenstand der Privatnutzung; die Gewinnung der Mineralien auf künstlichem Wege, welche die tiefer im Innern der Erde liegenden und unter die Regalien gezählten Mineralien begreift, ist Gegenstand der öffentlichen Benutzung und des Bergbaues; diejenige Mineralien, die gegenwärtig durch den Bergbau zur Ausbeute gebracht werden, sind hauptsächlich Eisen, Vitriol, Salz, und etwas Kobolt. Der Bau auf Silber und Kupfer, welcher in frühern Zeiten auf dem Schwarzwalde nicht unbedeutend war, hat in neuern Zeiten fast ganz aufgehört, und es werden nur noch in der Gegend von Alpirspach zwei Werke, die Herzog Friedrichs Fundgrube, und die Wolfgangs- und Eberhards Grube, welche hauptsächlich Kobolt liefern, sparsam unterhalten. Desto wichtiger sind die Eisen- und Bergwerke zu Wasseralfingen, Aalen, Michelfeld, und andern Orten, auf dem Herdtfelde, zu Og-

8 *

genhaufen und Nattheim, zu Neuenbürg, zu Fluorn und Dornhan, zu Wurmlingen, Renbigen, Thalheim, Mühlheim, Kolbingen, und seit 1815 zu Ebingen und Truchtelfingen. Diese Eisenerzgruben und Bergwerke werden sämmtlich auf Rechnung des Staats betrieben.

Vitriolbergwerke werden hauptsächlich zu Mittelbronn, Gaildorf, und Oberndorf gebaut. Die sechs Salinen, welche Würtemberg dermalen besitzt, nemlich vier ältere, und zwei neuere sind:

1) H a l l. Die Sole, welche 5 — 5½ grädig ist, das heißt, in 100 Theilen süßen Wassers 5 — 5½ Theile Salz enthält, wird durch Verdünstung auf Gradirhäusern bis zu 14 Grad veredelt, und dann in den Sied- und Hallhäusern gesotten. Die Saline liefert jährlich noch an 100,000 Centner Salz, und ist theils Staats-, theils Privateigenthum, wird aber vom Staat allein betrieben.

2) S u l z. Die ¼ — 3½ grädige Sole wird gleichfalls auf Gradirhäusern zu 14 Grad gesteigert. Die Saline liefert jährlich 7 — 8000 Centner, sehr vorzügliches und durch Schärfe des Geschmacks, vor andern sich auszeichnendes Salz. Sie ist Staats = Eigenthum.

3) O f f e n a u. Aus der 2 — 3 grädigen Sole werden jährlich ungefähr 3000 Centner Salz gewonnen. Die Saline gehört ebenfalls dem Staat an, ist aber verpachtet.

4) W e i s b a ch liefert in Verbindung mit den benachbarten Salzquellen von Niedernhall jährlich ungefähr 2000 Zentner.

Die Saline ist fürstlich hohenlohisches Privateigenthum, aber ebenfalls verpachtet. Diese vier Salinen liefern also jährlich zusammen ungefähr

112,000 Centner. Dies ist gerade die Helfte des Be=
darfs, und die andere Helfte mußte bisher aus Bai=
ern bezogen werden. Durch die Entdeckung der fol=
genden neuen Saline aber, werden in Zukunft die
Summen, die dafür aus dem Lande giengen, ganz
erspart werden.

5) **F r i e d r i c h s h a l l** bei Kocherdorf. Ihre Ent=
deckung wurde im Jahr 1812 gemacht, und ungeach=
tet man noch mit ihrem Bau beschäftigt ist, lie=
fert sie doch bereits monatlich 2500, mithin jährlich
36,000 Centner, und kann voraussichtlich schon im näch=
sten Jahre 100,000 Centner, und später den ganzen
Salzbedarf von Würtemberg, liefern. Ihre Sole
ist 27 grädig, daher das Grabiren gar nicht nöthig,
und es können aus derselben mit 1 Klafter Holz,
24 Centner Salz gesotten werden, während aus der
kostspielig grabirten Haller Sole nur 12 Centner ge=
sotten werden.

6) **S c h w e n n i g e n,** Tuttlinger Oberamts. Die
im Mai 1821 begonnene Bohrversuche in Dürheim,
einem Dorfe des Großherzogthums Baden, durch
welche in Oberschwaben ein mächtiger Salzstock er=
schroten wurde, gaben Anlaß zu den Bohrversuchen
bei Schwennigen, welches nur eine Stunde von Dür=
heim entfernt liegt. Es wurden nemlich in Dürheim
die untern Lagen des jüngern Gypses etwa 40 Schuh
tief durchbohrt, hierauf der ältere Kalkstein, und
bey 297 Schuh Tiefe, der ältere Gyps ersunken.

Bey 377 Fuß Tiefe, wurde eine 15 Fuß mächtige
Steinsalzlage, welcher eine 21 Fuß mächtige Gyps=
lage folgte, erbohrt, die bey 414 Schuh durch eine
zweite Steinsalzlage, die an 37 Fuß mächtig war
verdrängt wurde.

Die Lage des Todtliegenden, das nur etwa ½ Stunden von Dürheim entfernt ist, aber die Stein= salzhaltige Gebirge unter einem beträchtlichen Win= kel unterteuft, und den ältern Kalkstein muldenför= mig einschließt, ist die Hauptursache des Steinsalz= reichthums in Oberschwaben.

Bei Villingen, eine Stunde von Schwenningen, lagern sich aufs, todt liegende, die untern Glieder des ältern Kalksteins, der Kupferschiefer, der Zech= stein, mit dem ältern Gips an. Bey Weilersbach wird der dunkelgraue Kalkstein, den Herr v. Alberti den obern Zechstein nennt, von der Rauwacke, dem jüngsten Gliede unsers ältern Kalksteins, einem äus= serst porösen Mergelkalkstein bedeckt, über welchen sich am rechten Ufer des Neckars der jüngere Gyps, mit seinen Mergellagern, und dünnen Flötzen des bunten Sandsteins angelagert hat.

In den obern Gyps = und Mergelflötzen, ist der Bohr= Versuch bey Schwennigen angelegt, der 200' tief durch den obern Gyps, und einen Theil der Rauhwacke, getrieben ist.

Ueber der bunten Sandsteinformation erscheinen gegen Thuningen, Schura, Trossingen u. s. w. die untern Gryphitenreichen Schichten des Jurakalksteins.

Der Reichthum der Sole in Dürheim, der dem am untern Neckar nicht nachsteht, verspricht, da der von Dürheim 2 Stunden entfernte Bohrversuch un= ter ähnlichen geognostischen Verhältnißen angelegt ist, gleiches Resultat. Sole wurde noch keine erbohrt, daher über ihr Verhalten erst später Aufschluß ge= geben werden kann.

B) Vegetabilische Produkte.

Die vorzüglichsten Gegenstände des Feldbaues sind:

a) Getraide, und zwar Spelz, Gerste, Roggen, Haber, Einkorn, Weizen und Emmer. Unter diesen Gattungen von Früchten sind Spelz (Dinkel), Gerste und Haber die gewöhnlichsten. Im Ganzen erzeugt Würtemberg mehr Getraide, als es nöthig hat, und es können jährlich an 300,000 Scheffel ausgeführt werden.

b) Von Hülsenfrüchten: Erbsen, Linsen, Wicken, Ackerbohnen, seltener Hirsen und Buchweizen.

c) Welschkorn, Mais, türkisch Korn, häufig in den mildern Gegenden, besonders in den Oberämtern Canstatt, Eßlingen, Waiblingen, Schorndorf, Kirchheim.

d) Kartoffeln in unzählbarer Menge. Diese segenreiche Frucht wurde im Jahr 1710 durch einen Reformirten Namens Seignoret) nach Würtemberg gebracht.

e) Gemüße und andere Gartengewächse, aller Art, werden auf den Brachäckern und in Gärten erzeugt. Die eigentliche Gärtnerey blühet besonders zu Ulm, Gmünd, Eßlingen, Stuttgart, Heilbronn, Mergentheim. Ulm ist wegen seiner Spargeln und seines Blumenkohls berühmt.

f) Handelsgewächse, und zwar:

1) Flachs und Hanf: ersterer wird besonders gut auf dem Schwarzwald, auf dem Welzheimer Walde, auf der Alp; Hanf, vornehmlich um Rottenburg, Tübingen, Reutlingen ꝛc. gebaut.

2) Reps, hauptsächlich im Unterlande, und um Rottenburg und Riedlingen.

3) Mohn in vielen Gegenden, und mit grossem Nutzen zu Bereitung des Speiseöhls.

4) Rübsaamen für denselben Gebrauch, seit kurzer Zeit.

5) Hopfen, nur in einzelnen Gegenden, bei Biberach, Rottenburg, Schönthal, Mergentheim; neuerlich nimmt aber sein Anbau zu.

6) Taback, gleichfalls wenig, bei Dürrmenz.

7) Krapp, neuerlich wieder zu Canstatt.

Von allen diesen Handelsgewächsen reicht jedoch das Erzeugniß für den Verbrauch lange nicht hin, und es gehen für dieselben jährlich große Summen auser Lands.

g) Futterkräuter, Klee, Trifolium pratense und Medicago sativa. gem. Luzerne, ewiger Klee. Esper oder Espersett, Hedisarum onobrychis, seit 30 J. immer häufiger.

h) Heu und Oehmd, überall, am meisten in den wiesenreichen Gebirgsthälern der Alp, des Schwarzwaldes, im Leinthal, Bühlerthal ꝛc. wo meist auch die Wässerung eingeführt ist. Nur auf der Höhe der Alp, ist der Trockenheit wegen, Mangel an guten Wiesen, dagegen haben sie hier ihre treffliche Weiden.

i) Wein wird in neuern Zeiten, seitdem Würtemberg mit Ländereyen, die meist keinen Weinwachs haben, vergrößert worden ist, zwar nicht mehr in großem Ueberfluße, aber doch immer hinreichend für den Bedarf gebaut. Die Hauptweingegenden sind: das mittlere und untere Neckarthal mit den Seitenthälern, bis auf eine gewiße Strecke derselben, ins-

befondere das Remsthal, Weinsbergerthal und Za=
bergäu; ferner das Tauberthal und die Gegend am
Bodenfee. Die ergiebigste Weinberge liegen an der
Alptraufe hin, in der Gegend von Mezingen, Reut=
lingen, wo ein Ertrag von 25 Eimern auf den Mor=
gen gar nicht felten ist. Im Durchschnitt darf man
aber jährlich nur ungefehr 1½ Eimer auf den Mor=
gen, und fomit den ganzen Weinertrag auf unge=
fehr 125,000 Eimer annehmen. Die vorzüglichste
Weine wachfen um das Stammschloß Würtemberg
herum: zu Uhlbach, Fellbach, Türkheim 2c. im Rems=
thal, zu Kleinheppach, Korb, Stetten, zu Beffig=
heim, Kleinbotwar, Lichtenberg, Maulbronn, Roß=
waag, und hauptfächlich an der Tauber, zu Markels=
heim u. f. w. fo wie in der Gegend von Oehringen.
Die Neckarweine standen vormals in großem Anfe=
hen: in neuern Zeiten haben fie ihren Ruf, haupt=
fächlich durch das Ueberhandnehmen von fchlechtem
Saamen, etwas verlohren.

k) Obst wird nicht nur in allen Weingegenden,
fondern auch in den meisten übrigen Landesgegen=
den und felbst auf dem Schwarzwalde und auf der
Alp gezogen, und fast alle Landstraßen find mit
Obstbäumen eingefaßt. Befonders stark ist die Obst=
zucht in den Gegenden von Herrenberg, Tübingen,
Pfullingen, Urach, Nürtingen, Eßlingen, auf den
Fildern, im Geißlinger Thale, und in andern Ver=
zweigungen des Filsthals, im Remsthale, in der
Gegend von Heilbronn, und in einzelnen Gegenden
im Hohenlohischen. Dagegen fiehet man auf den
großen Fruchtebenen von Oberschwaben nur felten
einen Baum. Im Pfullinger, Geißlinger und an=
dern Alpthälern stehen Birnbäume wie die Eichen,

die in einem guten Jahrgange 100—130 Simry Bir=
nen tragen, und der einzige Ort Gönningen am Roß=
berg gewinnt in manchem Jahre 100,000 Simry Obst.

Auſſer den gewöhnlichen Obſtgattungen, die in
den mannigfaltigſten und edelſten Arten vorkommen,
werden auch die feinere Gattungen, als Quitten,
Pferſiche, Aprikoſen u. ſ. w. häufig gepflanzt.

1) Nüſſe, vornemlich in den nördlichen Alpthä=
lern, auch am ſüdlichen Abhange des Schwarzwal=
des bey Loffenau; ebendaſelbſt und zu Canſtatt auch
edle Caſtanien; an dem leztern Orte kommen ſie je=
doch wieder in Abgang. Mandelbäume ſieht man
nur hie und da als Seltenheit. Der ganze Gewinn
an Baumfrüchten wird der Helfte des Weinertrags
gleich geſchäzt.

m) Holz; die natürliche Holzzucht und der Holz=
anbau bei vorhandenen Blößen, die auſſer dem Be=
reich der natürlichen Beſaamung liegen, iſt neuer=
lich ein Gegenſtand beſonderer Sorgfalt der Regie=
rung geworden. Mit dem außerordentlichen Holz=
anbau — dem Anbau der Wälder mit ungewöhnlichen
fremden Holzarten — ſind vor 2 und 3 Decennien
ſchon artige Verſuche gemacht worden. Man findet
in den Waldungen des Schwarzwaldes und des
Schorndorfer Forſtes, namentlich in den Adelberger
Waldungen, unter andern Nadelhölzern, Zürbel=
nüſſe, Weymuthsforchen ꝛc. und die waldreichſten
Gegenden ſind oben ſchon nahmhaft gemacht wor=
den. Aus dem Schwarzwalde kommen die ſogenann=
ten Holländertannen, die zum Schiffbau nach Hol=
land geführt werden. Die normalmäſſige Länge ei=
ner ſolchen Tanne beträgt 72 Fuß, und am Zopf=
ende 16 Zoll Durchmeſſer. Manche haben eine Länge

von 120 Fuß und drüber, und eine solche Tanne ko= stet auf dem Stock 30—33 fl.

Zu Altensteig besteht ein Saamen = Institut zu Ausklengung der Nadelholz = Saamen, welches eine musterhafte Einrichtung hat.

In den Annalen der Forst = und Jagdwissenschaft, herausgegeben von C. L. P. Laurop, 6ten Bandes 3tes Heft 1822. ist dieses Nadelholz = Saamen = In= stitut zu Altensteig, von dem Königl. Würtembergi= schen Oberförster und Inspektor des Saameninstituts speciell beschrieben.

C) Animalische Produkte.

Obgleich die Viehzucht, wie der Feldbau, noch mancher Verbesserung fähig ist, so macht sie doch auch in ihrem gegenwärtigen Zustande eine beson= ders wichtige Nahrungs = und Erwerbsquelle für Wür= temberg aus, eine Erwerbsquelle welche hauptsäch= lich in dem Verkehr mit dem Auslande von Wich= tigkeit ist.

Rindvieh. Die Rindviehzucht ist besonders be= deutend in den wald = und weidreichen und minder angehäuften Gegenden von Elwangen, Gaildorf, in Oberschwaben, und auf dem Schwarzwald ꝛc. Die Mastung wird vorzüglich stark im Hohenlohischen und Hallischen betrieben. Das schönste Rindvieh haben die Gegenden von Canstatt, Ludwigsburg, und die Filder, wo die ehemaligen herrschaftlichen Maie= reyen wohlthätig wirkten; das geringste und un= ansehnlichste findet man auf der Alp, und überhaupt da, wo noch keine Stallfütterung eingeführt ist, die Weiden entweder mager, oder entfernt sind, oder die Kühe zum Arbeiten angehalten werden, und wo es

an Gelegenheit zur Veredelung fehlte. Die eigenthümliche einheimische Art von Rindvieh ist ein mittlerer Schlag von rothbrauner Farbe; in den oben-
genannten Gegenden findet man viel Schweizervieh,
oder eine durch Schweizervieh veredelte Nachzucht,
und in Oberschwaben ist das Allgäuer Vieh, ein
kleiner aschgrauer Schlag, der besonders viele Milch
gibt, und darum neuerlich auch in mehreren andern
Gegenden des Landes eingeführt wird, zu Hause.

Pferde. Die Pferdezucht ist seit einigen Jahren
sehr herabgekommen, so, daß Würtemberg häufig
noch Pferde — besonders bessere und schönere — vom
Auslande kauft, während früher der umgekehrte Fall
Statt fand. Inzwischen hat die gegenwärtige Regierung Alles gethan, um die Pferdezucht wieder in Aufnahme zu bringen; die alte Gestütsanstalt hat eine
neue Einrichtung erhalten, und ist mit vorzüglichen
Zuchtthieren aus dem Auslande versehen worden, und
der König selbst unterhält auf seine Rechnung ein eigenes Hofgestüt. Die meisten Pferde hat der Donaukreis.

Schaafe. Nach der Rindviehzucht ist die Schaafzucht am bedeutendsten. Vor 1786. wußte man
nichts von spanischen Schaafen in Würtemberg, in
diesem Jahr erst ließ der Herzog Carl eine Anzahl
Merinos aus dem Mutterlande kommen, und von
dieser Zeit an vermehrten sie sich zu großem Vortheil
des Landes so glücklich, daß die in Würtemberg erzeugten spanischen Schaafe selbst im Auslande gesucht
werden. Vorzüglich günstig sind der Schaafzucht die
trockenen und kräftigen Alpweiden, und bey dem Mangel an Wasser, der hier herrscht, stehen die Schaafe
der Alp gut an, da dieselben mehrere Wochen lang

ohne Wasser bestehen können. Im Frühling werden die Heerden auf die Weiden getrieben, wo sie im Freyen zubringen, bis der Schnee die Erde bedeckt.

Schweinzucht. Sie steht in der Viehzucht am meisten zurück, und es wird jährlich eine bedeutende Anzahl von Schweinen eingeführt.

Ziegen werden nicht sehr viele, die meisten im Oberamte Bahlingen, und an und auf der Alp, hauptsächlich in der Gegend von Zwiefalten gehalten.

Esel giebt es noch viel weniger, die meisten im Schwarzwaldkreise.

Seidenhaasen werden in mehreren Gegenden gehalten, und ihre Haare werden mit Vortheil benutzt.

Geflügel findet sich überall in beträchtlicher Menge; besonders ansehnlich ist die Zucht in der Gegend von Biberach und in der Gegend von Neresheim nach dem Riß hin.

Bienen ziehen vornehmlich die Donau=, Kocher= und Jaxt=Gegenden, hauptsächlich Hall und Gerabronn, die Alp und vornehmlich das Oberamt Bahlingen. Im Ganzen aber ist die Bienenzucht nicht sehr bedeutend, und sowohl Honig als Wachs wird noch vom Auslande bezogen.

Schnecken werden in mehreren Gegenden, hauptsächlich an und auf der Alp, zu Bruken, Westerstetten, Erpfingen, um Zwiefalten ꝛc. in Schneckengärten gesammelt und gefüttert, und von da in großer Menge verkauft.

Die Fischerey ist nicht unbedeutend, und es giebt viele kleine Seen und Teiche im Lande, wo die Fische mit Fleiß gezogen werden.

Der ganze Viehstand von Würtemberg ist neuerlich:

1) Rindvieh: a) Ochsen 105,000. b) Kühe 316,000. c) Rinder 205,000.

2) Schaafe: a) Spanische 66,000. b) Bastarde 106,000. c) Landschaafe 236,000.

3) Pferde 83,000. 4) Esel 800. 5) Ziegen 20,500. 6) Schweine 116,000. 7) Bienenstöcke 34,000.

Der Geldwerth des sämmtlichen Grundeigenthums kann zu 600 Millionen Gulden, der des Viehes zu 30 Millionen angenommen werden.

6) Kunst und Gewerbsfleiß.

Der Kunst= und Gewerbsfleiß ist in Würtemberg weit wichtiger, als man ihn gewöhnlich dafür ansieht; zwar hat das Land nicht sehr viele und große Fabriken, dagegen aber herrscht im Einzelnen und Verborgenen eine desto größere und wohlthätigere Gewerbsthätigkeit.

Wir bemerken:

A) In mineralischen Stoffen.

a) Die Königl. Eisenwerke. In diesen werden die Eisenerze des Landes theils geschmolzen, theils verarbeitet. Diese Werke sind 1) Wasseralfingen. 2) Abtsgmünd. 3) Unterkochen. 4) Königsbronn. 5) Igelberg. 6) Heidenheim. 7) Beerenthal. 8) Harras. 9) Ludwigsthal. 10) Christophsthal. 11) Friedrichsthal, und 12) Oberndorf. Diese 12 Werke erzeugen eine große Menge von Gußwaaren, als Oefen, Platten und Kochgeschirre; von geschmiedetem Eisen, als Stäbe, Radreife, Nagelschmiedeisen. Besonders zeichnet sich Wasseralfingen durch Gußwaaren und Friedrichsthal durch Stahlbereitung aus. Der jährliche Holzverbrauch beträgt ungefehr 54,000 Klafter.

Ausser diesen herrschaftlichen Werken befinden sich in Würtemberg noch mehrere Privathammerwerke in Eisen und Kupfer.

b) Die herrschaftliche Gewehrfabrik zu Oberndorf, die 1811. errichtet wurde, und Flinten, Jagdgewehre, Kugelbüchsen, Pistolen, Säbel und andere Waffen, hauptsächlich für das würtembergische Militair liefert.

c) Sensenfabriken. Es befindet sich eine, die herrschaftlich ist, zu Friedrichsthal, eine andere, Privateigenthum, zu Neuenbürg. Beyde haben einen gleich starken Betrieb, und beyder Arbeiten haben sich in kurzer Zeit sehr vervollkommnet.

d) Pfannenschmidten, eine herrschaftliche zu Christophsthal, eine zu Bürgeliz bei Wangen, eine bei Isny, eine zu Ellwangen.

e) Löffelfabrik, von weissem Blech — zu Hirsau.

f) Drathzüge, zu Königsbronn, Unterkochen und Heidenheim. An dem leztern Ort wird Mössingdrath verfertigt.

g) Eine Nadelfabrik hat Isny.

h) Messerschmiedarbeiten werden vorzüglich gut und häufig zu Tuttlingen und Bahlingen, auch zu Reutlingen und Giengen verfertigt. Eine neue Messerfabrik wurde kürzlich zu Heidenheim errichtet.

i) Nagelschmidten giebt es hauptsächlich zu Freudenstadt, Künzelsau und Heidenheim, die eine Menge Nägel verfertigen, welche häufig ins Ausland gehen.

k) Eine Bleyzug = Tabaksbüchsen = Fabrik ist zu Ulm.

l) Schrotgießereyen, in welchen englisches Patent-schrot verfertigt wird, besizen Heilbronn und Ra-vensburg.

m) Mößing = Roth = und Gelbgießereyen, besizen Gmünd, Ludwigsburg, Canstadt ꝛc. Zu Ludwigsburg befinden sich zwei Knopffabriken, eben so eine zu Canstadt. Zu Stuttgart werden schöne Bronzearbei-ten, und ebendaselbst und zu Reutlingen, so, wie auch an andern Orten Glocken und Feuerspritzen ver-fertigt. Zu Ludwigsburg befindet sich auch eine Kö-nigliche Stückgießerey.

n) Silberarbeiten werden hauptsächlich zu Stutt-gart und Gmünd, und vorzüglich zu Heilbronn, wo sich eine ansehnliche Fabrik befindet, verfertigt.

o) Bijouteriefabriken befinden sich zwei zu Oeh-ringen. Auch Gmünd liefert viele Bijouterie = und Galanteriewaaren, wiewohl neuerlich weit nicht mehr so viele, wie ehedem.

p) Kartetschenfabrik besteht zu Nagold.

q) Farbwaaren. Eine sehr ansehnliche Bleyweiß-Fabrik wird zu Heilbronn, eine andere zu Freuden-stadt betrieben. Zu Alpirspach befindet sich eine Smal-tefabrik, und zu Oedenwald bey Freudenstadt eine Berlinerblaufabrik. Ocker, Tripp, Umbra und an-dere Farben werden zu Hofen bey Canstatt bereitet. Ausserdem liefern der Schwarzwald und andere Wald-gegenden vielen Kienruß.

r) Glashütten werden sechs gezählt; die Buhlba-cher, die Schönmünznacher, — beyde im Freudenstädter Oberamt, die Oerlacher, Baknanger Oberamts, und die zu Neu = Lautern, Weinsberger Oberamts, zu Ra-vensburg, und zu Eisenbach, Oberamts Wangen. Sie liefern jedoch nur grünes und mittelweisses Glas.

Gegenwärtig wird nur noch zu Buhlbach, zu Derlach, und zu Eisenbach Glas verfertigt. Die Buhlbacher Glashütte consumirt wöchentlich nach der Angabe des Eigenthümers 40 Klafter Tannenholz. Das Glasmaterial wird in der Nähe gegraben, nur die Erde zu den Töpfen wird zu Grunau im Elsas geholt. In der Nähe der Buhlbacher Glashütte geht ein Uebergang vom rothen Sandstein in rothen Thonschiefer ziemlich ausgedehnt und mit bedeutender Mächtigkeit zu Tage aus. Er macht mit dem Horizont etwa einen Winkel von 160°, höher als etwa 20' geht er nicht, dann wieder rother Sandstein.

s) Thonwaaren. Eine Porcellanfabrik, die schon unter Herzog Carl errichtet wurde, und sehr feine und geschmackvolle Waaren liefert, besteht zu Ludwigsburg. Zu Schrezheim bei Ellwangen befindet sich eine Fayençe Fabrik, und andere zu Crailsheim, Heidenheim, Neresheim, Lorch, Göppingen, Schellingen 2c. liefern vorzügliches Töpfergeschirr, und in 565 Ziegelhütten werden Ziegel, Kalk 2c. gebrannt.

t) Marmorschleifen befinden sich zu Stuttgart und zu Bissingen an der Teck.

B) In vegetabilischen Stoffen.

a) Linnen. Einer der wichtigsten Industriezweige von Würtemberg ist die Linnenweberey und Spinnerey. Beyde sind über das ganze Land verbreitet, ihren Hauptsitz aber haben sie an und auf der Alp. Die Oberämter Urach und Münsingen zählen allein 1300 Webermeister. Heidenheim 804, und ganz Würtemberg 17,700 nebst 2500 Gesellen, in manchen Gegenden spinnen Männer und Weiber, und fast jeder Bauer ist auch zugleich ein Weber. Stuttgart, Kirch-

9

heim, Ulm, Reutlingen, Baknang 2c. liefern viele
farbige — mit Baumwolle vermischte Gewebe — Zeug=
len, Schnupftücher 2c. und zu Ehningen und Reut=
lingen werden die bekannten Spizen geklöppelt, und
eine Menge leinene Bänder verfertigt. Zu Munder=
kingen und in der Gegend ist der Siz der Dochte= und
Dochtgarn = Bereitung.

b) Baumwolle. Die Handspinnerey, welche ehe=
mals einen bedeutenden Erwerbszweig für die Gegen=
den von Gmünd, Göppingen, Aalen 2c. ausmachte, wird
in neuern Zeiten durch die Einführung von Maschinen
verdrungen. Dergleichen Maschinen oder mechanische
Spinnereyen befinden sich zu Berg, Canstadt, Eßlingen,
Obereßlingen, Heidenheim, Spiegelberg, Salach 2c. Sie
liefern eine außerordentliche Menge von Baumwollen=
garn, welches hauptsächlich in den türkischroth Fär=
bereyen, deren das Land seit einigen Jahren mehrere
besitzt, verbraucht wird. Die Orte, welche türkischroth
Färbereyen haben, sind: Canstadt, Berg, Eßlingen,
Salach, Nürtingen, Reutlingen, Ehningen, Calw. Die
Baumwollenweberey ist gleichfalls nicht unbedeutend.
Zu Heidenheim besteht eine Ziz= und Cottunfabrik,
eine andere zu Crailsheim; ebendaselbst und zu Ra=
vensburg und zu Entringen wird auch Baumwollen=
sammt oder Manchester verfertigt; zu Heubach wird
eine bedeutende Sak= und Halstücher = und Baum=
wollenzeugfabrik, zu Göppingen eine Barchetfabrik
betrieben, und zu Gmünd und in der Umgegend, wer=
den viele Strümpfe, Handschuhe, Mützen von Baum=
wollen gewoben. In der Gegend von Biberach, Tutt=
lingen, Ebingen, und auf dem Schwarzwalde wird
auch noch Mousselinstickerey betrieben. Zum Behuf

der Gewerbe in Linnen und Baumwollen befinden sich an vielen Orten des Landes vorzügliche Bleichanstalten.

c) Seide. Seidenspinnerey macht einen Erwerbs= zweig für die Gegend von Tuttlingen, Spaichingen, und die Ortschaften auf dem Heuberg aus, und an den beiden ersten Orten finden auch Seiden = und Halbsei= denweberey statt. Auch zu Jsny befindet sich neuer= lich eine nicht unwichtige Seidenfabrik. Die Seide, welche verarbeitet wird, ist meist Florétseide. Das Fabrikat besteht in Halstüchern, Handschuhen, Strüm= pfen, Müzen, Madras 2c.

Eine Seidenwattfabrik befindet sich zu Berg, und eine andere zu Stuttgart. Zu Reutlingen, Pfullin= gen, Ebingen 2c. wird die Bortenwirkerey, theils in Seide, theils in andern Stoffen, und besonders in Seidenmärlin und Borten stark betrieben, und in der Gegend von Gmünd hatte sonst die Haubenstike= rey in Seiden = und Goldstoffen ihren Siz.

d) Tabak wurde in der lezten Zeit so viel fabri= zirt, daß jährlich weit mehr ausgeführt, als einge= führt wurde. Canstadt hat zwey, Heilbronn drey, Ulm vier Tabaksfabriken; ferner befindet sich eine zu Schorndorf, eine zu Ober = Urbach, eine zu Kochen= dorf, eine zu Mühlacker, und eine zu Weilerstadt.

e) Holzwaaren, als Teller, Löffel, Laden, Schaufeln, Rechen, Wännen, Fruchtmaaße, Joche, Küblergeschirr werden in Menge in den Waldgegen= den von Gaildorf, Ellwangen 2c. verfertigt. Zu Wü= stenroth, Spiegelberg, Güglingen, Heidenheim, Horb 2c. werden viele Körbe geflochten, Ganslofen liefert Peit= schenstöcke, Dornstetten Strohstühle, Neuenbürg, Wildbad, Baknang, Aalen 2c. viele Dreherwaaren, Blaubeuren, Geißlingen, und vornehmlich das Dorf

9 *

Ettlenschieß gute Spindeln, und Ulm nebst den Dörfern am Rechberge und in der Umgegend viele Tabakspfeiffenköpfe. Auf dem Schwarzwalde findet man
Weidendrehereyen, in welchen junge Tannen zu Floß-
bändern bereitet werden, und zu Ulm werden viele
Schiffe gebaut.

f) Harzerzeugnisse. Auf dem Schwarzwalde
wird, wie in den östlichen Tannenwäldern aus dem
Harz der Nadelhölzer, eine Menge Harz, Pech, Terpentin, Colophonium erzeugt, und aus den Stöcken
und Wurzeln der Forchen Theer gebrannt. An mehreren Orten wird auch Siegellak bereitet.

g) Zunder wird auf der Alp, und vornehmlich zu
Ulm verfertigt.

h) Zichorienfabriken bestehen zu Oeffingen, Oberamt Caustadt, Stuttgart und Calw.

i) Ulmer Mutscheln und Zuckerbrod machen einen
bedeutenden Erwerbszweig zu Ulm aus.

C) In animalischen Stoffen.

a) Schaafwollen. Die Wollenspinnerey und
Weberey, ist nächst der Leinwandfabrikation, einer der
wichtigsten Gewerbszweige des Landes. Neben der
Handspinnerey sind bereits auch an mehreren Orten
mechanische Wollenspinnereyen im Gange. So besitzt Calw zwey, Eßlingen zwey, Liebenzell eine,
Jarthausen eine. Tuchmanufakturen befinden sich: zu
Calw zwey, zu Eßlingen drey, eine zu Nürtingen,
eine zu Heilbronn, eine zu Rohrdorf, verbunden
mit einer Rattinfabrik, und die bedeutendste zu Ludwigsburg, die auf herrschaftliche Rechnung betrieben
wird. Außerdem besitzt fast jedes Städtchen einige
Tuchmacher, die meisten Calw, Bahlingen, Freuden-

ſtadt, Baknang. Unter den Dörfern zeichnet ſich der Flecken Ebhauſen, Nagolder Oberamts durch ſtarke Wollenmannfaktur aus. Auſſer dem Tuche liefern dieſe Manufakturen hauptſächlich Frieſe, Rattin, Flanelle, Boie, Moletons ꝛc. Zu Calw und Baknang wird auch Caſſmir verfertigt. Die Zeugmacherey, die in vorigen Jahren beſonders blühend war, iſt gegenwärtig im Zerfall; doch werden zu Calw, Ebingen ꝛc. noch bedeutende Geſchäfte darinn gemacht. Teppiche werden in einer Fabrik zu Schorndorf, auch zu Neresheim und Oehringen fabrizirt.

Wollenfabriken beſtehen zwey zu Göppingen, und eine zu Aalen.

Wirkerey, ſowohl Strumpfweberey, als auch Strumpfſtrickerey — ein Hauptartikel des Wollengewebs — wird beſonders ſtark zu Ebingen, Calw, Tuttlingen, Mezingen, Rottenburg und in den Umgegenden betrieben, ſo, daß jährlich eine große Menge von Strümpfen, Schuhen, Handſchuhen, Mützen ꝛc. ins Ausland verſendet werden.

Die Hutmacherey blüht zu Ebingen, Göppingen, Stuttgart und Kirchheim.

b) Leder. Es iſt der dritte Hauptgegenſtand des vaterländiſchen Gewerbsfleißes. Die meiſten und anſehnlichſten Gerbereyen befinden ſich zu Reutlingen, Baknang, Altenſteig, Bahlingen, Neresheim, Neuenbürg, Calw, Oberndorf ꝛc. Zu Berg bey Canſtadt beſteht eine anſehnliche Stiefelſchäftefabrik, zu Hirſau bei Calw eine bedeutende Saffanfabrik.

c) Leimſiedereyen giebt es zu Eßlingen, Calw, Reutlingen, Tuttlingen.

d) Die Bein= und Hornbreherey blüht hauptſächlich zu Geißlingen, und die Geißlinger Waaren sind weit und breit bekannt. Zu Tuttlingen werden auch Perlmutterarbeiten verfertigt.

e) Federkiele werden zu Wildberg, Hofen bei Canstadt und an andern Orten bereitet.

D) Kunstgewerbe verschiedener Art.

Die Buchdruckerey ist bedeutend zu Stuttgart, Reutlingen und Tübingen, auch besitzt Stuttgart drey Schriftgiessereyen. In 59 Papiermühlen wird theils Druck = theils Schreibpapier, und selbst feines Postpapier, an einigen Orten auch gefärbtes Papier verfertigt. Zu Stuttgart, Kirchheim und Canstadt befinden sich Kartenfabriken. Musikalische, physikalische und optische Instrumente liefern Stuttgart, Tübingen, Eßlingen von vorzüglicher Art. Zu Dettingen bey Urach befindet sich eine Wagenfabrik. Auch werden zu Stuttgart, und andern Orten, schöne Wagen gebaut. Eine bedeutende Fabrik von lakirten Blechwaaren befindet sich zu Eßlingen.

Die Uhrmacherey wird, wie die Bürstenbinderey, mit Unrecht, als ein Artikel des innländischen Gewerbsfleißes aufgeführt, da beyde ihren Sitz auf dem Badischen = und auf dem von Würtemberg abgetretenen Schwarzwald haben.

Chemische Erzeugnisse, namentlich Köhlereyen, kommen im ganzen Schwarzwald, so wie im übrigen Land häufig vor; im Großen besonders im Freudenstädter Forst, bei Baiersbronn, für die Eisenschmelze und Hammerwerke im Christophsthal bei Freudenstadt. Das Lokal dieser Köhlerey ist einzig, und die Kohlplatte vom Wasser umschlossen, worauf das Holz beygeflößt werden kann. Man sieht dort Meiler von 30 Klaftern Holz. Ferner verdienen hier zwei Ver-

Kohlungsöfen angeführt zu werden, die Herr v. Uech=
riz zu Wolfach im Hochfürstlich Fürstenbergischen An=
theil des Schwarzwaldes (badischer Hoheit) erbaut
hat. Der Zweck dieser beiden Verkohlungsöfen ist
nicht nur, für die nebenbei gebauten Poch= und Ham=
merwerke, die nöthige Kohlenmenge in der möglichst
hohen und besten Qualität zu gewinnen, sondern auch
nebenbei Holzessig und Theer zu erziehen. Beede
sind aus einer etwa 4 Fuß dicken Mauer kubisch
gebaut. Der eine ist mehr als um die Hälfte gröf=
ser als der andere. Der größte Theil des einen, ist
ein hoher Raum, in welchem ungefehr in der Mitte
zwey elyptisch geformte übereinander liegende von Ei=
sen und Stein gebaute Kanäle sich befinden. An ih=
nen sind zwei Oefnungen durch die Mauer hindurch
angebracht, an der einen wird angezündet, durch die
andere wird das entwickelte Knallgaß abgeleitet. In
einer Stunde sollen sich ungefehr 200,000 C.´ der=
gleichen entwickeln. Am Boden ist ein Abführungs=
Canal von Stein angebracht. In diesen ergießen sich
die Destillations=Produkte, als Holzessig und Theer.
Ausser diesem sind noch Abkühlungs = Canäle an=
gebracht. Früher hat man sie von Eisen gemacht,
allein sie konnten der ungeheuern Hize und Knallgaß
nicht widerstehen, und nun hat man sie von Steinen
gebaut. Die Abkühlung des großen Ofens erfordert 4,
die des kleinen hingegen 1½ Tage. Das Material ist
größtentheils geflößtes Nadelholz, ausserdem Bu=
chen. Ein Nürnberger Cubikfuß Nadelholzkohle wiegt
4 $\frac{1}{10}$ Cöllnische Pfund.

Im Brenzthale bei Heidenheim sind ebenfalls be=
deutende herrschaftliche Köhlereien für die dortige Hüt=
tenwerke. Die Kohlmeiler werden von unten ange=

zündet, welches man für ein besseres Verfahren hält, als das Anzünden von oben.

Die Harzwirthschaft in dem Schwarzwalde wird nach einer bestehenden Harzordnung betrieben. In den 12 vorhandenen Harzhütten wird nicht nur Schaum- und Wasserharz, sondern auch Pech und Terpentin fabrizirt, und aus den zurückbleibenden Harzgriefen Ruß gebrannt.

Theerschwellereyen kommen auch in dem Schwarz- walde überall vor, und die Oefen sind so gebaut, wie sie Jägerschmied beschreibt, nur will der Theer- brenner am Tumbach von keiner Reißbedeckung beim Einsezen wissen. Ferner versicherte derselbe Theer- brenner, daß die Erbauung eines Theerofens mit Ziegelsteinen, Lehm zc. nicht höher als 50 fl. zu ste- hen komme. Eine zweyte Aufbauung aber, kostet nie mehr als 20 — 30 fl. folglich würde sich der Theer- brennerey = Ertrag bedeutend erhöhen.

Vitriol, Alaun, Scheidewasser, Vitrioläther oder Naphtha, Salzgeist, Hoffmännische Tropfen, Sal- miak, Glaubersalz, Weinstein, Weinsteingeist u. s. w. werden in mehreren Gegenden und Laboratorien, be- sonders zu Böblingen, Freudenstadt, Ebingen, Lorch zc. auch fürs Ausland bereitet. Ebenso befinden sich auf dem Schwarzwalde im Enzklösterle und in Kapfenhardt, Neuenbürger Oberamts, so wie in der Gegend von Tutt- lingen viele Sauerkleesalz = Siebereyen, und in den östlichen Waldgebirgen und wieder auf dem Schwarz- walde an 150 Potaschenhütten; die nöthige Asche wird von den Entrepreneurs theils aufgekauft, — der gewöhnliche Preis ist 13 kr. p. Sri. — theils wird sie durch Reisig verbrennen gewonnen, diese wird ge- wöhnlich mit 7 kr. p. Sri. bezahlt. Der Centner

Potasche wird um 16 fl. verkauft; auch wird fast überall Salpeter bereitet.

E) Brauereyen, Brennereyen, Mühlen.

In 1561 Bierbrauereyen wird mehr Bier gebraut, als Wein im Lande wächst. An mehreren Orten giebt es Essigsiedereyen, fast überall, hauptsächlich aber in der Steinlach, Branntweinbrennereyen. An der Alp, im Neuffemer, Lenningerthal, im Herrenberger Oberamt, in der Gegend von Tettnang u. s. w. wird guter Kirschengeist, auf dem Schwarzwald, und in andern Waldgegenden, Heidelbeergeist, Himbeergeist und Wacholderbeergeist bereitet, und zu Heilbronn befindet sich eine Fabrik von Mannheimer Wasser und Liquer's. Unter 10,395 Mühlen und Mahlgängen, die Würtemberg zählt, befinden sich 1817 Mahlmühlen nebst vielen Gerstenmühlen, auf welchen Kochgersten bereitet wird, wovon die feinere unter dem Namen Ulmergerste bekannt ist, weil sie hauptsächlich zu Ulm und in der Umgegend bereitet wird; ferner 712 Oehlmühlen, welche eine Menge Oehl aller Art, besonders Reps- und Brennöhl pressen; 702 Sägmühlen, 8 Pulvermühlen, und 206 Gypsmühlen, worunter sich besonders zu Heilbronn sehr gut eingerichtete und stark betriebene Werke befinden.

Handel.

A) Ausfuhr.

Würtemberg hat eine bedeutende Ausfuhr:

a) in Naturprodukten, hauptsächlich Vieh, besonders Mastochsen und Schaafe, Getraide, wozu auch

Kochgerſte kommt, Schaafwolle und Holz. Von letzte=
rem geht seit vielen Jahren eine bald größere, bald
geringere Anzahl der ſtärkſten Weißtannen, Rothtan=
nen — und Forchenholzes, (ſogenauntes Holländerholz)
in bekannten Sorten auf der Enz in den Neckar bei
Beſigheim, und von da auf Mannheim in den Rhein,
und auf dieſem Strom nach Holland. Auch geht auf
der Kinzig, Murg und Alb ein Theil des Holzes auſ=
ſer Landes, und der Handel wird ſowohl von einzel=
nen Flößern oder Holzhändlern, als von ganzen Ge=
ſellſchaften betrieben. Unter den Geſellſchaften befinden
ſich zwey privilegirte oder ſolche, die einen Pacht mit
der Herrſchaft haben, nemlich die Holländer = Com=
pagnie, welche ihren Haupthandel nach Holland treibt,
und die Landcompagnie, welche neben dem auslän=
diſchen Handel hauptſächlich das Inland und insbe=
ſondere die Herrſchaft mit Bau = und Werkholz ver=
ſieht. Gegen 5 Gulden Conceſſionsgeld von jeden
100 Stücken, bekommt die Holländerholz = Compag=
nie zu Calw ſeit vielen Jahren die Erlaubniß, jähr=
lich 40,000 Bretter, oder Diele als Oblaſt auf den ei=
gentlichen Holländerholz = Flößen auszuführen.

Auch erkauft dieſe Geſellſchaft jährlich allerlei Sor=
timente Eichen = Stückholz, und exportirt ſolches eben=
falls als Oblaſt auf Holländerflößen bis Mannheim,
mit höchſter Conceßion, und mit beſondern Abgaben.
Durch den Mangel an tauglichen Holländerſtämmen,
hat der Holzhandel in neuern Zeiten ziemlich abge=
nommen, und im Freudenſtädter Forſt hat die Ab=
gabe aller Holländer = Holzgattungen ſchon ſeit 1799.
ganz aufgehört. Auch in dem Neuenbürger Forſt hat
ſich die Abgabe an Holländerholzgattungen ihrem En=
de genähert, wo ſolche jährlich 1200 effektive Tannen;

und 1500 Meß Balken, Holländer Dickbalken, und
Kreuzbalken betrug.

Im Altensteiger Forst wurde seither kein Holländerholz an die privilegirte Compagnie zu Calw abgegeben, obgleich solche Bestände vorhanden waren, worinn solche Hölzer der Stärke nach sich befanden,
jedoch nicht in großer Anzahl. Ueber die Bedeutung
des Holzhandels ist übrigens schwer ein Urtheil zu
fällen, im Ganzen mag er noch ungefehr 300,000 fl.
abwerfen.

Diejenige Flöße, welche das Inland mit Holz versehen, nennt man, im Gegensaz der Holländer Holzflöße, Gemeinholzflöße.

Ein Gemeinholzfloß besteht:

1) Aus dem Wagen (dem gebundenen Floße ohne
   Oblast).

2) Aus der Oblast (dem gebundenen Floße mit
   Oblast).

Das Gemeinholz ist durchgehends geringer, als
das Holländerholz, und besteht aus Weiß- und Roth-
taunen und Forchenbaustämmen.

Auf dem Neckar ist ein Gemeinholzfloß aus Stö-
ren zusammengesetzt, und zwar aus:

2 Gestören 60ger Blkn. à 7 Stück, thut 14 Stück.
6 Gestören 50ger Blkn. à 8 Stück, thut 48 Stück.
8 Gestören 40ger Blkn. à 9 Stück, thut 72 Stück.
2 Saulgestöre, jedes 30' lang, 10 — 12" dick,
    à 7 Stück, thut 14 Stück.
3 Gestöre 30ger, 30' lang, à 10 Stück, thut 30 Stück.

Summa 21 Gestöre, ohne das Vorpläzle als Vor-
flößle, à 20' lang, welches in 9 Stämmchen
besteht.

Summa im Ganzen 187 Stück,

Die gewöhnliche Länge eines Gemeinholzfloßes ist daher 910 Fuß. Manchmal ist auch ein Gestör 70ger daran gebunden, so aus 6 Stück bestehet. Auch ist es erlaubt, einen Floß folgender Gestalt einzubinden:

1	Gestör	70ger.
2	—	60ger.
3	—	50ger.
4	—	40ger.
5	—	Saulhölzer.
6	—	30ger Balken.

Auf der Enz kommen gewöhnlich in ein Gestör 11 Stämme 40ger, 35 Schuh lang 6—9 Zoll dick am dünnen Theil.

Stämme	Schuh	Zoll
10 50ger.	45 lang,	7—9 am dünnen Theil.
9 60ger.	55 lang,	8—11 am dünnen Theil.
8 Dickb.	42 lang,	10—14 am dünnen Theil.
8 70ger.	65 lang,	9—12 am dünnen Theil.

Befindet sich aber an der Einbindstatt lauter grosses Holz, so wird hinter dem Vorspitzen ein Gestör Dickbalken von 8 Stämmen, ein Gestör 60ger von 9 Stämmen, hernach 70. à 8 Stämmen eingebunden, und damit so fortgefahren, bis der Floß, den Vorspitzen nicht gerechnet, 11—12 Gestör lang wird. Auf der Nagold geschiehet das Einbinden des Gemeinholzes ebenso, wie auf dem Enzfluß, nur daß der Floß länger gemacht wird, und gewöhnlich aus 18—20 Gestören besteht.

Auf einem gemeinen Neckarfloß besteht die Oblast gewöhnlich aus 900 Stück Bretter, 900 Stück Latten, wovon 1 Büschel 8 Stück hält, aus 75—80—100 Stück Zweilingen, oder sogenannten Halbdielen, und aus 100 Stück Rahmschenkel.

Auf der Enz und Nagold wird ein gemeiner Floß auf folgende Art mit Oblaft eingebunden: wenn sich bei der Einbindstatt eine Sägmühle befindet, so legt man 6 Stück Bretter queer auf ein Gestör schichtenweis auf; diese Schichten stehen, 5 Säze neben einander, so, daß auf ein Gestör in 5 Säzen, 30 Bretter zu liegen kommen. Diese Säze werden von einigen Boden genennt, und mit Latten oder Rahmschenkeln zusammen gespannt. Ueber diesen Boden werden abermals 3 — 4 Säze der Länge nach geladen, und zwar in einem solchen Quanto, als der Floß zu tragen vermag, so, daß gewöhnlich ein Gestör 70ger — 100 Bretter, 1 Gestör 60ger oder Dickbalken 70 — 80 Bretter, 1 Gestör 50ger 30 — 40 Bretter, und ein ganzer Floß 1000 Stück Bretter, ohne Latten und Rahmschenkel mit einzurechnen, tragen kann.

Der Wagen oder ein gebundener Holländerfloß, ohne Oblaft, bestehet aus Weißtannen, Forchen und Fichten, und zwar insbesondere in Absicht ihrer Länge und Stärke:

a) Tannen.

			Zoll
Aus Holländertannen 70 - 80.	- 100' lang	16.	
— 60ger Tannen	60.	lang 16.	
— 70ger Tannen	65 - 70.	lang 15.	am dünnen Theil.
— Meßbalken	70.	l. 12-16.	
— Dickbalken	44.	lang. 16.	
— Kreuzbalken	44.	l. 14-16.	
— Meßbalken 70gr.	70.	l. 11-12.	

b) Forchen.

1 Holländerforche	40 - 50	Schuh lang	16	Zoll	am
1 Mast	60	—	—	12	— dünnen
1 Dickbalken	42	—	—	12 - 14 —	Theil.

Die Oblast der Holländerflöße besteht meisten= theils aus Eichenholz und zwar insbesondere aus folgenden:

1) Eichene Bohlen, die gewöhnlich nach Cara= pelen berechnet werden, und 4'' dick, 40' lang sind, sonst aber sind sie auch nur 3'' dick und 30' lang.

2) Dauenstangen, oder Holländer Geschirrholz; diese sind entweder von Buchen, Hagenbuchen, auch jungen Eichen, gemachte runde 7 — 8'' dicke Stangen.

3) Durchriß, ist abermals eine Sorte Holländer Eichenholz, und entsteht daher, wenn der Wagenschuß zu knapp behauen worden ist. Es wird darum auch ein Durchriß genannt, weil es nur ⅔ im Werth und die Stärke eines Wagenschusses hat.

4) Halbe Knapphölzer, dieß sind Stücke gespal= tenen eichenen Holzes, 6½ rheinländische Schuh lang, und 11'' hoch, 6 halbe Knapphölzer gelten so viel als ein Wagenschuß.

5) Jochstangen, Holländer Geschirrholz, besteht in Buchen, Weißbuchen, Birken oder Aspenholz, von 13 — 15'' in der Rundung Diameters Dicke; sie müs= sen sehr gerade gewachsen, und wenigstens 25' lang seyn.

6) Kielbuche, ist ein Stück Buchenholz, welches, ohne schadhaft zu seyn, weder Krümmen noch Ast= löcher zu haben, in gerader Linie 50' lang, am Zopf und Stamm aber 2' dick seyn muß.

7) Klötze heißt man im Holländer Holzhandel ein ungespaltenes Stück eines eichenen Stammes,

das von verschiedener Länge und Dicke ist. Sie bleiben nicht rund, sondern werden bereits schon im Wald vierkantig beschlagen, und zwar so, daß sie etwas breiter als hoch sind.

8) Knappholz, ist ein Stück gespalten Eichenholzes, 8 rheinländische Schuh lang, und 12″ hoch, 3 Knapphölzer gelten so viel als ein Wagenschuß.

9) Knappholz ist ein Stück Holländer Eichenholz, nicht gespalten, aber leicht beschlagen, 8—9 rheinländische Schuh lang, und 15—16″ an den Köpfen hoch; 3—4 solche Klötze gelten für einen Wagenschuß.

10) Krummholz oder Krümmling, ist ein natürlich, wie ein lateinisches C oder S krumm gewachsenes Holz, das zum Schiffbau gebraucht, auch Stöhen in der Schiffersprache genannt wird.

11) Pfeiffholz, ist ein Stück gespaltenes Holländer Eichenholz, 10 rheinländische Schuh lang und 13″ hoch, von der Wand bis an das Herz gemessen. Für zwei Pfeiffenhölzer zahlen die Holländer so viel, als für einen Wagenschuß.

12) Pfeiffholz, Krümmling, ist ein Holländer Eichenholz, 10—12′ lang, aber stärker als ein ordinäres Pfeiffholz.

13) Pfeiffklotz, ist ein Stück Holländer Eichenholz, so nicht gespalten, aber leicht beschlagen ist, 10—14 rheinländische Schuh lang, und an der einen Seite 17, an der andern aber 18″ hoch. Im Preiß werden sechs Pfeiffklötz zwei Stück Wagenschuß gleich gehalten.

14) Pfosten sind Holländer Eichenholz, 30—50′ lang und in der Dicke so stark als möglich.

15) Ranz, ist ein Stück gespaltenes Holländerholz, 6 rheinländische Schuh lang, und nicht unter 9″ dick, 8 Stangen gelten so viel, als ein Wagenschuß.

16) Ruthen oder Fangbäume, sind Holländer Eichenholz, oder geschälte ganze Eichen, deren geringste Länge 40 rheinländische Schuh ist, die Dicke ist gewöhnlich 13 — 15, 14 — 16, 15 — 17" in der Mitte gemessen. Eine halbe Ruthe ist 24 — 32' lang, und die geringste 18" hoch und breit.

17) Schiffsknie oder Korben sind im Winkel wie ein Knie gewachsenes Eichenholz, das zum Schiffsbau gebraucht wird, und entweder aus dem Stamm und einem starken Ast, oder aus dem Stamm und einer starken Wurzel bestehen.

18) Spannstangen, Holländer Geschirrholz, sind 30 und mehrere Schuh lange Stangen, von Buchen, Raubuchen oder Birkenholz, 12 — 13" in der Rundung gemessen, dick. Sie werden zum Festeinspannen der Mainz=, Saar = und Moßelflöße gebraucht, und müssen gerade gewachsen seyn.

19) Sprengel, ist ein Holländer Geschirrholz, ungefähr 3' lang, daran der untere Theil 3 — 4" breit, 2 — 2½" dick und pfahlmäßig zugespitzt ist. Es wird von allerhand Holz gemacht, und dient zugleich beim Floß zu einer Sperre.

20) Wagenschuß, ist ein Stück gespaltenes Holländer Eichenholz, 14 rheinländische Fuß lang und 14" hoch, von der Wand bis ans Herz gemessen, und 2' breit. Es ist im Eichenholz die stärkste Sorte, deshalb wird es auch ein Stück genannt. Alle andern Sorten von Holländer Eichenholz werden auf den Fuß von dieser Sorte berechnet, und man zählt von Pfeiffhölzern 2 Stück, von Knapphölzern 3 Stück, von halben Knapphölzern 6 Stück, von Stangen 8 Stück. Bei den Klötzen werden 3 Wagenschuß Klötz für 2 Stück, 6 Pfeiffenklötz für 2

Stück, und 3—4 halbe Knappklötz für ein Stück Wagenschuß im Preis gerechnet. In Würtemberg kostete im Jahr 1786 ein Wagenschuß 4 fl., im Badischen aber schon 10 fl.

21) Wagenschußkloz, ist ein Stück Holländer Eichenholz, nicht gespalten, aber leicht beschlagen, 18—20 rheinländische Schuh lang und an der einen Seite 18″ an der andern 20″ hoch, von gleichem obern und untern Diameter.

22) Wagenschuß = Krümmling oder Krümmer, ist 13—14′ lang, muß aber stärker als ein ordinärer Wagenschuß seyn.

23) Wagenschuß = Pfosten ist Holländer Eichenholz, 24—30′ lang und drei Schuh hoch, man nennt es auch eine Mühlachse; und endlich

24) Zangelstangen, Holländer Geschirrholz, sind von Buchen oder Hagenbuchen, 25 und mehrere Schuh lange Hölzer, 13—15 Zoll in der Rundung, in der Mitte gemessen, dick, sie werden zerstückt, und auf 2 Seiten etwas beschlagen, auf das Holländerholz gelegt, und mit eisernen, sogenannten Zangelnägeln darauf festgemacht, wodurch dann das Holz zusammengehalten wird, deswegen müssen sie auch gerade gewachsen seyn.

Die wirkliche Verarbeitung dieser beschriebenen rohen Hölzer geschiehet nicht in Würtemberg, sondern bei dem Schiffsbau selbst. — S. Müllers Abriß der Seewissenschaften, und Walthers Handbuch der Forsttechnologie.

Noch kommt in Würtemberg auf der Iller eine dritte Holzflößereimethode vor. Es wird nemlich das Scheiterholz im Verband zwischen zwei Langholzstämmen, die 40—60′ Länge und 12—20′ Breite

auseinander gebunden haben, schichtenweise an und
auf einander gereihet und fest mit einander verbunden, so daß die Masse theils im Wasser, theils ausser
dem Wasser, durch Rudern fortgestößt wird. Gewöhnlich werden auf einem solchen Floß, den man
in Oberschwaben Pflauden und in Schlesien Matab-
schen nennt, 6 — 8 Klafter Scheiter an Ort und
Stelle geflößt.

Die Ausfuhr an Vieh machte bisher 3 — 4 Millionen Gulden aus. Ausser diesen vier Hauptartikeln
werden noch Kümmel, Wachholderbeere, Enzian,
Sämereien, Mühlsteine und andere Naturerzeugnisse,
selbst isländisches Moos und spanische Fliegen ins
Ausland verkauft. Im Ganzen genommen könnte
man die jährliche Ausfuhr an Naturprodukten in der
letzten Zeit, nach Abzug der Einfuhr in den oben-
genannten gleichen Produkten, auf wenigstens 5 Millionen Gulden schätzen.

b) Erzeugnisse des Kunst = und Gewerbfleißes.
Ihre Ausfuhr bestand hauptsächlich in Leinwand,
Wollenfabrikaten, vornehmlich Strümpfen und grö-
bern Geweben, Leder, besonders auch Saffian, Tür-
kischrothgarn; ferner: Tabak, Lein, Bleiweis, Salpeter, Potasche, Sauerkleesalz, Vitriol und andern
chemischen Fabrikaten, Harz und Harzprodukten,
Druckschriften, Papier, Holz = und Metallfabrikate.

Die ganze Ausfuhr von inländischen Erzeugnissen
betrug nach Abzug der Einfuhr in den gleichen Artikeln in der letzten Zeit jährlich zwischen 4 — 4½ Million Gulden, so daß die reine Ausfuhr im Ganzen
sich auf 9 — 9½ Millionen beläuft.

B) Zwischenhandel, Durchfuhr, Spedition.

Sehr bedeutend hat sich seit ungefähr 20 Jahren auch der Zwischenhandel, d. i. der Handel mit ausländischen Waaren ins Ausland, besonders mit Colonial = und Farbewaaren gemacht. Nicht weniger bedeutend ist die Durchfuhr, und man kann rechnen, daß jährlich wenigstens ½ Million Zentner Güter durchs Land gehen. Damit steht zugleich ein ansehnlicher Speditions = und Commissionshandel in Verbindung.

Auch die Wechselgeschäfte sind neuerlich bedeutend geworden, besonders macht die Hofbank zu Stuttgardt sehr wichtige Geschäfte. Die Haupthandels= und Speditionsplätze sind Stuttgardt, Heilbronn, Ulm, Calw, Friedrichshafen, Canstadt.

C) Einfuhr.

Die wichtigsten Einfuhrartikel sind: rohe Stoffe und Handelsgewächse, namentlich Holz aus den einklammirten souverainen Fürstenthümern Hohenzollern-Hechingen und Sigmaringen, aus Baiern auf der Iller in bedeutenden nicht genau anzugebenden Quantitäten: Flachs und Hanf, Baumwolle, Häute und Felle, darunter allein über 100,000 Schaaf= und Ziegenfelle, Tabaksblätter, Reps=, Lein= und Hanf-Saamen, Hopfen ꝛc., im Ganzen für ungefähr zwei Millionen, Fettwaaren, Unschlitt, Fischthran, auch Schmalz, Schmeer, Lichter und Seife. Farbwaaren, hauptsächlich Indigo, - Krapp ꝛc. Material = und Apothekerwaaren. Specereiwaaren, als: Zucker, Kaffee, Gewürze, Rosinen, Zibeben, Mandeln, Reiß, auch Honig, Wachs und Wachsfabrikate und

10*

Käse für mehr als 2 Millionen. Seide und Seiden=
fabrikate, nach den Specereien und rohen Stoffen
die Haupteinfuhr.

Baumwollen=Fabrikate, Ziz, Mousselin, Bassin,
Nanquin ꝛc.; Metalle und Metallfabrikate, Eisen,
Blech, Quincaillerie=Waaren, Blei, Zinn, Kupfer,
Mössing und Mössingfabrikate, Hafnererz ꝛc., Ga=
lanteriewaaren aller Art. Endlich auch noch Glas
und Glasfabrikate; Porcellan, Steingut, und bis
jetzt auch noch Salz, nebst andern minder bedeuten=
den Artikeln.

Vergleicht man den ganzen Aktiv= und Passivhan=
del gegen einander, so findet man, daß der bedeu=
tenden Einfuhrartikel ungeachtet, immer noch ein
beträchtlicher Ueberschuß bei der Ausfuhr zum Vortheil
des Landes übrig bleibt.

D) Hülfsmittel des Handels.

Die Hülfsmittel, welche dermalen den Handel
und hauptsächlich den innern Handel, der in Wür=
temberg sehr lebhaft und für den Nahrungsstand eben
so wichtig und wohlthätig ist, als der auswärtige
Handel, unterstützen, sind:

a) Märkte. Jedes Städtchen hat seine Wo=
chenmärkte, auf welchen hauptsächlich die Naturpro=
dukte verwerthet werden; fast jedes bedeutende Dorf
hat seine Jahrmärkte, auf welchen vorzüglich die
Erzeugnisse des Kunst= Gewerbfleißes und des Vieh=
standes ihren Absatz finden, und fast jede Gegend
zeichnet sich wieder durch ihren eigenen hervorstehen=
den Verkehr aus: Pfahlmärkte, Flachsmärkte u. s. w.

b) Holzrutschen und Holzmagazine. Um
das Holz von den unwegsamen Höhen in die Thäler

zu schaffen, bedient man sich aller möglichen Arten
des Holztransportes bis an die Wasserstraße hin,
der sogenannten Holzrutschen, Rißen, hölzerner oder
eiserner. Eine eiserne Riße oder Rutsche befindet
sich im Uracher Thal, in der Gegend von Gaildorf
aber, und auf dem Schwarzwalde, hölzerne.

Als noch im Freudenstädter Forst Holländer Tannen zum Verflößen auf dem Murgfluß abgegeben
wurden, waren einige Holländer Holzrißen vorhanden, z. B. in der Langenbach, worin die stärksten
Holländerhölzer gerieset wurden, dermalen sind aber
im würtembergischen Antheil des Schwarzwaldes
keine mehr vorhanden; hingegen gewöhnliche Rißen,
um Scheiterholz darin schnell bergab zu fördern; ferner wird das Holz bergab auf Schlitten durch Menschen transportirt, bergauf durch Schlitten, denen
ein Pferd vorgespannt ist. Ferner kommt das sogenannte Werfen vor, um an den steilsten felsigen
Berghängen und bei nicht beträchtlicher Höhe, Scheiter bergab mit einem besondern Vortheil zu fördern,
wo keine andere Transportart möglich ist. Ferner
werden aus steilen felsigten Bergwänden einzelne Holländerhölzer langsam, mit Hülfe eines Schiffseils,
das an die Stämme mit einem starken Lotteisen bevestigt ist, herabgelassen, was man Seilen nennt.
Durch Anwendung des bekannten Lottbaums werden
allerlei Holländer und Bauholzstämme mit Pferden
und Ochsen aus dem Walde geschafft, so wie mit
den gewöhnlichern Karren und Wagen. Auch sind
die besondern Wege, mit starken Prügeln belegt,
merkwürdig, um Sommerszeit vorzüglich allerlei
Holländerhölzer auf Plattformen und sogar bergab zu
schaffen.

Holzmagazine, oder sogenannte Holzgärten, befinden sich in den minder holzreichen Gegenden zu Berg, Rems und Waiblingen, zu Bissingen, Vaihingen, Bietigheim, Marbach und zu Nagold. Aus Letzterem wird das ziemlich holzarme sogenannte Gäu versehen. Bissingen und Berg sind die beiden Hauptmagazine. In das erstere kommt das Holz von dem Schwarzwalde auf der Enz, jährlich ungefähr 20,000 Klafter; in das letztere das Holz von der Alp von dem Adelberger Revier, Schorndorfer Forst, und von dem Welzheimer Wald, und zwar von der Alp durch die Erms und den Neckar 3 — 4000 Klafter; von den Adelberger und Welzheimer Waldungen durch die Rems 6 — 7000 Klafter. Der Bissinger Holzgarten wird mit seinen Filialen Vaihingen und Bietigheim nach einem im Jahr 1809 mit der Herrschaft auf 10 Jahre abgeschlossenen Vertrag von einer sogenannten Enzscheiterholz-Gesellschaft versehen, so daß diese von der obigen Summe ungefähr ¾ aus den herrschaftlichen und ¼ aus andern Waldungen liefert. Nach einer Durchschnittsberechnung lieferte sie seither jährlich 20,800 Klafter, und darunter 4450 Klafter aus nicht herrschaftlichen Waldungen, und bezog dafür aus der Faktorei-Casse zu Bissingen für Fällen und Flößen des gesammten Holzes und für die von ihr gekauften 4450 Klafter 100,000 fl. Dasjenige Holz, was in den Holzgarten zu Berg und dessen Filiale Waiblingen und Rems kommt, wird auf herrschaftliche Rechnung herbeigeschafft. Der nicht bedeutende Murrfluß ist in Privatpacht gegeben.

c) Flößerei, Schiffart und Landstraßen. Es sind manche kunstreiche und zweckmäßige Wasserbauten zum Behuf der Flößerei angelegt. So ist im

Altensteiger Forst, im sogenannten Poppelthal, Simmersfelder Revier, ein etwa 3 Morgen großer, am Damm mit Steinen aufgemauerter Floßsee (Treibsee, hier steinerne Schwellung genannt), welche eine große Menge Wasser enthält, auf welchem vor vielen Jahren mehrere tausend Klafter allerlei Scheitholz und auch Langholz in die Enz beigeflößt wurde. Weil der Bach, der ihn füllt, wenig Wasser hat, so sind 10 — 12 Tage nöthig, um ihn zu füllen. Eine gute halbe Stunde von diesem, in einem andern Thalzinken, wird durch den stärkeren Kaltenbach ein zweiter Treibsee, welcher vor fünf Jahren durch den Herrn Oberbaurath Duttenhofer mit Steinen wieder neu gebaut worden ist, mit Wasser gefüllt, und ehemals mehrere tausend Scheitklafter, jetzt aber viel weniger, auf eine kurze Entfernung in die große Enz geflößt. Er ist am Eingange 35' tief, und erfordert zu seiner Anfüllung 12 Tage. Beide Seen sind merkwürdig zu sehen, theils wegen ihrer Bauart mit besonderer Einrichtung, theils wegen der Gegend, die wildromantisch sich darstellt.

Die zweite Schwellung von diesen beiden Seen ist in der Gumpelscheuer, die dritte in Enzklösterle, und die vierte in Wildbad. Bis zum letztern Ort bringt man den Floß recht gut in einem halben Tage.

Wasserstuben oder Schwellungen kommen sehr viele im Altensteiger und die meisten im Neuenbürger Forst vor, so wie Floßwehre und Floßgassen 2c., welche bei Mühlen und andern nahe am Wasser befindlichen laufenden Werken und Gebäuden angebracht sind, ganz dem Zweck entsprechend und merkwürdig, wo die meisten an der Enz und Nagold anzutreffen sind.

Vor 20 Jahren ift im Enachthal, im Neuenbürger Forſt, ein neuer Holzfangrechen eingerichtet worden, vorzüglich zur Sicherheit, damit bei ſchnellem großem Waſſer das Scheiterholz zum Verflößen auf der Enz in den herrſchaftlichen Holzgarten zu Biſſingen, an dieſem Fluß gelegen, nicht theilweiſe hinwegge- ſchwemmt werden kann, wie früher ſich ereignet hat. Dieſe ſchöne Einrichtung ſteht ungefähr 200 Schritte unter der ſogenannten Herrſchaftsſtube oder Schwel- lung am Enachflüßchen, auf der Grenze der Kalm- bacher und Schwanner Revier. Auſſer dem Neckar, der Enz, der Nagold, der Murg, der Kinzig, welche beide letztere jedoch Würtemberg wenig angehen, kom- men auch auf der Iller Flöße vom Algäu herab bis an ihren Einfluß in die Donau.

Die Jaxt iſt unbenutzt, und auf dem Kocher wird nur auf einer Strecke bis Hall, zum Behuf der dor- tigen Saline, Scheiterholz geflößt. Auſſer dem Pop- pelthaler und dem Kaltenbachſee wird noch der Sees- burger See im Uracherthal und der Ebniſee auf dem Welzheimer Wald zu Schwellungen benutzt. Dieſe Seen werden, wenn ſie im Frühjahr abgelaſſen ſind, und ſo ihren Dienſt zum Holzflößen gethan haben, den Sommer über zum Theil noch als Wieſen benutzt.

Schiffahrt findet ſtatt auf dem Bodenſee, der Do- nau und dem Neckar. Die Bodenſeeſchiffahrt, welche in Würtemberg ihren Hauptſitz zu Friederichshafen hat, befördert vornemlich den Verkehr mit der Schweiz und Italien. Die Donauſchiffahrt geht hauptſächlich nach Wien, und hat ihren Sitz zu Ulm. Von hier- aus geht, — die ſtrenge Winterszeit ausgenommen, alle Wochen regelmäßig wenigſtens ein Schiff nach Wien ab. Die Fahrt dauert gemeiniglich 8 Tage.

Die Schiffe kehren nicht wieder zurück, sondern werden zu Wien verkauft, daher auch der Schiffbau zu Ulm wieder einen eigenen Erwerbzweig ausmacht. Die Neckarschiffahrt beginnt zu Canstadt, von wo aus der Neckar schiffbar gemacht ist. Sie hatte bisher ein bedeutendes Hinderniß in der zu Heilbronn statt findenden Flußsperre und in dem damit verbundenen Stapelzwang.

Jene wird nun aber durch Grabung eines Canals gehoben, und dieser soll gegen den Stapel zu Mannheim aufgehoben werden, so daß die Schiffe in Zukunft frei und ungehindert vom Rhein bis Canstadt, und so umgekehrt von Canstadt bis in den Rhein fahren können. Außer den genannten, zur Beförderung des Handels und Verkehrs bestehenden Anstalten dienen auch die vortrefflichen Landstraßen, womit Würtemberg nach allen Richtungen durchschnitten ist.

Die dem Handel im Wege stehenden Hindernisse sind diejenigen, über die ganz Deutschland klagt: drückende Abgaben, zahllose Mauthen und Zölle, unnatürlicher Stapelzwang, verderbliche Handelsverbote, und, neben der englischen Meeresherrschaft und Zinsbarkeit besonders die Meeressperre — Hindernisse, die in Verbindung mit dem Wechsel der Zeitumstände nicht weniger nachtheilig auf Gewerbfleiß und Landwirthschaft als auf den Handel selber wirken, und deren zerstörende Wirkung in steigendem Grade zunimmt. Auch die Monopole des Salz= und Tabakhandels wurden bisher als beschwerliches Hinderniß des innern Verkehrs betrachtet. Das Tabaksmonopol ist nun gegen ein Geldsurrogat aufgehoben, und der Tabakshandel frei gegeben. Der Centner Tabak zahlt der Regierung 8 fl. 32 kr. Eingangszoll, und

ausserdem noch 3 Procent quartaliter. Für das Etats-
jahr 1822 beträgt die Abgabe vom Tabak ausser dem
Eingangszoll 12 p. Ct., mit jedem Jahr aber wird
eine neue Repartition gemacht.

Die ausser dem Tabak am meisten angelegten
Artikel sind: Leinwand, Baumwollenwaaren, wollene
Tücher, manche Eisenfabrikate, Porcellan, Wein ꝛc.,
Gegenstände, die das Inland selber erzeugt. Der
Eingangszoll ist bei denselben meist bis auf 8 fl. 32 kr.
beim Porcellan bis auf 25 fl. p. Ct. gesetzt.

Dritte Abtheilung.
Zustand des Forstwesens.

A) Größe und Eigenthumsverhältnisse der Waldungen.

Die Gesammtgröße aller würtembergischen Waldungen umfaßt 1,737,141 Morgen, worunter jedoch manche holzleere und zu Viehweiden benutzte Plätze sich befinden. Der aus Holzland bestehende Theil des Staatsgrundes nimmt daher über 99 geographische oder deutsche Quadratmeilen ein. Von dieser Waldfläche sind einschließlich der dem Staate einverleibten Corporationen, als Stifter, Klöster ꝛc. 608,419 Morgen Staats = oder Kronwaldungen, und die Einkünfte daraus fließen ungetrennt in die Staats-Kasse zusammen. 523,799 Morgen gehören dem mediatisirten hohen und niedern Adel und sonstigen Privatpersonen. 604,923 Morgen aber gehören den Gemeinden und den Stiftungen.

B) Forstverfassung.

Die Staats = oder Kronwaldungen werden von dem Staatsforstpersonale zusammen als ein Ganzes verwaltet, auch werden die demselben hinsichtlich des technischen Betriebes untergeordneten Stiftungs=, Communs= und Privatwaldungen nach demselben Grundsätzen, als die übrigen demselben untergeordneten Waldungen behandelt. Die dem hohen und niedern Adel gehörigen Waldungen sind dagegen ihren Eigenthümern zur pfleglichen Bewirthschaftung selbst überlassen, die Landesherrschaft aber hat sich die höhere Aufsicht über die Waldcultur und Waldökonomie, und die Einsprache gegen eine ordnungswidrige Waldwirthschaft vorbehalten.

Staats = Forstwesen.

1. Organisation.

Für die Verwaltung der Staats= und Gemeindewaldungen bestehen:

a) Das dirigirende Oberforst = Collegium, unter der Benennung: Forstrath.

b) 4 Mittelbehörden, oder Kreisfinanzkammern mit eben so viel Kreisforstmeistern (künftig Kreisforsträthe).

c) 24 Controll = Behörden oder Oberförstereien mit eben so viel Forstassistenten.

d) 151 Reviere oder Wirthschaftsbezirke.

e) 157 Unterförster und 291 Waldschützen für die nähere polizeiliche Aufsicht.

Das dirigirende Oberforst = Collegium unter der Benennung Forstrath, bildet eine selbstständige Behörde, die dem Finanz = Ministerio unmittelbar untergeordnet ist.

Es ist kollegialisch zusammengesetzt aus den stimmführenden Mitgliedern und zwar:

Einem Direktor.

Vier Forsträthen.

Drei Assessoren, wovon zwei ohne Gehalt sind.

Dem Sekretariat, bestehend aus zwei Sekretären mit einem Accessisten.

Der Expedition, nämlich:

Zwei Registratoren und

Zwei Canzelisten.

Die Kreisforstmeister sind als Organe der Inspektion zu betrachten, und werden zugleich als Mitglieder der betreffenden Finanzkammer erklärt. Im Durchschnitt erstreckt sich der Wirkungskreis eines Kreisforstmeisters auf 434,285 Morgen Waldfläche, auf 4 — 7 Oberförstereien und auf 27 — 42 Reviere oder Wirthschaftsbezirke, welche von 27 — 48 Unterförstern und von 59 — 83 Waldschützen beschützt werden.

Die Wirkungskreise der Oberförster werden durch die Verbindung mehrerer Reviere zu Forstamtsbezirken bestimmt. Unter eine Oberförsterei sind durchschnittlich 6 — 7, selten 8 Reviere vereinigt. Hierzu ist jedem Oberförster ein besonderer Assistent zugetheilt, welcher unter seiner Anleitung die zeitraubenderen Geschäfte besorgt, so daß der Oberförster nur den wichtigern sich unterzieht. Hauptsächlich hat der Oberförster die Wirthschaftsführung auf den ihm untergeordneten Revieren zu berücksichtigen, und das zur Nutzung kommende Material genau abzuzählen, und die Materialausgabe zu kontrolliren. Im Durchschnitt kommen auf jede der 24 Oberförstereien 72,380 Morgen Waldfläche, und von Kronwaldungen insbesondere, welche unter jenem Flächengehalt schon mit begriffen sind, kommen auf jede Oberförsterei 25,352 Morgen.

Von den 151 Revieren wird jedes durch einen besondern Revierförster verwaltet. Ihre durchschnitt-

liche Größe ist 11,504 Morgen Waldfläche, worunter
4016 Morgen Staats- oder Kronwaldungen begriffen
sind. Es giebt zwei im Gehalt verschiedene Ober-
und Revierförsterklassen, welche aber nicht an einen
bestimmten Ober- oder Revierforst gebunden sind,
sondern die höhere Besoldung soll vielmehr als Be-
lohnung für geleistete Dienste oder für sonstige Dienste
verliehen werden.

Die vorhandenen 157 Unterförster und 292 Waldschützen sind nach der Größe der Forste und Reviere
vertheilt, so daß im Durchschnitt der Begang eines
jeden 3868 Morgen Waldfläche, worunter 1355 Morgen Staatswaldungen mit begriffen sind, oft aber
auch mehr oder weniger beträgt. Die Unterförster
und Waldschützen sind dem Revierförster direkt untergeordnet, haben den Forstschutz auszuüben und
die Holzhauereyen zu beaufsichtigen, übrigens aber
alle Befehle persönlich einzuholen und jeden Bericht
mündlich abzustatten, wozu für die vom Wohnort
des Försters entfernteren gewisse Wochentage festgesetzt sind.

Ausserdem sind von Gutsherrschaften, Stiftungen,
Gemeinden und Privaten 2522 Köpfe für den Forstschutz aufgestellt, welche der speciellen Aufsicht der
Revierförster unterstellt, in den Conduiten-Listen
prädizirt werden.

2. Instruktion des Personals.

a) Der Kreisforstmeister ist der beständige Com-
missär des Forstraths in dem Kreise. Er ist Mit-
glied der betreffenden Finanzkammer, und der gewöhnliche Referent in allen Gegenständen, welche
auf das Forst- und Jagdwesen Bezug haben.

Das Verhältniß des Kreisforstmeisters zu der Finanzkammer soll durch ein besonderes Dienstreglement noch näher bestimmt werden.

Der Kreisforstmeister soll in jedem Jahre die Visitation zweier Forstamtsbezirke des Kreises vornehmen, und diese, sowohl in Hinsicht auf die Bewirthschaftung und Cultur der Waldungen, als in Hinsicht der Handhabung der Forst = und Jagdpolizei und der Verwaltung der Königl. Waldungen, auch in Hinsicht auf Dienstführung des Forstpersonals genau untersuchen, darüber ein vollständiges Visitations = Journal führen und solches dem Königl. Forstrath einsenden.

Ausserdem wird der Kreisforstmeister von dem Königl. Forstrathe zu nachstehenden Geschäften gebraucht werden, nemlich: zu Revision der Nutzungs= und der Culturplane, zur Untersuchung der in das Allgemeine eingreifenden forstpolizeilichen Gegenstände, zu Prüfung wichtiger Akkorde, zu Verpachtung der Königl. Jagden, zu wichtigen Waldtarationen, zu Realisirung beabsichtigter Täusche, Käufe und Verkäufe, und zu Untersuchung der beim Forstpersonal vorfallenden Dienstvergehen.

b) Die Dienstobliegenheit des Oberförsters besteht in der Handhabung der Forst = und Jagdpolizei, in der Ausübung der Forstgerichtsbarkeit und in der Aufsicht auf die Dienstführung des ihm untergeordneten Forstpersonals, sowohl in den Königlichen, als in den grundherrschaftlichen Corporations = und Privatwaldungen.

Zur Unterstützung des Oberförsters ist ihm ein verpflichteter Assistent beigegeben, der dem Oberförster untergeordnet, und für dessen Handlungen der

Oberförster verantwortlich ist. Der Oberförster hat vierteljährlich das Forstruggericht abzuhalten, schwerere Vergehen aber sollen gemeinschaftlich mit dem Justizbeamten untersucht werden; gemeinrechtliche Verbrechen, z. B. die Entwendung aufgeklafterten Holzes, soll der Justizbeamte allein untersuchen, und es soll dem Königl. Forstrathe von der Abhaltung eines jeden Rugetages und von der Anzahl der abgerugten Excessen und dem Betrag der angesetzten Strafen eine Nachweisung eingeschickt werden. Auch soll der Oberförster die statistischen Nachrichten, die Waldregister, die Classifikations = Register und die Taxations = Register, die von den Revierförstern angefertigt worden sind, prüfen, zusammenstellen, und an den Königl. Forstrath einsenden. Dasselbe liegt ihm auch in Rücksicht der allgemeinen Nutzungspläne ob.

Der Oberförster soll auch nöthigenfalls durch Probeschläge, die Revierforstbedienten in Betreff der Holzauszeichnung belehren, die Holzhauer = Lohn = Akkorde abschließen, die Naturalpreiß = Vorschläge machen, die Holzversteigerungen abhalten, die Bedürfnißregister aufnehmen und die Natural = Verwendungsentwürfe anfertigen. Auch soll der Oberförster die vorher geprüften Culturplane zusammenstellen, und für die pünktliche Vollziehung derselben sorgen; so wie ihm auch die Prüfung der Saamen = und Pflanzenregister und die Culturkosten = Ueberschläge obliegt zc. Auch soll derselbe auf die zweckmäsige Verwendung der Nebennutzungen des Waldes bedacht seyn, und dafür sorgen, daß die Servituten nicht übertreten werden, und daß die Grenzen unverändert bleiben.

Die von den Revierförstern angefertigten Register über den Wildstand soll der Oberförster zusammenstellen, Vorschläge wegen des Verkaufpreißes machen ꝛc. und alles dieses dem Königl. Forstrathe einsenden. Auch soll der Oberförster alle Gemeinde =, Flug = und Wildschützen, Kuh =, Roß = und Ziegenhirten, Schäfer =, Feld =, Garten = und Weinbergshüter beeidigen. Bei entstehenden Waldverheerungen, durch Brand, Insekten ꝛc. soll der Oberförster die nöthigen Vorkehrungen treffen und dem Königl. Forstrathe Bericht erstatten.

In Hinsicht der Theilnahme an dem Natural= Forstrechnungswesen ist eine besondere Instruktion erfolgt.

Der Oberförster soll auch alle Jahre eine Conduiten = Liste in Betreff des ihm untergeordneten Forstpersonals anfertigen, die Registratur in gutem Stand erhalten, alle Forst = und Jagdordnungen in die Normalien = Bücher eintragen, und von Zeit zu Zeit nachsehen, ob die ihm untergeordneten Forstbedienten ihre Registraturen, Manualien, in der gehörigen Ordnung halten ꝛc. Dieser Instruktion sind 10 Formulare beigefügt.

c) Die Geschäfte des Revierförsters sind: Aufsicht auf die Dienstführung der ihm untergeordneten Waldschützen und Unterförster, Beschützung des Forstes und der Wildbahn, und Beiwohnung der Forstruggerichte. Auch soll derselbe eine statistische Uebersicht seines Reviers und ein Waldregister ausarbeiten, worin die Größe der verschieden bestandenen Distrikte angegeben seyn muß, woraus dann die Classifikations =, Ordnungs = und die Taxationsregister und der Nutzungsplan angefertigt werden, die nach Ab-

11

lauf einer jeden Periode revidirt werden sollen. Auch soll der Revierförster die Schläge auszeichnen, für die schleunige Aufarbeitung des Holzes sorgen, den Hauerlohn durch die Unterförster auszahlen lassen, das vorher numerirte Holz nach den regulirten Preisen taxiren und Aufnahmsregister darüber anfertigen, welche vom Oberförster an Ort und Stelle revidirt werden sollen. Der Revierförster ertheilt hierauf, nach Weisung des Oberförsters, die Assignationen auf das Holz, welches der Unterförster abgiebt und sein Manual mit den Special = Assignationen belegen muß.

Ausserdem soll der Revierförster auch Fällungs-Nachweisungen in Betreff der Gemeinde = und Privatwaldungen anfertigen, und auf deren Vollziehung Acht geben.

Desgleichen soll der Revierförster über die verschiedenen Nebennutzungen aus dem Forste jährlich Nachweisungen anfertigen, die allenfalls schadhaften Grenzen urkundlich herstellen lassen und darüber Bericht erstatten.

Die Culturplane für die Königl. Waldungen hat der Revierförster selbst zu entwerfen; die von den Commun = , Stiftungs = und Privatwaldungen aber von den Waldeigenthümern zu fordern. Hinsichtlich der in dem Reviere eingeschlossenen Waldungen des hohen und niedern Adels, werden die erforderlichen Notizen von dem Oberförster beigebracht und dem Revierförster übergeben werden. Auch soll der Revierförster die Mast = und Saamenregister und Cultur-kostenüberschläge anfertigen.

Auf die ordnungsmäßige Ausübung der Jagd soll der Revierförster Aufsicht halten und periodische

Wildstandsregister einliefern, auch Nachweisungen von den in seinem Reviere bestehenden Richtstätten (Stellwegen), Sulzen (Salzlecken) und Sohlplätzen (Suhlungen) anfertigen, und am Schlusse jedes Jahres dem Königl. Forstamte abliefern.

Desgleichen soll derselbe ein Befehlbuch halten, und alle Verordnungen und allgemeine Befehle in dasselbe einschreiben; so wie ihm auch obliegt, ein Memorabilien = Buch (Revier = Chronik) 2c. zu führen.

Dieser Instruktion sind sechs und vierzig Formulare beigefügt, ausschließlich derjenigen, welche bei der Instruktion zum Rechnungswesen erforderlich sind.

d) Die Geschäfte des Unterförsters sind: den Wald und die Wildbahn zu schützen, insbesondere auch auf die Grenzen Acht zu geben, und im Monat September eine Grenzanweisung einzureichen. Auch soll der Unterförster den Revierförster bei seinen Cultur = und Holzauszeichnungsgeschäften unterstützen, die Holzhauer anstellen, den Holzhauerlohn auszahlen und eine Rechnung darüber führen.

Ferner soll der Unterförster, auf Anweisung des Revierförsters, das Holz und alle Forstmaterialien abgeben, die Administration der Jagd besorgen und die desfalls nöthigen Rechnungen führen. Seiner Instruktion sind 11 Formulare beigefügt.

e) Die Geschäfte des Waldschützen bestehen bloß darin, den Wald und die Wildbahn zu schützen. Seiner Instruktion ist ein Formular beigefügt, wonach er die Frevler zu verzeichnen und der ihm vorgesetzten Behörde zu übergeben hat.

11*

3. Gehalt des Forstpersonals.

Der Gehalt der Communwaldschützen ist den Magistraten eines jeden Orts überlassen, und die Oberämter sind ermächtigt, die disfalsigen Magistratsbeschlüsse nach ihrem pflichtmäsigen Ermessen zu genehmigen. Die Besoldungen aber, die der Staat auf sich nimmt, sind gegenwärtig mit dem 1ten Jul. 1818 anfangend folgendermaßen bestimmt: für

1 Direktor	2,500 fl.
4 Räthe à 1800 fl.	7,200 -
1 Assessor	1,200 -
2 Assessoren ohne Gehalt.	
2 Sekretäre à 1,200 fl. u. 800 fl.	2,000 -
1 Accessist	200 -
2 Registratoren à 1000 fl.	2,000 -
2 Canzelisten à 650 u. 750	1,400 -
Summa	16,500 fl.

Kreisforstmeister.

Geld	1,400 fl.
Naturalien	800 -
Summa	2,200 fl.

Oberförster.

Geld 1ste Classe	1,200 fl.
Geld 2te Classe	1,000 -
12 Scheffel Dinkel à 5 fl.	60 -
2 Scheffel Roggen à 8 fl.	16 -
12 Klafter Holz à 12 fl.	144 -
2 Pferdsrationen à 132 fl. 6 kr.	264 - 12 kr.
Für Schreibmaterialien	30 -
Wohnung oder	100 -
Summa	1,614 fl. 12 kr.

Forst = Assistenten.

Geld	400 fl.
1 Pferdsration	132 – 6 kr.
2 Klafter Holz à 12 fl.	24 –
	Summa 556 fl. 6 kr.

Revierförster.

Geld, 1ste Classe	650 fl.
Geld 2te Classe	500 fl.
8 Scheffel Dinkel à 5 fl.	40 –
1 ½ Scheffel Roggen à 8 fl.	12 –
6 Klafter Holz à 12 fl.	72 –
1 Pferdsration	132 – 6 kr.
Für Schreibmaterialien	15 –
Wohnung oder	80 –
	Summa 851 fl. 6 kr.

Unterförster.

Geld	350 fl.
6 Scheffel Dinkel à 5 fl.	30 –
1 Scheffel Roggen	8 –
3 Klafter Holz à 12 fl.	36 –
Wohnung oder	50 –
	Summa 474 fl.

Waldschütz.

Geld	175 fl.
4 Scheffel Dinkel à 5 fl.	20 –
1 Scheffel Roggen	8 –
2 Klafter Holz à 12 fl.	24 –
	Summa 227 fl.

Gegenwärtig soll die Staatskasse neben jährlich 5 — 6000 fl. für außerordentliches Forstschutz = Personal folgende Besoldungen des Personals der Zentral-

Forſtſtelle und des Landforſt = Perſonals bezahlen:
für

Den Königlichen Forſtrath		16,500 fl.
4 Kreisforſtmeiſter à 2,200 fl.		8,800 -
24 Oberförſter à 1614 fl.		38,736 -
24 Forſtaſſiſtenten à 556 fl.		13,344 -
151 Revierförſter à 851 fl.		128,501 -
157 Unterförſter à 474 fl.		74,418 -
292 Waldſchützen à 227 fl.		66,284 -
	Summa	346,583 fl.

Hiezu kommen noch die durch die neue Forſtorga=
niſation entſtandenen Penſionen mit 23,195 fl. und
an Ergänzungs = Penſionen für Individuen, die von
Stellen höherer Beſoldung, auf Stellen mit geringe=
rer Beſoldung geſetzt wurden, 8,651 fl. An obigem
ganzen Aufwande erſetzt jedoch die Königliche Ober=
hofcaſſe wegen Verwendung des Staatsforſtperſonals
für die Hofdomänen = Waldungen jährlich 3,500 fl.

Auſſer dem fixen Gehalte haben von den wegen
Forſtfreveln angeſetzten und eingezogenen Strafen,
jedoch mit Ausnahme der Ungehorſamsſtrafen, die
Königl. Unterförſter und Waldſchützen, welche den
Exceß bei dem Königl. Forſtamt angebracht haben,
zu Erhöhung ihrer Aufmerkſamkeit und ihres Dienſt=
eifers zu einer Beinutzung ein Drittheil Delations=
Gebühr. Auch darf das Forſtperſonal in gewiſſen
Fällen Diäten und zwar in nachſtehenden Sätzen an=
rechnen:

ein	auf einen Tag.
Oberförſter	4 fl.
Revierförſter	3 -
Unterförſter	1 - 45 kr.
Waldſchütz	1 -

Dabei sollen in Betreff der Hin= und Herreise 10 Poststunden Wegs für einen Tag gerechnet werden. In der Regel aber sind die Oberförster nur, wenn sie ausserhalb des Forstes, in welchem sie angestellt sind, die Revierförster, Unterförster und Waldschützen aber nur, wenn sie außerhalb ihrer Reviere zu Geschäften berufen oder verwendet werden, zur Ausrechnung von Diäten berechtigt.

Mit denselben Verordnungen, durch welche die Dienstgehalte festgesetzt wurden, erhielten die Staatsdiener die Zusicherung eines Rückzugsgehaltes, so daß, wenn sie Alters oder Gebrechlichkeits halber, dienstunfähig sind, von dem 10 — 15. Dienstjahre $\frac{1}{4}$, vom 15 — 20. $\frac{1}{3}$, vom 20 — 30. $\frac{1}{2}$ und nach dem 30ten $\frac{2}{3}$ ihres Dienstgehalts mit Zulegung $\frac{1}{60}$ für jedes weitere Dienstjahr genießen. Jedoch darf der Ruhegehalt nicht den Dienstgehalt übersteigen.

Das Verhältniß der Verwaltungskosten zum Forstertrage ist gleich 13 : 50 oder auf einen würtembergischen Morgen zu 23 kr. an Besoldung anzunehmen.

Dieser unter dem 7ten Juni 1818, die Forstorganisation betreffenden allgemeinen Verordnungen ist sich für die Reviereintheilung eine nähere Revision vorbehalten worden. Nachdem nun Sr. Majestät sowohl hierüber als über einige auf Vereinfachung des Geschäftsganges, Vervollständigung des Forstschutzes und angemessene Gehaltsregulirung sich beziehende weitere Bestimmungen Vortrag erstattet worden, so wurde durch allerhöchste Resolution folgende Verfügung getroffen:

Vermöge höchsten Decrets vom 19ten Februar 1822 soll das Personal des Forstraths künftig bestehen aus:

1 Direktor, 3 Räthen, 1 Sekretär, 1 Registrator und 1 Canzelisten.

4 Mittelbehörden oder Kreißfinanzkammern mit eben so viel Kreißforsträthen. Statt der vorher bestandenen 24 Forstämter sollen künftig 26 Forstämter bestehen, und zwar:

Im Neckarkreis	4
— Schwarzwaldkreis	8
— Jaxtkreis	8
— Donaukreis	6
Summa	26.

Jedem dieser Forstämter wird, wie bisher, ein Oberförster vorgesetzt, der sich zur Unterstützung in amtlichen Geschäften eines verpflichteten Assistenten bedient. Für die niedern Dienstleistungen erhält er einen Amtsdiener.

Statt der bisherigen 151 Reviere wurden solche in 170 eingetheilt, und daran zugetheilt:

Im Neckarkreis

dem Forstamte Leonberg	9.
— — Stromberg	7.
— — Reichenbach	8.
— — Neuenstadt	6.
Summa	30.

Im Schwarzwaldkreis

dem Forstamt Rothweil	6.
— — Freudenstadt	6.
— — Sulz	6.
— — Altensteig	6.
— — Neuenbürg	6.
— — Wildberg	7.
— — Tübingen	9.
— — Urach	8.
Summa	54.

Im Donaukreis

dem Forstamte	Zwiefalten	8.
—	— Blaubeuren	7.
—	— Alpek	6.
—	— Kirchheim	8.
—	— Altdorf	4.
—	— Tettnang	5.
	Summa	38.

Im Jartkreis

dem Forstamt	Crailsheim	6.
—	— Mergentheim	3.
—	— Comburg	6.
—	— Heidenheim	9.
—	— Kapfenburg	5.
—	— Ellwangen	6.
—	— Schorndorf	7.
—	— Lorch	6.
	Summa	48.

Die Revierförster sind wie bisher den Oberförstern untergeordnet, und der bisherige Dienstgrad des Unterförsters hört auf; seine Dienstverrichtungen gehen theils an den Förster, theils an die Waldschützen über, wogegen die Förster in ihren bisherigen Dienstverrichtungen dadurch erleichtert werden, daß einen Theil derselben künftig die Oberförster zu übernehmen haben. Der Oberförster behält, wie bisher, die Leitung und Anordnung der Wald-Administration, und hat überdies den Förster durchaus zu controlliren, wobei ihm vorzüglich, in Hinsicht der Holzfällungen, eine genaue Aufnahme des Holzes an Ort und Stelle obliegt. Er übernimmt ferner die Fertigung der bisher durch den Förster verfaßten statistischen Ueberstchten — die statt alljährlicher, nun von 10 zu 10 Jahren genügen — so wie überhaupt sämmtliche Waldtarations- und Etatsgeschäfte. Das Nähere hierüber enthält die neuredigirte Dienstinstruktion, welche den Forstämtern besonders zugefertigt worden ist. Dem Förster wird zunächst für den Waldschutz das erforderliche Personal an Forstwarthen und Waldschützen beigegeben, welche beide nicht als Staatsdiener anzusehen sind. Die Zahl der Forstwarthe ist auf 65 und die der Waldschützen auf 456, im Ganzen also auf 521 Personen, die dem Forstschutze gewidmet sind, beschränkt.

Dem Revierförster wird zugewiesen: das ganze Detail der Verwaltung und Bewirthschaftung der Königl. Waldungen und Jagden im Reviere, nach den von den Behörden genehmigten Entwürfen; die Aufsicht über die Bewirthschaftung der Gutsherrlichen-, Gemeinde-, Stiftungs- und Privatwaldungen; die Sorge für den Schutz des Reviers, unter Benutzung des hiezu besonders angestellten und ihm untergeordneten Personals, und unter unmittelbarer Theilnahme, so weit es seine übrigen Geschäfte erlauben.

So wie der Geldeinzug und das Cassenwesen schon bisher ausschließlich den Cameralbeamten übertragen war, gehen auch die, bisher durch die Unterförster geleisteten Abschlagszahlungen an Holzhauer und Holzsetzer an sie über, wozu die Förster in der Folge nur Anweisungen auszustellen haben.

Als Forstwarthe werden in den größern Revieren junge Leute vom Forstfache angestellt, welche neben den Hauptverrichtungen als Waldschützen auch zu Beihülfe der Förster in Ausübung der Forstwirthschaft verwendet werden können, und zu Waldschützen werden vorerst, so lange bereits angestellte Personen vom Forstfache vorhanden sind, diese gebraucht, in der Folge aber werden auch angesessene, für den Dienst tüchtige Gemeindeglieder, wenn sie gleich für das Forstwesen nicht besonders gebildet sind, zugelassen.

Nicht minder können auch andere, ausserhalb des Orts und Reviers geborne, unverheurathete Leute, z. B. entlassene Soldaten, wenn man voraussetzen darf, daß sie den Dienst gehörig versehen und mit dem Gehalte ausreichen, zur Waldhut verwendet werden.

Hinsichtlich der Forstassistenten wurden besondere Bestimmungen gegeben.

Den Prüfungen der Bewerber um eine Forstassistentenstelle hat in der Folge ein Rath der Oberrechnungskammer beizuwohnen, und die Oberförster sind gehalten, nur aus der Zahl derer einen Assistenten anzunehmen, welchen das Zeugniß der Tüchtigkeit nicht allein im Forstwesen, sondern vorzüglich auch in den betreffenden schriftlichen Arbeiten, ertheilt worden ist.

Jedem Oberförster steht die Befugniß zu, den angenommenen Gehülfen wieder zu entlassen, nur darf nach Analogie der bei den Cameralbuchhaltern bestehenden Vorschrift, die Entlassung, wenn sie nicht aus freier Uebereinkunft des Oberförsters mit dem Gehülfen hervorgeht, nicht ohne Vorwissen und Genehmigung des Departements = Chefs geschehen.

Die Gehalte des Forstpersonals sind auf folgende Weise festgesetzt, und in Classen abgetheilt, die für die einzelnen Stellen nach Maasgabe des Umfangs, der Beschwerlichkeit und der Wichtigkeit der damit verbundenen Geschäfte ausgemittelt, und nicht dem Diener für seine Person verliehen sind.

Es soll nemlich erhalten:

a) ein Oberförster

I. Classe.

Geld	1,443 fl.
25 Scheffel Dinkel à 5 fl. .	125 -
4 Scheffel Roggen à 8 fl. .	31 -
Summa	1,600 fl.

II. Classe.

Geld	1,184 fl.
20 Scheffel Dinkel à 5 fl. .	100 -
2 Scheffel Roggen à 8 fl. .	16 -
Summa	1,300 fl.

III. Classe.

Geld	984 fl.
20 Scheffel Dinkel à 5 fl. .	100 -
2 Scheffel Roggen à 8 fl. .	16 -
Summa	1,100 fl.

Zudem werden jedem Oberförster nachstehende, in die Besoldung nicht einzurechnende Dienstemolumente bewilligt:

2 Pferdsrationen à 132 fl. 6 kr. .	264 fl. 12 kr.
Freie Wohnung oder . . .	100 -
4 Klafter Holz zu Heizung der Amtsstube und des Zimmers des Assistenten à 9 fl. . .	36 -
Für Schreibmaterialien . .	30 -
Summa	430 fl. 12 kr.

Ein Forstassistent soll erhalten:

Geld	400 fl.
1 Pferdsration . . .	132 - 6 kr.
Summa	532 fl. 6 kr.

Außerdem vom Oberförster ein Zimmer und dessen unentgeldliche Heizung.

Die Gehalte der Amtsdiener werden nach örtlichen Verhältnissen bestimmt.

Ein Förster soll erhalten:

I. Classe.

Geld	674 fl.
12 Scheffel Dinkel à 5 fl.	60 -
2 Scheffel Roggen à 8 fl.	16 -
Summa	750 fl.

II. Classe.

Geld	524 fl.
12 Scheffel Dinkel à 5 fl.	60 -
2 Scheffel Roggen à 8 fl.	16 -
Summa	600 fl.

III. Classe.

Geld	412 fl.
6 Scheffel Dinkel à 5 fl.	30 -
1 Scheffel Roggen	8 -
Summa	450 fl.

Jedem Förster werden sodann, als Amtsemolumente (die nicht in die Besoldung einzurechnen sind) bewilligt:

Freie Wohnung oder statt derselben:

in der I. und II. Classe	50 fl.
in der III. Classe	25 -
Für Schreibmaterialien in jeder Classe	15 -

Außerdem erhält eine Anzahl von Förster, unabhängig von der Besoldungsclasse und nicht als Besoldungstheil, sondern blos nach dem aus Lokalumständen hervorgehenden Bedürfnisse, eine Pferdsration; auch werden die bisher den Unterförstern zugestandenen

Jagdemolumente, wo die Jagden noch nicht verpachtet sind, so wie die Anbringgebühren im Betrag
von ⅓ der auf ihre Anzeige angesetzten Forststrafen
künftig den Förstern überlassen.

Ein Forstwarth soll erhalten:

Geld	222 fl.
2 Klafter Holz à 9 fl. . . .	18 -
Summa	240 fl.

Ein Waldschütze, je nach der Größe seines Bezirks:

Geld	50 — 100 fl.
nebst 2 Klafter Holz à 9 fl. . .	18 -

Die Oberförster sowohl, als die Förster, sind gegen den Bezug von Pferderationen, die nur für das
Bedürfniß des Dienstes gegeben werden, die entsprechende Anzahl von Pferden wirklich zu halten verbunden.

Die Forstassistenten haben zwar nicht dieselbe
Verpflichtung, doch dürfen die Dienstverrichtungen,
welche sie nur zu Pferde besorgen können, hierwe-
gen niemals Noth leiden.

An Brennholz werden gegen Bezahlung der Re-
vierpreiße aus herrschaftlichen Waldungen jährlich
zugestanden:

einem Oberförster:

16 Klafter Buchenholz oder

24 Klafter einer geringern Holzgattung;

einem Förster (ohne Rücksicht auf die Classe):

8 Klafter Buchenholz oder

12 Klafter geringern Holzes.

Zum Bezug eines höhern Quantums haben dieselbe besondere Legitimation der vorgesetzten Behörde

nöthig, jeder Holzhandel oder Verkauf von Besol-
dungsholz ist, wie bisher verboten.

Die neue Einrichtung ist auf den 1sten März
1822 allgemein in Wirkung gesetzt, auf welchen Ter-
min daher alle auf andere Stellen versetzte Diener
dieselbe angetreten haben.

Diejenigen Diener, deren bisherige Stellen durch
die neuere Eintheilung aufgehört haben, und die deswegen vorläufig bei geringeren Stellen verwendet
werden, bleiben im Genuß ihres bisherigen Ranges
und Gehaltes, mit der Zusicherung, daß man den
Bedacht darauf nehmen wird, sie nach dem Grad
ihrer Brauchbarkeit so bald als möglich wieder auf
höhere Stellen vorrücken zu lassen.

Der Geschäftskreis des Forstraths umfaßt:

1) Die allgemeine Oberaufsicht und Leitung der
Forstwirthschaft, in Beziehung auf die Staatswaldungen sowohl, als auf die Waldungen der Gutsherrschaften, Stiftungen, Gemeinden und Privaten.
In dieser Hinsicht hat der Forstrath zu besorgen und
zwar:

A. Im Allgemeinen:

a) Die Sammlung der hiefür geeigneten statistischen Notizen.

b) Die Herstellung und Regulirung der Nutzungsplane, so wie die Einziehung der Nachweisungen über die Holzfällungen;

c) die Anordnung der Culturen; die Einziehung
der Nachweisungen über die Ausführung derselben;

d) die Begutachtung der Gesuche um Waldausstockung;

e) die Bestimmung der Waldnebennutzungen.

B) Im Besondern, rücksichtlich der Bewirthschaftung der Staatswaldungen:

a) Aufsicht über die Holzsaamen = Magazine;

b) technische Prüfung des Aufwandes für die angeordneten Culturen;

c) die Begutachtung wichtiger, von dem Finanz-Ministerium ihm zugewiesener Administrations-Gegenstände.

1) Die Vorschläge zu allgemeinen forstpolizeilichen Anordnungen, und

2) die Prüfung der Aspiranten zum Forstdienste.

Den Kreis = Finanzkammern steht zu:

1.) Hinsichtlich der Verwaltung der Staatsforste:

a) Die Regulirung der Holzpreise und die Verwerthung des Materials.

b) Die Regulirung der Holzhauerlöhne und die Dekretur sämmtlicher Verwaltungsausgaben, mit Einschluß des durch den Forstrath geprüften Aufwandes für Culturen;

c) Die Aufsicht und Erledigung der Gerechtigkeitsansprüche.

d) Die Erhaltung der Forstgrenzen.

2.) Die Verwaltung der Holzgärten (Magazine) und der Torfgruben.

3.) Die Verwaltung der Jagden.

4.) Die Etats = und Rechnungssachen.

5.) Die Vorschläge zu Besetzung der Forststellen und die Anträge rücksichtlich der Gehaltsverhältnisse des Personals.

6.) Die Aufsicht über die Ausübung der Forstgerichtsbarkeit, die Erledigung der Strafrekurse, so wie die Begutachtung anderer Strafnachlaß-Gesuche.

In Ansehung dieses Theils ihrer Geschäfte sind die Finanzkammern, wie in andern Beziehungen, nur dem Finanzministerium untergeordnet, und stehen zu dem Forstrath in einem blos coordinirten Verhältnisse.

An die Forstämter kann der Forstrath nur in soweit Verfügungen erlassen, als solche zu Handhabung der ihm gebührenden Anordnungen erforderlich ist. In diesen Beziehungen haben daher auch die Forstämter ihre Anfragen und Berichte unmittelbar an den Forstrath zu richten.

In allen übrigen Dienstangelegenheiten sind die Forstämter den Finanzkammern untergeben. Den letztern steht insbesondere die Disciplinar = Aufsicht über das Forstpersonal zu. Auch haben sie die periodischen Bezirks = und Amtsvisitationen zu verfügen.

Scheint dem Forstrathe eine nähere Untersuchung der technischen Amtsführung eines Forstbeamten erforderlich, so hat er die geeignete Finanzkammer zu Anordnung derselben durch eine motivirte Mittheilung zu veranlassen.

Das Collegium des Forstraths besteht aus der erforderlichen Zahl rein technischer Mitglieder.

In den Finanzkammern hat vornehmlich der bisherige Kreisforstmeister (künftig Kreisforstrath) die technischen Gegenstände der Forstverwaltung zu behandeln. Namentlich ist dieser Rath zu Vornahme der Bezirks = und Amtsvisitationen zu verwenden.

Die sonstigen, auf die Forst = und Jagdverwaltung sich beziehenden Geschäfte, werden unter die übrigen Mitglieder der Finanzkammern angemessen vertheilt.

Die vorstehenden Anordnungen sind mit dem 1sten April 1822 in Vollzug zu setzen, weshalb schon vom 20ten März d. J. an, die betreffenden Berichte und Eingaben an die bezeichneten Behörden zu richten sind.

Die zeitliche Enthebung vom Dienste (Quiescirung) findet bei dem Forstpersonal, und zwar nur dann statt, wenn die im Wege der Gesetzgebung oder auf Antrag der Stände für immer veränderte Einrichtung eines Staatsverwaltungszweiges ihre Dienstleistung entbehrlich macht. In diesem Falle leidet ein solcher Diener bis zu seiner anderwärtigen Anstellung einen Abzug von seinem Gehalte, welcher, wenn der Diener das 40ste Lebensjahr noch nicht zurückgelegt hat, 30 Prozent beträgt, und für jedes weitere Altersjahr vermindert sich derselbe um ein Procent. Wer in den Quiescenten = Stand versetzt wird, und das 70ste Jahr zurückgelegt hat, behält ohne Abzug seinen ganzen Gehalt.

Durch die Quiescenz darf kein Einkommen unter die Summe von 600 fl. herabgesetzt werden; ebenso soll von einem Einkommen, welches weniger als 600 fl. beträgt, kein Quiescenz = Abzug statt finden.

Nach neun vollendeten Dienstjahren steht jedem Staatsdiener ein Anspruch auf Pension zu. Dieselbe kann, vorausgesetzt, daß ein solcher Staatsdiener nicht in Untersuchung befangen ist, in folgenden Fällen auf das Gesuch des Dieners nicht verweigert werden:

a) Wenn derselbe das 40ste Dienst = oder das 65ste Lebensjahr vollendet hat;

b) wenn er wegen körperlicher Gebrechen, ohne seine Schuld dienstuntauglich geworden ist,

c) wenn er durch Krankheit länger als ein Jahr von Versehung seines Amtes abgehalten wird.

Dagegen hat auch ihrerseits die Regierung das Recht, in den eben genannten Fällen den Diener ohne sein Ansuchen in den Pensionsstand zu versetzen.

Tritt hiernach die Pensionirung ein, so hat der zur Ruhe gesetzte Diener seine Pension lebenslänglich zu genießen.

Im Fall der Pensionirung beträgt der Ruhegehalt für diejenigen, die das rote Dienstjahr angetreten, 40 Proc. der Besoldung. Mit jedem weitern Dienstjahr steigt die Pension um 2 Proc., so daß, wer das 40ste Dienstjahr angetreten, oder noch länger gedient hat, seinen ganzen Gehalt als Pension erhält.

Die Wittwen der Staatsdiener und deren Kinder, welche das 18te Jahr noch nicht erreicht haben, haben, nach dem Absterben ihres Gatten oder Vaters, eine jährliche Pension anzusprechen, und dieser Anspruch ist begründet, es mag der Diener zur Zeit seines Ablebens im aktiven Dienste oder im Quiescenten- oder Pensionsstande gewesen seyn. Heyrathet ein Staatsdiener aber erst im Pensionsstande, so stehen der Wittwe und den aus dieser Ehe gezeugten Kindern keine Pension zu.

Die jährliche Pension der hinterbliebenen Wittwen und Waisen besteht in Folgendem:

1) Die hinterlassene Wittwe erhält von der Pension, die der Verstorbene anzusprechen gehabt hätte oder bereits genossen hat:

a) wenn diese nicht über 1000 fl. beträgt, ⅟ oder 25 Procent.

b) wenn dieselbe höher steigt;

12*

a) von den ersten 1000 fl. ebenfalls 25 Procent.

b) von dem Mehrbetrage bis auf 1,500 fl. zwanzig Procent.

c) Von dem weitern Betrage 10 Procent.

2) Jedes ehelichleibliche Kind des Verstorbenen unter 18 Jahren erhält:

a) wenn eine Wittwe vorhanden ist, ½ von der Pension der Wittwe;

b) wenn keine Wittwe vorhanden ist, ⅓ von der Pension, welche der Wittwe gehört hätte.

Auf letzteren Betrag ist die Pension der Kinder auch in dem Fall zu erhöhen, wenn ihre leibliche oder Stiefmutter stirbt, oder die letztere wieder heirathet, ehe die Kinder das pensionsberechtigte Alter zurückgelegt haben.

Der Aufwand nach der neuen Organisation beträgt 72,020 fl. 48 kr. weniger, als nach der Organisation von 1818, welche Ersparniß jedoch nur allmählig in dem Grade eintritt, als durch Vorrücken in höhere Normal-Gehalte, die dem bereits mit höhern Gehalten angestellten Personal ausgesetzten Ergänzungspensionen heimfallen.

Die Rangverhältnisse der Forstbeamten sind Folgende:

Die Rangordnung hat 10 Stufen in der Art, daß alle auf eben derselben Stufe stehenden einander dem Range nach gleich sind, und die Reihenfolge unter ihnen nur durch das Dienstalter in der betreffenden Dienststufe bestimmt wird. Aus der alphabetischen Reihenfolge in Aufzählung der zu Einer Stufe gehörigen Aemter kann in keinerlei Hinsicht irgend ein Vorzug für das zuerst genannte Amt, oder

eine Zurücksetzung der nach solchem Aufgeführten ab,
geleitet werden.

In die vierte Stufenordnung gehört der Forst,
direktor, in die sechste die Kreis- und Forsträthe,
wenn sie keine Hofchargen bekleiden; in die siebente die Oberförster und die Assessoren der Collegien,
in die achte die Sekretärs der Collegien, und endlich
in die zehnte Stufe die Förster und Canzelisten. Das
übrige Forstpersonal, welches nicht als Staatsdiener
anzusehen ist, stehet in keinem Rangverhältniß.

Da das Forstpersonal nur Berechner der Natu-
ralien und nicht auch Erheber des dafür ausgesetzten Geldes ist, und nur Cassenbeamte Caution zu
leisten haben, so fällt bei dem rein, auf das Technische beschränkten Forstpersonal alle Cautionsleistung
hinweg.

Für das Forstpersonal bei der Centralstelle und
bei den Provinzial- Collegien ist durch Rescript vom
28ten November 1817 die nehmliche Uniform von
dunkelgrüner Farbe in der Art bestimmt, daß

a) der Direktor und die Mitglieder des Forstra-
thes die nehmliche Stickerei, wie die übrigen
Zentral- Stellen, nehmlich: die Staatsuniform
für die Direktoren und Räthe eine breite und
eine schmale Streife, nebst Stickerei auf der
Patte der Rocktasche;

- die Räthe bei den Zentral- Stellen eine
breite Streife auf dem Kragen und den Aufschlägen und auf der Patte;

die Räthe der Provinzial- Collegien gleiche
Streifen ohne Stickerei haben sollen.

b) Die Kreisforstmeister (künftig Kreisforsträthe),
wie die Räthe bei den Zentral- Stellen, statt

des Degens einen Hirschfänger und daß die Röcke unten aufgeschlagen seyn sollen.

Die Assessoren und der Kanzeleivorstand eine schmale Streife auf dem Kragen und an den Aufschlägen.

Für die Sekretärs, Registratoren und Revisoren eine gleiche Streife blos auf dem Kragen.

c) Die Uniformirung der Oberförster besteht in einem grünen Frak mit einer Reihe von 10 in gleicher Entfernung stehenden geprägten vergoldeten Knöpfen (diesen und allen folgenden Ordonanzen sind Zeichnungen beigefügt); der liegende Kragen von grünem Sammt ist mit Eichenlaub und Eicheln abwechselnd der ganzen Länge nach gestickt, und zwar ein Zweig, der an der obern Ecke des Kragens anfängt, mit einem Seitenzweig von 4 Laub und 2 Eicheln. Der Hauptzweig schlingt sich um die Spitze des Kragens und hat auf jeder Seite desselben 13 Laub und 11 Eicheln.

Die Armaufschläge vom Tuch der Uniform werden spitzig und geschweift geschnitten mit einem kleinen Ordonanzknopf auf der Spitze, sie haben einen hellgrünen 1‴ breiten Vorstoß. Der Aermel wird mit zwei kleinen überzogenen Knöpfen zugeknöpft. Die Höhe der Aufschläge von unten bis an die Spitze beträgt 3¼″ und auf beiden Seiten 2″. Die Aufschläge sind mit Eichenlaub und Eicheln in Gold gestickt und zwar auf jedem Aufschlag 16 Laub und 13 ganze und 2 halbe Eicheln.

Der Oberrock ist grün, wie der Frack mit liegendem Sammtkragen und 2 Reihen, jede von 6 Ordonanzknöpfen.

Die Farbe des Mantels ist grau und der stehende Kragen mit grünem Sammt gefüttert; er ist so lang, daß er 4″ unter die Kniee geht, er geht übereinander, hat aber nur eine Reihe überzogener Knöpfe. Die Aermel sind weit mit runden Aufschlägen. Das Halstuch ist schwarzseiden, und das Gilet von grünem Uniformstuch, mit einer Reihe kleiner vergoldeter Ordonanzknöpfe.

Die Beinkleider zu Pferd von grauem Tuch, lang und werden über die Stiefeln getragen; die zu Fuß sind grün, wie der Frack, und werden in den Stiefeln getragen. Die Stiefeln sind sogenannte Souwarow‑Stiefeln mit gelben Anschraubspornen und mit blauen Rädlein.

Der Hut ist dreieckigt aufgeschlagen und hat eine Kokarde mit Schlaufe und Bouillons.

Der Hirschfänger hat eine vergoldete Garnitur mit einem elfenbeinenen Griff, und wird in einer grünen Saffiankuppel unter dem Frack um den Leib getragen.

d) Der Frack der Forstassistenten hat dasselbe Tuch und Schnitt, wie der des Oberförsters. Die Stickerei auf dem Kragen ist ein Bruch, welcher die Spitze des Kragens umfaßt, aus 9 Laub und 7 Eicheln besteht, und auf der Spitze der Armaufschläge 3 Laub und auf jeder Ecke der Umschläge 1 Laub hat.

Oberrock, Mantel, Halstuch, Gilet, Beinkleider, Stiefel und Sporn wie der Oberförster. Die Form des Huts ist dieselbe, und die Schlaufe und Cordons sind von grüner und gelber Seide, in derselben Form, wie die oben beschriebenen; Hirschfänger und Kuppel wie des Oberförsters.

a) Die Revierförster haben von Farbe und Schnitt denselben Frack, wie die Oberförster. Stickerei 4 Laub und drei Eicheln in Gold in der Spitze des Kragens, und 1 Laub in der Spitze des Armaufschlages.

Zur Befestigung der Hirschfängerkuppel, die von schwarzlakirtem Leder 2" 1"' breit, über die Schulter getragen wird, auf der rechten Schulter eine in der Aermelnath angenähte grünseidene doppelte Rundschnur, und unter dem Kragen ein kleiner Ordonanzknopf, in welchen das als Knopfloch dienende andere Ende dieser Schnur eingeknöpft wird.

Der Oberrock, wie der des Oberförsters mit der eben beschriebenen Schnur zu Befestigung der Kuppel. Der Mantel wie der des Oberförsters, der mit grauem Tuch gefütterte stehende Kragen aber ist mit dunkelgrünem Tuchvorstoß 1"' breit eingefaßt.

Halstuch und Gilet, wie beim Oberförster.

Beinkleider, Stiefeln und Sporn, wie beim Oberförster. Die Form des Huthes ist dieselbe, wie beim Oberförster, Schlaufe und Cordons grünseiden. Zu Fuß trägt der Revierförster einen runden Huth, dessen Kopf 4" 7"' Dezimalmaaß hoch ist, der Rand 2" breit, der Durchmesser des Kopfes oben verhältnißmäßig zu der Weite desselben, ungefähr wie 7:5.

Um den Kopf läuft eine hellgrüne seidene Schnur zmal herum, sie ist vornen in eine Masche gebunden, und am Ende mit 2 Eicheln, deren Schüsselchen gelb und grün durchwirkt sind, die Eicheln selbst aber von der Farbe der Schnur, und welche mit dem Rande des Huthes abschneiden, geziert.

Auf der linken Seite ½" unter der obern Ecke des Hutkopfes ist die Kokarde, deren Durchmesser

2" 2"', der äußere schwarze Rand ½"', der rothe Streifen 2 ½"' beträgt.

Die Garnitur am Hirschfänger ist vergoldet. Der Griff mit Schaalen von Hirschgewicht von gleicher Länge und Form wie des Oberförsters, die Muschel etwas einfacher, der Knicker mit Heft von Hirschgewicht, Mundblech und Ortband glatt.

Die Unterförster haben denselben Frack, wie die Ober= und Revierförster, und als Stickerei 2 Eicheln in der Spitze des Kragens.

Oberrock, Mantel, Halstuch, Gilet, Beinkleider, Sporn, wie der Revierförster.

Der Hut zu Pferd ist wie der der Revierförster, Schlaufe und Cordons aber von Kameelhaaren. Zu Fuß: Hut, Hirschfänger und Kuppel, wie der Revierförster.

Waldschützen, Jägerpursche und Scharfschützen können auch diese vorgeschriebene Uniform, jedoch ohne Stickerei, und mit glatten gelben Knöpfen tragen.

Der Sattel und Zeug des Oberförsters ist von lakirtem schwarzen Leder. Das Kopfgestelle ist 1" 4"' breit, oben in der Mitte desselben eine gelbe Schnalle. Mit dem Kopfgestell ist das Stangen= und Trensengestell und der Kehlriemen vereinigt. Das Stirnband ist 8½"' breit, die Backenstücke sind jeder 5"' breit, und an dem vordern auf jeder Seite eine gelbe Schnalle mit Strupfe zum Anschnallen der Stange; der Kehlriemen ist 4½"' breit und hat eine gelbe Schnalle. Die Stangen= und Trensenzügel sind jeder 5"' breit, ersterer mit gelben Schnallen und Strupfen zum Anschnallen der Stange; das Nasenband ist vorne 8"', hinten 5"' breit und hat eben=

falls eine gelbe Schnalle. Die Stange, welche wenig gebogen ist, und die einfache Kinnkette sind gelb.

Das Vorderzeug ist von schwarzlakirtem Leder. Die Brustriemen sind 1" 2"', der Sprungriemen 8½ breit, auf der Brust ist ein ledernes Herz, an der Strupfe, womit solches an der Gurte bevestigt wird, eine gelbe Schnalle, am Sattel wird es mit Strupfen und gelben Schnallen bevestigt. Das Hinterzeug ist ein sogenannter englischer Schwanzriemen, beim Einschnitt 1" 2"', bei der Schnalle 1" ½"' breit mit gelber Schnalle und 9"' breiter Strupfen.

Der Sattel ist ein englischer mit Vor- und Hinterlöffeln, die Löffel sind mit grünem Saffian und gelben Schienen, der vordere 2" 8"', der hintere 3" 5"' lang. Die Bügelriemen sind von gelbem Leder 1" 1"' breit, mit Schieber, gelbe ungarische Bügel. Die Schabaracke ist grün, von der Farbe der Uniform. Der Sattel wird vorn so von derselben bedeckt, daß die Schabracke 3½" vor das Vordertheil des Sattels und der Satteltaschen vorsteht, hinten hat sie einen Ausschnitt, durch welchen der hintere Löffel geht.

Gegen der Croupe zu steht die Schabracke 5½" über den Sattel vor, und endigt sich schräg rückwärts in eine Spitze. An den Seiten müssen die Satteltaschen vollkommen von der Schabrake bedeckt werden. Sie ist von der Nath auf dem vordern Löffel bis unten, wo der Bogen aufhört, 2" 3"' breit, und von vorne bis an die Spitze hinten 3' 5" 6"' lang. Hinten ist die Breite von der Nath bis in die Spitze 2' 7". Sie hat einen 1"' breiten ringsumlaufenden hellgrünen Vorstoß. Auf dem Sattel wird die Schabrake mittelst einer ungarischen Uebergurte von schwarzlakirtem Leder 2‴ 3‴ breit, mit 7‴ breiten Umlaufriemen beveſtigt, die Struppe an der Uebergurte iſt 1‴ breit. In der Schabrakenſpitze iſt eine Stickerei in Gold: 2 Brüche, die ſich gegen die Spitze durchkreuzen, der untere aus 8 Laub und Eicheln, der obere aus 8 Laub und 5 Eicheln beſtehend. Ebenſo die Interims = Schabrake, nur ohne Stickerei.

Die Forſtaſſiſtenten haben daſſelbe Sattel und Zeug, mit weiſſer Stange und Kinnkette, ohne Stikkerei auf der Schabrake.

Die Revierförſter ebenſo, jedoch iſt ſämmtliches Riemenwerk von Zeugleder und die Bügel weiß. Bei allen vorbenannten Chargen iſt der Interims = Frack derſelbe, wie der oben beſchriebene Uniformsfrack, nur mit dem Unterſchied, daß keine Stickerei auf ſolchem iſt.

Penſionärs tragen ihre bisherige Uniform auch ferner, jedoch mit Weglaſſung aller militäriſchen Auszeichnungen.

C) Forſtwirthſchaft.

Ueber die Verhältniſſe, in welchen die verſchiedenen Claſſen von Wald = und Betriebsarten zu einander ſtehen, iſt ſchon oben eine beiläufige Ueberſicht ertheilt worden. Da nun im Jahr 1819 alle dieſe zahlreichen Forſte tarirt, und auch im Jahr 1818 allgemeine Vorſchriften für die Holzzucht gegeben wurden, ſo muß hier zur beſſern Ueberſicht der Betriebsarten die techniſche Anweiſung für den Vollzug der Dienſtinſtruktion folgen, welche als ein Haupttheil der Forſtverfaſſung ſelbſt und als eine Norm für die Forſtwiſſenſchaft in Würtemberg anzuſehen iſt.

Einleitung.

Wesentliche Funktionen der Forst=wirthschaft.

§. 1. Der Begriff der Forstwirthschaft: Erzeugung der möglich größten und besten Holzmasse auf der möglich beschränktesten Fläche, ist allein unter Erfüllung von Bedingungen zu realisiren, welche sich in der ergriffenen Weise der Behandlung, Benutzung und Cultur der Waldungen aussprechen.

§. 2. Auf die Ausübung der hiefür durch Erfahrung bewährten Grundsätze müssen sich also auch die wesentlichen Funktionen der Forstwirthschaft beschränken, und die Grenzen derselben werden hierdurch im Allgemeinen festgesetzt.

§. 3. Die Behandlung der Waldungen bezieht sich einestheils auf Bewirkung der möglichst schleunigen und zweckmäßigsten Wiederbestockung der Schläge, anderntheils aber auf Beschleunigung der möglich größten Massenproduktion der erzeugten Bestände.

§. 4. Die, dem Princip der Forstwirthschaft §. 1. entsprechende Benutzung der sich darbietenden Waldbestände aber spricht sich in Nachhaltigkeit und Aufgreifung derjenigen Altersperiode für den Hieb aus, in welcher nach den Gesetzen des Wachsthums für bestimmte Zeiträume die möglich größte und beste Holzmasse gewonnen wird.

§. 5. Früher statt gehabte Ereignisse sowohl, als auch eingetretene Unglücksfälle, so wie die sich bedingende mögliche Veredelung der Bestände jedoch erzeugen häufig die Nothwendigkeit der Begründung neuerer Verhältnisse, und diese, in Erzielung des Prin=

cips der Forſtwirthſchaft, ſpricht ſich dann als Waldcultur aus.

§. 6. Außer der §. 1. bezeichneten weſentlichen
Beſtimmung der Waldfläche und ihrer Beſtockung,
werden theils für den Betrieb der Landwirthſchaft,
theils für verſchiedene techniſche Zwecke, noch Anforderungen an die Forſtwirthſchaft gemacht, welche
nicht immer abgewieſen werden können, obgleich ſie die
Erreichung ihres Zwecks niemals ſtören dürfen. Da
nun dieſer in Erzeugung der möglichſt größten Holz-
maſſe liegt, und in Gewinnung dieſer ſich die Hauptnutzung der Waldfläche ausſprechen muß, ſo reſul-
tirt hieraus, daß alle außer dieſer von ihr zu ziehenden Nutzungen nur als Nebennutzungen betrachtet, und alſo in ihrer Ausübung der möglich vollſtän-
digſten Erzielung jener untergeordnet bleiben müſſen.

§. 7. Nach dieſen allgemeinen Beſtimmungen indeſſen zerfällt gegenwärtige Inſtruktion ihren verſchiedenen Gegenſtänden nach in Beziehung der Grundſätze der Waldbehandlung, der Waldbenutzung, der
Waldcultur und des Betriebes der Nebennutzungen;
dieſelben werden daher auch in dem Folgenden, unter
beſtimmten Abſchnitten, hiermit feſtgeſetzt.

Erſter Abſchnitt.
Grundſätze der Waldbehandlung.

Erſtes Kapitel.
Unterſcheidung der Waldbeſtände in Abſicht
auf die Weiſe ihrer Behandlung.

§. 8. Die nächſten Momente, welche ſich für die
Unterſcheidung der Waldbeſtände darbieten, finden

fich in der Weife ihrer Regeneration, welche fich theils ausfchließlich und allein durch Befaamung, theils durch Stock= und Wurzelausfchläge vollführt. Nach diefen Verhältniffen aller ftellen fich zwei wefentliche Abtheilungen,

die Hochwaldungen und

die Niederwaldungen dar.

§. 9. Wenn fich nun nach phyfiologifchen Gründen fämmtliche Nadelholzbeftände allein durch Saamen regeneriren, und unter bedingten Umftänden diefes auch in Abficht der Laubholzbeftände ftatt findet, fo äußert fich gleichwohl für diefe, unter gegebenen Verhältniffen des Alters und der Temperatur des Klimas, das ausfchließliche Regenerationsvermögen durch den Hervortrieb von Stock= und Wurzelausfchlägen.

§. 10. Diefem zu Folge müffen alfo unter der Abtheilung der Hochwaldungen, nicht nur fämmtliche Nadelholzbeftände, fondern auch alle Laubholzbeftände erfcheinen; die Abtheilung der Niederwaldungen hingegen kann nur Laubholzbeftände enthalten.

§. 11. In der Herbeiführung derjenigen Verhältniffe, unter welchen die eine oder die andere Regenerationsweife möglich wird, fpricht fich alfo zunächft die Weife der Behandlung verfchiedener Waldbeftände §. 3. aus.

§. 12. Der weitere Zweck ihrer Behandlung aber ift Befchleunigung der Wachsthumsproduktion §. 3., welche theils durch die Einlage periodifcher Durchforftungen in den Hochwaldbeftänden, theils durch Anziehung und Unterhaltung des Oberholzes in den Niederwaldbeftänden erzielt wird.

§. 13. Unverkennbar müssen sich die Grundsätze der Behandlung der Waldbestände selbst in Beziehung der §. 8. bezeichneten Hauptabtheilung, sowohl in Absicht auf Bewirkung der Regeneration §. 11., als auch in Hinsicht auf Beförderung ihrer Massenproduktion §. 12. aus den Charakteren der Gattung und den specifischen Verhältnissen des Wachsthums bestimmen; hieraus erzeugt sich also die Nothwendigkeit einer diesen Rücksichten entsprechenden Unterscheidung der Waldbestände in Absicht der zu ergreifenden Weise ihrer Behandlung.

§. 14. Diesem zu Folge sind für die Behandlung zu unterscheiden, unter den Hochwaldungen:

Nadelholz= und

Laubholzbestände;

unter den Niederwaldungen:

Bestände von differentem Wuchse, oder gemischte Bestände von gleichförmigem Wuchse oder reine Bestände; außer diesen jedoch bietet sich in den mit Laub= und Nadelholz gemischten Beständen, noch eine weitere Bestandesform dar.

Zweites Kapitel.

Behandlung der Hochwaldungen.

§. 15. Unter den Nadelholzbeständen sind die Tannen=, Fichten= und Forchenbestände (Kiefernbestände) zu unterscheiden. Bei der gemeinschaftlichen Eigenschaft, sich nur durch Saamen zu regeneriren, §. 9., erfordert die Wirksamkeit dieses Regenerations = Vermögens einestheils die Sicherung der Möglichkeit des Saamenüberwurfes, anderntheils aber die Begründung derjenigen äussern Verhältnisse, unter deren Zusammenwirkung die Bedürfnisse der Keimung sowohl, als des ersten jugendlichen Wachsthums in dem Zutritte atmosphärischer Stoffe befriedigt werden.

§. 16. Dieser Bestimmung gemäß, fordert die Schlagstellung in Tannen = Beständen, deren Saamen nach ihrer specifischen Schwere größtentheils senkrecht von den Mutterstämmen abfallen, in ebener Bahn die Ueberhaltung so vieler Saamenbäume, daß sich dieselbe in ihren längsten Aesten, bis auf die Entfernung weniger Fuße nahe sind, der abfallende Saamen sich also über die ganze Schlagfläche verbreiten kann. An steilen Abhängen oder Bergwänden hingegen, wo die Ueberhaltung einzelner Saamenbäume unmöglich wird, ist diese Bedingung durch Besaamungsstreifen von 8 — 10 Schritten Breite, welche der Länge des Ganges nach, in der Entfernung von 10—12 Schritten angelegt werden, zu erfüllen.

Während durch diese Schlagstellung die Besaamung des Bodens bewirkt wird, erhalten in demselben die aufgekeimten Saampflanzen den — gegen zu mächtige Einwirkung des Lichtes erforderlichen Schuz, und der anfängliche Besaamungsbestand wird dadurch zum Schuzbestande. In der Eigenschaft aber bedingt sich seine Erhaltung, bis die Pflanzen mit dem 3ten oder 4ten Jahre ihres Alters, allmählig freiere Exposition fordern. Von dieser Zeit an, wird daher zuerst der dritte, im fünften oder sechsten Jahre hingegen, der noch übrige Theil der Schuzbäume nachgehauen.

§. 17. Andere Verhältnisse stellen sich in Absicht der Fichtenbestände dar. Der leichtere Saame derselben fliegt auf etliche und zwanzig bis dreißig Schritte in genügender Menge ab. Hiebei gestattet das

oberflächlich hinlaufende Wurzelsystem dieser Holzgattung, welches ihre einzeln gestellte Stämme der
Gewalt der Winde Preis giebt, in den wenigsten
Fällen nur die Ueberhaltung von Saamenbäumen,
und selbst da, wo dieses unter begünstigenden örtlichen Verhältnissen möglich wird, werden die einzeln
übergehaltenen Bäume gleichwohl in ihrem Wurzelver-
bande gewöhnlich so weit beschädigt, daß sie erkran-
ken, und selten mehr tüchtigen Saamen gewähren.
Für diese Bestände bedingt sich daher die Nothwendigkeit der Einlegung der Wechselschläge, oder, wo
diese, wie an steilen Gebirgswänden, nicht thunlich
ist, die Ueberhaltung von Besaamungs = Schachen,
vorzüglich auf der Höhe der Wände. Bei diesen
Maaßnahmen jedoch dürfen die zwischen die Besaamungsbestände, dieselben seyen nun Streifen oder
Schachen, gelegten Schläge auf Ebenen nicht über
dreißig, und an Abhängen nicht über sechzig Schritt
Breite enthalten, die Besaamungsstreifen aber nicht
unter fünfzehn bis zwanzig Schritte breit seyn, die
Besaamungs = Schachen hingegen nicht unter dreißig
Quadratruthen Fläche betragen.

Da indessen die jungen Fichtenpflanzen, wenn sie
einmal das zweyte Jahr erreicht haben, aller Einwirkung der Atmosphäre ohne Gefahr ausgesetzt werden können, so müssen in diesem Alter die übergehaltenen Besaamungsbestände, Streifen oder Schach-
en nachgehauen werden. Ausnahmen hievon finden
allein da Statt, wo bei einem sehr fetten Boden,
die Verdämmung der Pflanzen durch den zu mächtigen Graswuchs zu besorgen ist. Für diesen Fall sind
bei ebener Lage, ausnahmsweise auch auf den Schlägen selbst, einzelne Stämme zu zehen bis fünfzehn

13

Schritten Entfernung, auch sogar Dunkelschläge als
Schuzbestand zu überhalten, und erst nach fünf= bis
sechsjährigem Alter der Fichtenpflanzen nachzuhauen.
Selbst unter diesen Verhältnissen jedoch wird die
Nothwendigkeit der Ueberhaltung der Besaamungs=
Bestände beseitigt.

§. 18. Der Forchen=Saamen verbreitet sich nach
gleichen Verhältnissen, wie der Fichten= Saame, von
den Mutterstämmen. Hiebei gestattet das tiefer ge=
hende Wurzelsystem dieser Holzgattung den freige=
stellten Saamenbäumen die erforderliche Festigkeit
des Standes, und bei ihrer Ueberhaltung in den
Schlägen bedingt sich also allein die Berücksichtigung
der Möglichkeit des Saamen= Ueberwurfes.

Diese bestimmt sich auf die Entfernung von etlich
und zwanzig bis dreißig Schritten von dem Mutter=
stamme, und nach diesem Verhältnisse ist also auch
der Besaamungsbestand in den Forchenwaldungen zu
stellen. Ausnahmen hievon machen sich allein bei
sehr starkem Grastriebe des Bodens nöthig, wobei
dann die Zahl der Saambäume in der Eigenschaft als
Schuzbestand, bis auf das Doppelte und Dreifache
erhöht werden kann. An steilen Gebirgswänden hin=
gegen werden, wie nach vorigem §., in den Fich=
tenbeständen Besaamungsstreifen und Schachen über=
gehalten.

Da übrigens die einmal angeschlagenen Saam=
pflanzen für die Einwirkungen der Atmosphäre nicht
sehr empfindlich sind, so kann der Nachhieb des Be=
saamungsbestandes schon im zweiten, des etwa er=
forderlich gewesenen Schuzbestandes hingegen im drit=
ten oder vierten Jahr ihres Alters vollzogen werden.

§. 19. Der sämmtlichen Nabelholzbeständen §. 18. gemeinschaftliche Charakter eines größtentheils nur in der Oberfläche des Bodens streichenden Wurzelsystems, und der hierdurch entstehende, geringe Widerstand für die Gewalt der Winde inpessen, welche sich, in Verhältniß zu den Laubholzbeständen noch in dem Maaße vergrößert, in welchem die Winterdauer der Tangeln die Fassung der Nabelholzbäume durch den Wind erleichtert, fordert die nie zu umgehende Maasnahme, die einzulegenden Schläge von der Nordwestseite, woher im Frühjahr und Herbste die heftigsten Stürme kommen, je durch die erforderlichen Schuzbestände, oder den hiefür überzuhaltenden Mantel zu decken, und hiedurch die Besaamungsbestände gegen Windwürfe so viel möglich zu sichern. Es werden daher die zu führenden Schläge stets von Südost gegen Nordwest angelegt, welches dann nebenbei die Folge hat, daß sie, da die Saamen gewöhnlich mit dem Westwinde ausfliegen, auch vollständig besaamt werden.

§. 20. Von den Laubholzgeschlechtern stellen sich in den hieländischen Waldungen vorzüglich die Eichen und Buchenbestände als Hochwaldungen dar, welchen hie und da Rüstern, Eschen und Ahorn untermengt sind. Bei dieser Eigenschaft jedoch, daß ihnen in frühern Altersperioden angestammte Reproduktions = Vermögen, durch den Stockausschlag verlierend, wird die Regeneration dieser Bestände allein durch die Besaamung möglich, und der Erfolg dieser sezt in Absicht auf den Saamenüberwurf und die Befriedigung der Keimungs- und Wachsthums = Bedürfnisse der Saamenpflanzen die Erfüllung derselben Bedingungen voraus, welche

13 *

oben §. 15. in Beziehung der Nadelholzbestände bezeichnet wurden.

§. 21. Diesem zu Folge fordert die Einlage der
Schläge in den Eichenbeständen in ebener Lage diejenige Stellung der Saambäume, bei welcher sich dieselben in ihren untersten Aesten 10 bis 12 Füße entfernt finden, an steilen Hängen hingegen wird der
Besaamungsbestand in Streifen übergehälten, welche
zehn bis fünfzehn Schritte Breite haben, und der
Länge des Hanges nach fünfzehn bis zwanzig Schritte
breite Flächen besaamen.

Indem nun hieburch gleichzeitig die Keimungsbedürfnisse befriedigt werden, erhalten auch die jungen Saamenpflanzen den erforderlichen Jugendschuz,
und der anfängliche Besaamungsbestand stellt sich also unter diesen Verhältnissen als Schuzbestand dar.

Dieser bedingt sich in diesem Maaße bis in das
dritte oder vierte Jahr des Alters der jungen Pflanzen, womit dann die Hälfte, im fünften oder sechsten
Jahre aber der vierte Theil, und im sechsten oder
siebenten Jahre endlich der Rest des Schuzbestandes
nachgehauen wird.

§. 22. Die Herbeiführung ähnlicher Verhältnisse
macht sich in Absicht auf die Regeneration der Buchenbestände nöthig.

Die Stellung der Besaamungsschläge geschieht
bey ebener Lage in der Weise, daß sich die Saambäume in ihren untersten Aesten sparsam berühren;
an steilen Hängen hingegen werden Besaamungsstreifen von zehn bis fünfzehn Schritte Breite erhalten
welche Flächen von ähnlicher Breite zu besaamen haben.

In dieser Stellung des Besaamungs-Bestandes
jedoch erzeugt sich von selbst der erforderliche Schuz-

beſtand, als ſolcher aber wird er mit drey bis vier=
jährigem Alter der Saampflanzen zum vierten Thei=
le, mit fünf bis ſechsjährigem Alter derſelben zur
Hälfte, und mit ihrem ſieben bis achtjährigen Alter
endlich vollends gänzlich nachgebauen.

§. 23. Im Falle ſich verſpätender Saamenjahre,
verbreiten ſich die übergehaltenen Saamenbäume, ſo=
wohl in den Tannenbeſtänden §. 16., als auch in
den Eichen = und Buchenbeſtänden §. 21. und 22.
zuweilen ſo ſehr in ihrer Aſtung, daß für den end=
lich angekommenen Saamen das für die Keimung
erforderliche Licht fehlen, und derſelbe alſo fruchtlos
zu Grunde gehen müßte.

Unter dieſen Verhältniſſen macht ſich alſo bei dem
Eintritte des nächſten Saamenjahrs die Wiederher=
beiführung derjenigen Schlagſtellung durch Aushau=
ung einzelner Stämme nöthig, welche in den oben
allegirten §§. und in Abſicht dieſer Beſtände bezeich=
net worden iſt.

§. 24. Je dichter und geſchloſſener ein Beſtand
erwächſt, in gleichem Verhältniſſe vielfacher und ver=
ſchiedener müſſen die Verhältniſſe der Wachsthums=
zunahme und der hieraus entſtehenden wechſelsweiſen
Prävalation und Unterdrückung ſeiner nebeneinander=
ſtockenden Individuen ſeyn. Während alſo die einen
kraftvoll emporſchieſſen, unterliegen die andern den
Verhältniſſen einer Kümmerung, welche früher oder
ſpäter ihre Vertrocknung und ihr gänzliches Verder=
ben herbeiführen. Dieſe Erſcheinung jedoch muß ſich
für jeden Beſtand, in Abſicht auf die Individuen=
zahl des kümmernden Theils um ſo größer und auf=
fallender darſtellen, je größer die auf einer gegebenen
Fläche ſtockende Individuenzahl überhaupt iſt. Sie

muß diesem Verhältnisse zu Folge also in jeder Alters-Periode eines Bestandes in dem Maaße größer seyn, in welchem nicht die Kümmerung früherer Perioden die Zahl der nebeneinander stockenden Individuen vermindert hat, und wird sich daher unter allen Umständen zahlreicher in dem jugendlichen als in dem reifern Alter eines Bestandes darstellen.

Unter eben diesen Verhältnissen indessen kann die Kümmerung nicht alle ihr allmählig unterliegenden Individuen gleichzeitig und in gleichem Maaße ergreifen; mehrere, welche ihr also auch später noch unterliegen, setzen ihren Wachsthum mehr oder minder vollständig noch kürzere oder längere Zeit fort, und die natürliche Folge hievon ist, daß die mit zunehmendem Alter der Kümmerung unterliegenden — ihrer Zahl nach mindern Individuen die in frühern Altersperioden in dieses Verhältniß tretenden zahlreichern Individuen je länger je mehr an Masse übertreffen müssen.

Je jünger und schwächer nun der in gesundem Wuchse stehende Theil eines Bestandes ist, in gleichem Verhältnisse schwächer ist der Widerstand, welchen er der Einwirkung äußerer Kräfte des Schnees, des Rohreifes (Duftes) und der Winde entgegen zu sezen vermag; dagegen aber wird er hiebei in gleichem Verhältnisse durch die in Kümmerung stehenden, bereits mehr oder minder trockenen und steifen Individüen unterstüzt, und die Erhaltung ihres Daseyns ist also um so wichtiger, je größer nach der sich findenden Altersperiode des Bestandes überhaupt ihre Zahl und Wirkung für den gesunden Theil des Bestandes seyn kann.

Unverkennbar jedoch ist, daß ich für jeden einzelnen Stamm das Verhältniß seiner Massenzunahme

in dem Maaße größer darstelle, in welchem die Ein=
wirkung atmosphärischer Stoffe auf den Saftgehalt
seines Bodens und die Möglichkeit der Verbreitung
seiner Astung auf die Vermehrung seiner Bildungs=
organe zu wirken vermag.

Diese Verhältnisse müssen also für die in geschlos=
senem Stande sich findenden Stämme in jedem Falle
in dem Maaße herbeigeführt werden, in welchem die
sich darstellenden kümmernden Individuen allmählig
ausgehauen werden.

In dieser Operation aber findet sich in Absicht
der Hochwaldbestände die Realisirung des Princips
der Wachsthumsbeschleunigung §. 3., und in dieser
liegt also die Aufforderung zu Einlegung von Durch=
forstungen §. 12., während der Wachsthumsdauer
eines Bestandes.

Da indessen Obigem zu Folge in den frühern Al=
tersperioden die kümmernden Theile eines Bestan=
des Schutzmittel des gesunden Theils werden, und
ohne dieses derselbe zu Grunde gehen würde, so
erzeugt sich hieraus als Grundsatz: daß die Einlage
der ersten Durchforstung eines Bestandes sich aus
den specifischen Verhältnissen seines Wachsthums be=
stimme, in Folge deren sich die Periode des Alters
bemessen muß, in welcher der gesunde Theil des
Bestandes die Unterstützung des kümmernden Theils
entbehren kann; da jedoch dieser sich niemals gleich=
zeitig darstellt, und die Kümmerung der einzelnen In=
dividuen sich periodisch äussert, so erzeugt sich hier=
inn als weiteres Princip: daß für jeden Bestand, die,
seinen Wachsthum befördernden Durchforstungen pe=
riodisch wiederholt werden müssen.

Zu Anwendung dieser Grundsätze, und in Folge der in dieser Beziehung gesammelten Erfahrungen, nun wird hiemit festgesetzt: daß

in Nadelholz = Beständen die erste Durchforstung in mildern Gegenden zwischen dem 30sten und 40sten Jahr ihres Alters, in rauhen Gebirgen hingegen, erst zwischen dem 40sten und fünfzigsten Jahre, in den Laubholzbeständen aber nie vor dem 50sten Jahr ihres Alters eingelegt, dann aber

in den Nadelholz=, wie in den Laubholzbeständen, von zehn zu zehn Jahre wiederholt werden.

§. 25. In sämtlichen Hochwaldbeständen §. 15. und 20., muß, ohne weitere Rücksichten, das höchste Maaß der Nutzbarkeit des Materials, die Zeit seiner Gewinnung, und also auch des Hiebes festsetzen; diese aber tritt mit dem Anfange des Monats Oktober ein, und dauert bis gegen den Aufbruch der Knospen im folgenden Jahre. Es bestimmt sich also auch hierin im Allgemeinen die Dauer der Fällungszeit, in Absicht sämmtlicher Besamungs= und Durchforstungsschläge, und Ausnahmen hievon dürfen allein in den Gebirgswaldungen statt finden, wo die Beschaffenheit des Klimas, die Winterdauer der Arbeit hindert, und ihr Beginnen im Frühling zurücksetzt. Andere Rücksichten hingegen fordert die Einlegung der Nachhiebe. Je weniger nemlich der junge Bestand, durch die Fällung des Schuzbestandes leidet, wenn er in allen seinen Theilen vollkommen verholzt ist, desto nachtheiliger wird für ihn dieselbe, wenn sie zu einer Zeit geschieht, worinn Rinde und Triebe von Säften angeschwellt, und also auch in gleichem Verhältniß brüchig sind. Dieses hat in Nadelholzbeständen bis zu dem Eintritte des Monats Oktober, in Laubholz=

Beständen hingegen bis zu dem Eintritt des Monats November statt, und beginnt für beide wieder um die Mitte des Monats April im folgenden Jahre.

Es resultirt also hieraus: daß die Nachhiebe in den Nadelholz = Beständen nicht vor dem Monat Oktober, in den Laubholz = Beständen hingegen nicht vor dem Monat November beginnen dürfen, in beiden bis auf die Mitte des Monats April im folgenden Jahre beendigt seyn müssen.

§. 26. Wenn übrigens nach vorigem §. sich die Zeit des Fällungs = Betriebes in den Besaamungs= und Durchforstungsschlägen sämmtlicher Hochwaldbestände aus den Verhältnissen der höchsten Brauchbarkeit des Materials bestimmt, so wird hier die Zeit der Räumung der Schläge, wenn nicht, wie in den Fichtenbeständen, in Absicht des Borkenkäfers andere Rücksichten eintreten, durch die Convenienz und die Möglichkeit des Betriebes der Arbeit bestimmt, weil das hier liegenbleibende Holz, die vorhin bemerkte Rücksicht ausgenommen, keinen Schaden bringen kann, dagegen aber müssen sämmtliche Nachhiebsschläge mit Ende des Monat Aprils von sämmtlichem Material geräumt seyn, weil ausserdem die vorhandenen Saamenpflanzen mehr oder weniger leiden müßten. Sollte dieses jedoch in Gebirgs = Waldungen nicht zu bewirken möglich seyn, so wird die Schlagräumung oder bis auf den folgenden Herbst ausgesetzt.

Drittes Kapitel.

Behandlung der Niederwaldungen.

§. 27. Da, §. 8., die Regeneration durch Stock= und Wurzelausschläge sämmtlicher Laubholzgattun=

gen effect ist, so müssen sich so viele Niederwaldbestände zählen, als sich von jenen Gattungen auffinden.

Die Fähigkeit für Stock- und Wurzelausschlag erhält sich jedoch nicht für alle Altersperioden, und bestimmt sich, in Absicht verschiedener Gattungen, unter Berücksichtigung der Verhältnisse, der Temperatur, des Klimas §. 9., aus der specifischen Bildung ihres Organismus.

Diesem Verhältnisse gemäß aber können gleichgesetzt werden:

Eichen, Buchen, Hagbuchen, Rüstern, Eschen, Ahorn und Linden. Dann aber Birken, Erlen und Aspen, und endlich Weiden, Haseln, und andere Straucharten.

Eine weitere oder vierte Abtheilung aber machen die Grießhölzer oder Auen, welche, vorzüglich bei ihrer Entstehung, durchaus nur Weiden, und andere weiche Holzarten enthalten.

Da sich indessen für sämmtliche, jedesmal unter einer dieser Abtheilung begriffene, Gattungen gewöhnlich gleiche Dauer der Ausschlagsfähigkeit darstellt, so müssen sich auch diese Abtheilungen durchaus als reine Bestände §. 14. darstellen, und als gemischte Bestände sind also diejenigen zu betrachten, welche Gattungen verschiedener Abtheilungen in sich vereinigen, wie z. B. Eichen- oder Buchenbestände mit Birken und Aspen u. s. w.

§. 28. Unter diesen Verhältnissen indessen zeigt sich die Ausschlagsfähigkeit im Allgemeinen nur unter der Bedingung des unter der Mitwirkung, der durch die vereinten Theile der Zweige aufgenommenen atmosphärischen Stoffe, bereits statt gehabten Eintrittes

voller Saftbewegung und des freien Zutrittes des
Lichtes wirksam, indem nur bei ersterer der Trieb
für neue Knospenbildung, und bei letzterem die Di-
gerirung und Assimilirung der den neuen Trieben aus
einem ausgebreiteten Wurzelsysteme zugehenden Saft-
menge für das Wachsthum möglich wird; scheinen
sich aber Ausnahmen von diesem Erfahrungssatze dar-
zustellen, so dürfte ihre Ursache in der für verschiedene Gattungen sich zeigenden Verschiedenheit des
Beginnens der Vegetation im Frühling, wohl aber
auch in einer, für verschiedene Gattungen sich im
Spätjahr noch erzeugenden Saftvorbereitung zu
suchen seyn.

Wird nun hiebei berücksichtigt, daß in dem Verhältnisse der Größe der Stöcke und der sich hiernach
bestimmenden Möglichkeit der Saftverbreitung in ihrem Volumen sich der Saftzufluß für die Triebe vermindern müsse, so resultirt hieraus: daß sich die Ausschläge in dem Maaße kraftvoller zeigen müssen, in
welchem das Volumen der Stöcke durch die größere
Nähe der Abnahme der Stämme am Boden vermindert wird. Aehnliche Verhältnisse aber stellen sich
in Absicht des möglichen Ausflusses des Saftes durch
Ritzen und Spalten der Stöcke dar, und es läßt sich
nur da kräftiger Ausschlag erwarten, wo die Stöcke
von ihrer Rinde vollkommen umschlossen sind.

Hieraus indessen fliessen für die Schlagführung in
Niederwald-Beständen nachstehende Gesetze:

1) Die Fällung darf nach den Verhältnissen der
Witterung und des örtlichen Klimas, welche
über den Eintritt der Saftbewegung entscheiden,
nicht vor der Hälfte des Monats Februar, oder
Anfangs des Monat Merz beginnen; Ausnah-

men hievon aber können allein etwa bei Erlen in sumpfigen Plätzen, Haseln und andern
minder bedeutenden Sträuchern Statt finden.

2) Die Stämme müssen so nahe als möglich am
Boden und zwar

3) vermittelst scharfer Aexten, und ohne Zersplit-
terung der Stöcke und Beschädigung ihrer Rinde,
abgehauen werden.

§. 29. So wenig jedoch die Ausschlagsfähigkeit in
allen Altersperioden eines Individuums §. 27. erwartet werden darf, so wenig läßt sich auch unter Beobachtung der im vorigen §. gegebenen Bestimmungen, ihre Wiederholung zu mehrerenmalen von einem und demselben Stocke hoffen. Würden daher in
den Niederwaldungen nicht durch die Anziehung neuer
Stämme frische Stöcke gebildet, so müßten sie sich
nach zwey = bis dreymaligem Umtriebe in den meisten Fällen verödet darstellen.

Hierin bedingt sich also auch für die, in diesen zu
führenden Schläge, die Ueberhaltung des erforderlichen Besaamungs = Bestandes. Da indessen die Wirkung der Ausschlagsfähigkeit den erforderlichen Licht-
zutritt §. 28. bedingt, und dieser für den Anschlag
mancher Saamengattungen nur in modifizirtem Maaße
zulässig ist, so beschränkt sich hier die Ueberhaltung
des Besaamungs = Bestandes auf die Gattungen: Rüstern, Eschen, Hagbuchen, Ahorn, Linden, Birken
und Erlen, deren Zahl sich aus der Möglichkeit des
Saamen = Ueberwurfes, folglich für Eschen, Hagbuchen, Ahorn und Linden, zu siebenzig bis achtzig
Stämmen, von Rüstern, zu fünfzig bis sechzig Stämmen, und von Birken und Erlen, zu vierzig bis fünfzig Stämmen auf die Fläche eines Morgens bemißt.

Ist übrigens die Besaamung erfolgt, so werden im folgenden Frühjahr die Saambäume nachgehauen, um dadurch die Verdämmung der Schläge zu verhüten.

§. 30. Wenn nun §. 24. Freiheit des Stan= des, Beförderung der Wachsthums = Produktion zur Folge hat, so bietet sich für die Realisirung dieses Princips der Forstwirthschaft §. 12. durch die Ue= berhaltung einzelner Stämme, in den Schlägen der Niederwaldbestände die günstigste Gelegenheit dar, in= dem sich für dieselben, durch die nie zu gleicher Hö= he gelangenden Stock = und Wurzelausschläge, alle Verhältnisse des freien Standes herstellen. Diese überhaltenen Stämme aber, erscheinen in früherem Alter als Laß = oder Hegreißer, bei dem nächsten Umtriebe als Maitel, bei dem folgenden Hiebe hin= gegen als Oberständer, und werden im Allgemeinen von der Masse des durch Stock = und Wurzelaus= schläge erzeugten Bestandes als Oberholz unterschie= den, während jener als Unterholz bezeichnet wird.

Wenn indessen berücksichtigt wird, daß die Ueber= haltung des Oberholzes immer einen Theil des Stock= und Wurzelausschlages verdämmen muß, §. 28. so erzeugt sich hieraus der Grundsatz, daß hierfür der specifische Werth des ersteren Ersatz gewähren müsse, und deswegen stets nur die edleren und für bestimmte Zwecke zu verwendenden Gattungen, folglich Eichen, Buchen, Hagbuchen, Eschen, Rüstern, Ahorn und Lin= den, und nur, wo es an dem erforderlichen Nadelholze fehlt, Birken und Aspen für den Zweck ihrer Ver= wendung als leichtes Bauholz, folglich als Surro= gate des mangelnden Nadelholzes, übergehalten wer= den können. Hiebei jedoch fordert die Verschiedenheit der Wachsthumsdauer dieser Gattungen, nach den

Gattungsverhältnissen und der aus diesen sich bestimmenden Wachsthumsdauer des Unterholzes §. 27.
immer nur diejenigen Gattungen für die Ueberhaltung zu bestimmen, welche wenigstens zwei volle
Wachsthums = Perioden des Unterholzbestandes bei
andaurender Zunahme aushalten.

Uebrigens wird zur Sicherung der Erhaltung des
Unterholzbestandes hiermit festgesetzt: daß die Kronenverbreitung des Oberholzes niemals mehr, als den
achten Theil der Schlagfläche betragen dürfe, aus der
Größe der Kronenverbreitung bestimmt sich also in
jedem Falle die Zahl der auf einem Schlage überzuhaltenden Stämme, und Ausnahmen hievon können allein bei einem vorzüglichen Eichenanstand Statt
finden, dessen Wachsthums = Produktion den Verlust
des Stock = und Wurzelausschlages ersetzt.

§. 31. Wird übrigens in diesen Waldbeständen die
Zeit des Fällungsbetriebes durch den beabsichtigten
Hervortrieb des Unterholzes §. 28. bestimmt, so muß
diesem Verhältnisse auch die Fällung des Oberholzes
unterliegen, und die Schläge müssen in der Regel bis
Ende des Monats May geräumt seyn. Ausnahmen
hievon machen sich nur da nöthig, wo es im Frühjahr
an den erforderlichen Holzhauern fehlen sollte, und
das Oberholz erst im Spätjahr oder Winter nachgehauen werden kann, welches nämliche dann auch bei
dem Nachhiebe der Saamenbäume §. 29. eintritt,
hier wie dort jedoch muß die Räumung der Schläge
während des Laufes des Winters vollführt werden.

Viertes Kapittel.

Behandlung gemischter Bestände.

§. 32. Gemischte Bestände §. 14. stellen sich nach der Wachsthumsdauer ihrer nebeneinander stockenden Gattungen entweder als vereinbarliche dar, indem ihre Gattungen gleiche Wachsthumsdauer zeigen, oder als nicht vereinbarliche, je nachdem die Wachsthumsdauer ihrer Gattungen mehr oder weniger differirt; nach diesen Verhältnissen muß sich also auch die Weise ihrer Behandlung bestimmen.

§. 33. Als vereinbarliche Bestände stellen sich sämmtliche Nadelholzbestände in ihrer Vermengung mit Eichen, Buchen, Hagbuchen, Eschen, Ahorn und Rüstern dar, weil unter bedingten Umständen diese Gattungen mit den Nadelholzbeständen gleiche Wachsthumsdauer zeigen. Aehnliche Verhältnisse stellen sich in Absicht des Laubholz = Gemenges von Eichen, Buchen, Hagbuchen, Eschen, Ahornen und Rüstern dar, welche gemeinsam in den Hochwaldbetrieb gesetzt werden können, wenn solcher durch örtliche Verhältnisse gefordert wird.

Die Weise der Behandlung dieser beiden Classen gemischter Hochwaldbestände aber wird in jedem Falle durch die Prädomination der Gattungen, bei gleichem Mischungs = Verhältnisse aber nach dem Vorzug, welchen die eine oder die andere Gattung örtlich erhalten kann, bestimmt; hierbei werden also durchaus die Grundsätze der Behandlung der Hochwaldbestände §. 16. 17. 18. und 19., dann aber §. 21. 22. in Absicht auf die Schlagstellung in Anwendung gebracht; in Beziehung auf die Einlage der Durchforstungen aber die §. 24. gegebenen Bestimmungen beobachtet.

Sollten indeßen hiebey die Laubholzgeschlechter vorzüglich begünstigt werden, so wäre die für dieselbe
bezeichnete Schlagstellung, in Ermanglung der Laub-
holz- Saambäume, durch Ueberhaltung an Nadelholz
zu bewirken zu suchen. Auf gleiche Weise übrigens
erhalten auch hier, die, in Absicht auf die Fällungszeit und Schlagräumung §. 25. und 26. bezeichneten,
Grundsätze ihre volle Anwendung.

§. 34. Andere Verhältniße hingegen sind bei Mischungen von Nadelholzbeständen mit Birken, Ellern,
Aspen ꝛc. zu berücksichtigen, indem die Laubholzgeschlechter zu Grunde gehen würden, ehe die Nadelholzgeschlechter ihren höchsten Wachsthum erreichen
könnten. In Absicht dieses leztern Verhältnisses,
sind diese Mischungen als nicht vereinbarliche, §. 32.
zu betrachten, und der zu erzweckende, möglich höchste
Materialertrag, §. 12. muß sie daher nach den Verhältnissen der Prädomination der Gattungen, entweder
für reine Nadelholzbestände, oder für reine Laubholz-
Bestände bestimmen.

In dem ersten Falle werden die Laubholzgattun-
gen durchforstungsweise §. 24. ausgezogen, und es
kommen sodann in den folgenden Altersperioden, die
in Absicht der Nadelholz- Bestände festgesezten Grundsätze §. 16. 17. 18. 19. 24. 25. und 26., in Anwendung. In dem zweyten Fall hingegen, wo der
Uebergang in reine Laubholzbestände bewirkt werden
muß, kann derselbe in jedem Falle nur die Anziehung von Niederwaldungen §. 27. erzwecken. Zur Zeit
ihrer specifischen Schlagbarkeit wird daher der Nadel-
holzbestand, ohne weitere Berücksichtigung, zugleich mit
dem Laubholzbestande gehauen; die weitere Behand-
lungsweise dieser Waldungen aber wird durchaus

nach den §. §. 28. 29. 30. und 31. bezeichneten Grundsätzen betrieben.

Zweiter Abschnitt.
Grundsätze der Waldbenutzung.

Erstes Kapitel.

§. 35. Wenn Erzeugung des Holzmaterials wesentliche Bestimmung der Waldfläche ist, und in der Gewinnung dieses Materials und seines Werthes zunächst sich der Ertrag derselben ausspricht, so kann in jedem Falle nur der mit Holz bestockte Theil der Waldfläche Gegenstand forstwirthschaftlicher Benutzung seyn, und durch das Maaß der Ausdehnung jener muß also die Größe von dieser bestimmt werden. Die Ausscheidung der öden oder holzleeren Theile von der wirklich bestockten Waldfläche, und die nähere Kenntniß der letztern, ist also erste Bedingung für die Bestimmung ihrer Benutzung und zu Erfüllung derselben wurden in voranstehendem Reglement die Anfertigung der Waldregister vorgeschrieben, welche unter Bezeichnung der Fläche der bestockten und öden Theile das Ganze des Areals darstellen.

§. 36. Der Begriff von Benutzung überhaupt indessen setzt für seine Realisirung immer die Möglichkeit der Verwendung des besitzenden Gegenstandes für bestimmte Zwecke voraus. Diese Zwecke in Beziehung des aus der Waldfläche zu ziehenden Holzmaterials nun sind bekannt, und stellen sich sowohl

14

ihren Gegenständen, als auch ihrer Dauer nach, von der größten Wichtigkeit für das Allgemeine dar. Hierin begründet sich also die Nothwendigkeit ihrer fortwährenden Erfüllung, und die Nachhaltigkeit der Waldbenutzung §. 4. für die Gewinnung des zu allen Zeiten erforderlichen Holzmaterials wird hierdurch das Princip des Benutzungsbetriebes.

§. 37. Bei Behauptung dieses Princips jedoch muß die Benutzung in jedem Falle den möglich größten Materialertrag erzwecken, §. 4.

Wenn nun berücksichtigt wird, daß sich der Wachsthum der Holzpflanzen, bis zu dem Eintritt einer bestimmten Altersperiode, nach den Gesetzen einer steigenden Progression vollführe, daß sich also die Verhältnisse der Zunahme eines jeden Jahrs aus den Größenverhältnissen der bestehenden Massen bestimmen, und sich diesen gemäß von Jahr zu Jahr vergrößern, so resultirt hieraus: daß jede Unterbrechung dieser progressiven Zunahmen durch eine voreilige Benutzung den Materialertrag derselben für eine gegebene Zeitperiode in dem Verhältnisse mindern müßte, in welchem dadurch die weiter möglich höhere Zunahme verhindert würde. Diese Verhältnisse der Zunahme jedoch dauern nur bei fortwährend gleicher Thätigkeit der Lebenskraft, welche sich mit zunehmendem Alter für die Holzpflanze, wie für jeden organischen Körper, mindert. Von dem Augenblicke an nun, in welchem dieses geschieht, muß sich auch die jährliche Zunahme vermindern. Die früher steigende Progression verwandelt sich also in eine fallende, bei welcher die Wachsthumszunahme von Jahr zu Jahr geringer wird, und der Materialertrag müßte sich also für eine gegebene Zeitperiode in dem

Verhältnisse vermindern, in welchem die Benutzung
über den Zeitpunkt des Eintrittes der fallenden Progression des Wachsthums ausgedehnt würde. Unter
diesen Verhältnissen der Wachsthumsgesetze nun muß
unter allen Umständen für die Benutzung die Aufgreifung derjenigen Altersperiode, mit welcher sich
die höchste Wachsthumszunahme endet, unerläßliche
Forderung für die Realisirung des Princips der Forstwirthschaft §. 1. seyn, und Ausnahmen hievon können allein durch den momentanen Drang zu befrie-
digender Bedürfnisse oder durch Erstrebung legalisir-
ter technischer Zwecke gerechtfertigt werden.

§. 38. Die Epoche des Eintritts des höchsten
Wachsthums indessen bestimmt sich für jede Bestandesgattung specifisch, und ist also Folge ihrer organischen innern Verhältnisse. Daher die Nothwendigkeit der in vorstehendem Reglement vorgeschriebenen
Classifikation der Bestände in dieser Beziehung sowohl, als auch sie sich in vorigem Abschnitte in Absicht auf die Behandlung darstellen muß. Sie alterirt sich jedoch in Hinsicht auf das Alter für ein und
ebendieselbe Bestandesgattung aus den natürlichen
Verhältnissen des Klima's; daher die Bedingung
ihrer Erhebung für jeden einzelnen Forst.

Sie wird nach ähnlichen Verhältnissen modifizirt
durch die örtliche Beschaffenheit des Bodens und die
Verhältnisse seiner Exposition; deswegen die Gestat-
tung ihrer Vorrückung und Zurücksetzung in Absicht
einzelner Bestände ein und ebendesselben Forstes.

§. 39. Bei dieser Zusammenstellung gleichnami-
ger Bestände in den Classifikationsregistern indessen
würde die Fraktion ihrer Summe durch die Zahl der
Jahre, welche diese Bestände bis zu dem Eintritte

14

ihres höchsten Wachsthums erreichen müssen, die
jährlich nachhaltige Nutzung für einzelne Forste sowohl, als für die in ihnen enthaltenen Revieren bestimmen; da jedoch jede Abtheilung dieser Bestände
dem möglich höchsten Ertrag zugeführt und also im
schlagbaren Alter zur Nutzung gebracht werden muß,
so bedingt sich die bestimmte Uebersicht der Verhältnisse der Altersstufen, in welchen die einzelnen Be-
standestheile zu einander stehen.

Daher also die Nothwendigkeit der Zusammenstellung einzelner Theile der Bestandesklassen §. 38.
nach bestimmten auf gegebene Altersperioden sich
stützenden Ordnungen, welche in den vorgeschriebenen
Ordnungsregistern geschehen, und die Uebersicht der
Altersverhältnisse, sowohl nach Fläche, als auch
nach wahrscheinlichem Materialertrag gewähren muß.

§. 40. Mannigfaltige Ursachen früherer Zeit indessen konnten Mißverhältnisse für die Folge der Ordnungen einer Bestandesklasse herbeiführen, während
die hieraus für die Nutzung sich erzeugenden Lücken
durch die einfallenden Ordnungen anderer Bestandesklassen ausgefüllt werden können. Da nun §. 36. die
Nutzung nachhaltig seyn, folglich sich in jeder Periode soviel möglich in immer gleicher Größe darstellen muß, so bedingt sich die Uebersicht ihrer Möglichkeit für sämmtliche Bestandesklassen.

Diese wird durch die Anfertigung der vorgeschriebenen allgemeinen Nutzungsplane hergestellt, indem
hier entweder die Ordnungen einzelner Bestandesklassen für die Begründung eines gleichen Nutzungsbetriebes interpolirt werden, oder Ordnungen anderer Bestandesklassen periodisch in ihre Stelle treten,

und für die Nachhaltigkeit eines gleichen Nutzungsbetriebes wirken.

§. 41. Das Detail der Nutzung der ersten oder
nächsten Periode nun, in Beziehung auf sämmtliche,
zum Betriebe kommende Bestandesklassen, wird durch
die Anfertigung der periodischen Nutzungspläne dargestellt. Auf dem allgemeinen Nutzungsplane §. 40.
beruhend, bezieht sich derselbe in sämmtlichen Bestandesklassen auf die Fläche und den wahrschein-
lichen Materialertrag derselben, welche in dem Laufe
des nächsten Jahrzehends zur Nutzung kommen, und
bestimmt also hiernach die Grenzen, welche dieselbe
zu Sicherung der Nachhaltigkeit der Nutzung im Allgemeinen für diese Periode halten muß. Weil jedoch
hierüber die vollständigste Gewißheit hergestellt werden muß, so wurde die geodätische Vermessung und
Chartirung der in dieser Periode zur Nutzung kommenden Walddistrikte, in so fern solche bis jetzt nicht
statt hatte, verfügt.

§. 42. Diesem zu Folge indessen findet sich in
den jährlichen Nutzungsplänen allein die Fraktion
der Summen, welche sich entweder zunächst für ein
Jahr des eintretenden Jahrzehends überhaupt oder
in den weitern Jahren nach Abzug der bereits statt
gehabten Nutzung für die nachfolgenden Jahre dieser
Periode ergiebt.

Während also hier die Nutzung durch die bestimmte Größe der Fläche kontrollirt wird, wird
die Gleichförmigkeit der Größe ihres Materialertra-
ges durch die genauere Abschätzung der Bestände hergestellt, und bei dieser werden dann auch die sich
darbietenden Nachhiebe und Durchforstungen berücksichtigt und in Calkul genommen. Zu vollkommener

Sicherung der Nachhaltigkeit der Nutzung auch in dieser Periode selbst aber ist die Vermessung der jährlichen Schläge angeordnet.

Anmerkung.

Als Beispiel der Anwendung dieser Grundsätze für die Festsetzung eines regelmäßigen Nutzungsplanes ist in dem Anhange der vollständige Nutzungsplan für das Revier x mit der erforderlichen Waldbeschreibung, dem Waldregister, dem Classifikationsregister und den Ordnungsregistern angefügt.

§. 43. Theils die so nöthige Ueberzeugung von dem Erfolge und der Sicherheit des §. 41. und 42. regulirten Nutzungsbetriebes, als auch die bedürfende Uebersicht der außer diesem durch Windwürfe, Schnee- und Duftrisse statt gehabten außergewöhnlichen Bestandesverminderungen, machen die Herstellung der vorgeschriebenen Fällungsnachweisungen unerläßlich. Sie beziehen sich ihren Gegenständen nach jährlich auf das in dem Laufe eines Jahres auf die eine oder andere Weise zur Benutzung gekommene Material, periodisch hingegen auf die summarische Zusammenstellung der Nutzungsgröße sämmtlicher Jahre des verflossenen Jahrzehends. Wenn nun auch §. 4. die Beurtheilung der Waldbestände und ihres Materialertrags für den Zeitraum der nächsten zehn Jahre ohne besondere Schwierigkeit für den Zweck der Nutzungsregulirung möglich ist, so ist dieses keineswegs der Fall für entferntere Perioden und in diesen zu benutzende Bestände. Nicht voraus zu berechnende Verhältnisse können den Ertrag der letztern mehren oder mindern, und durch den Erfolg vollzogener Waldkulturen, muß sich die Größe der bestockten Fläche §. 35. mehr oder weniger erhöhen.

Dieses zusammen genommen, muß sich also mit dem Ablaufe eines jeden Jahrs ein neuer Etat bilden; da jedoch die Wirkung hiervon nach einer so kurzen Frist für die Nutzung unbedeutend wäre, so werden die hierbei in Betracht kommenden Verhältnisse für den Umfang des verflossenen Jahrzehends zusammengefaßt, und nach ihrer Wirkung für die weitere Benutzung erwogen. Dieses geschieht durch genaue Revision der Waldregister §. 35. und die Berichtigung derselben nach dem Erfolge der in dem verflossenen Jahrzehend gemachten Kulturen und die Prüfung der Classifikationsregister §. 38., in Beziehung der etwa statt gehabten Bestandesveränderungen; durch die Herstellung neuer Ordnungsregister §. 39. nach den Bestimmungen der um den Zeitraum von zehn Jahren veränderten Altersepochen, so wie durch die Begründung eines neuen allgemeinen §. 40. und periodischen §. 41. Nutzungsplanes hierauf. Die durch die Fällungsnachweisungen über das verflossene Jahrzehend erhaltenen Erfahrungen aber werden den neuen Schätzungen des Materialertrags einen höhern Grad der Gewißheit geben, und dem Nutzungsplane für die nächste Periode um so größere Sicherheit und Verläßigkeit verschaffen.

Dieses übrigens von Jahrzehend zu Jahrzehend wiederholt, muß sich die ganze Nutzung eines Umtriebes allmählig in einer Festigkeit darstellen, welche nichts erschüttern kann. Die Erhebung des Materials fortwährend durch bestimmte aus dem ganzen Areal bemessene Flächengröße für jede Periode kontrollirt, kann niemals eine Ueberhauung möglich

machen, und durch die Erhebung des auf dieser Fläche
stockenden Materials, wird niemals eine Zurückhal-
tung der Nutzung gestattet, dieselbe also fortwährend in ihrer möglich höchsten Größe betrieben.

Zweites Kapitel.
Benutzung der Hochwaldbestände.

§. 44. Von den Hochwaldbeständen werden auch
hier, wie oben, §. 15. und 20., nur die hieländisch
gewöhnlichen, folglich unter den Nadelholzbeständen:

Tannen, Fichten und Forchen;

unter den Laubholzbeständen aber:

Eichen und Buchen

in reinem Stande oder im Gemenge unter sich und
mit andern Laubholzgeschlechtern, so wie mit Nadelholzbeständen §. 33. berücksichtigt.

Für diese Bestände jedoch ist die Aufgreifung der
den möglich höchsten Ertrag herbeiführenden Nutzungs-
periode §. 37. nicht nur an sich selbst von größter
Wichtigkeit, sondern dieselbe wird auch dadurch noch
von höherem Interesse, daß sie in den meisten Fällen
gleichzeitig auch den Moment der vollkommensten
Saamen - Produktions - Fähigkeit §. 9. herbeiführt.
Ihre Ausmittlung jedoch wird in jedem Falle in dem
Maaße schwieriger, in welchem die über die Dauer
des Wachsthums entscheidenden örtlichen Verhältnisse
der Beschaffenheit des Bodens und seiner Exposition,
so wie des Klimas mehr oder weniger differiren.

§. 45. Bei den Nadelholzbeständen zeigen sich,
für den Eintritt der Epoche ihres höchsten Wachsthums, die Verhältnisse des Bodens und des Klimas,
wegen der weitern Verbreitung dieser Bestände über

der Landesfläche und der hieraus unvermeidlich ent=
stehenden mannigfachen Alteration beider vorzüglich
wirksam.

Strenger Lehmboden führt unter allen Verhält=
nissen des Klimas frühere Alteration der bisherigen
Wachsthumszunahme herbei, als sich bei seiner Ver=
mengung mit Kies und Sand erwarten läßt; so wie
der Eintritt derselben im Allgemeinen früher bei mil=
derer Temperatur des Klimas als bei rauher Be=
schaffenheit desselben erfolgt.

Hierbei zeigt sich dieselbe unter allen Umständen
früher für Forchenbestände, als sie sich für Tannen=
und Fichtenbestände darstellt.

Diesen Erfahrungen zu Folge werden in strengem
Lehmboden nach den Verhältnissen der Beschaffenheit
des Klimas Forchenbestände auf 60 — 70jährigen, —
Tannen= und Fichtenbestände aber auf 70 — 80jähri=
gen Umtrieb gesetzt; in kiesigem oder sandigem Boden
hingegen nach den Verhältnissen des Klimas: For=
chenbestände zu 70 — 80 Jahren, Tannen und Fich=
tenbestände hingegen zu 80 — 100 Jahren umge=
trieben.

In den Hochgebirgen des Schwarzwaldes aber
wird der Umtrieb der Forchenbestände auf 90 — 100
Jahre, der Tannen= und Fichtenbestände hingegen
auf 100 — 120 Jahre gesetzt.

§. 46. Für die Eichenbestände, deren Vegetation
immer an specifische Verhältnisse des Klimas geknüpft,
und also niemals sehr weit verbreitet ist, zeigt sich
vorzüglich die Tiefe des Bodens wirksam, und nach
den Verhältnissen derselben modificirt sich der Eintritt
der Epoche des höchsten Wachsthums von dem hun=
dertsten Jahre ihres Alters bis zu dem zweihundert=

sten desselben. Zwischen diesen beiden Endpunkten muß also die Zeit ihrer Haubarkeit örtlich ausgemittelt werden.

Sollte sich jedoch dieselbe nach der Beschaffenheit des Bodens nicht bis zu dem Alter von 100 Jahren erstrecken, wie dieses öfters an Berghängen der Fall ist, so werden sie vortheilhafter als Niederwald §. 47. behandelt und auf Stockausschlag benutzt.

§. 47. Aehnliche Verhältnisse stellen sich in Absicht der Buchenbestände dar. Zwar weniger an klimatische Verhältnisse gebunden, als die Eichenbestände, finden sie sich allerdings auch weiter verbreitet, als diese; immer jedoch wird für sie in Absicht auf den Eintritt der Epoche des höchsten Wachsthums zunächst die Tiefe des Bodens wirksam. Bei gleichem Maaße dieser aber wird derselbe stets durch einen niedrigern Temperaturgrad des Klimas verspätigt.

Unter diesen Verhältnissen indessen fällt die Zeit ihrer Haubarkeit zwischen das 70ste und 100ste Jahr ihres Alters, und muß also innerhalb dieser Perioden örtlich ausgemittelt werden.

Sollte sich jedoch dieselbe nicht bis zu dem 70sten Jahr erstrecken, so werden auch die Buchenbestände mit größerem Materialgewinn als Niederwald behandelt und auf Stockausschlag benutzt.

§. 48. Bei der gegenwärtigen Eintheilung der forstamtlichen Bezirke nun wird sich für ein und ebendieselbe Bestandesclasse der Eintritt der Epoche ihrer Haubarkeit in Absicht auf die Mehrzahl ihrer Theile nie in dem Maaße different darstellen, daß nicht eine allgemeine Mittelzahl der Jahre der Umtriebsperiode angenommen werden könnte, fordern also auch bei

dieser einzelne Bestände derselben Claſſe Abwei-
chung, Beschleunigung oder Verspätigung der Nutzung, ſo werden dieſe bei Anfertigung der Ordnungs-
register §. 40. derjenigen Ordnung unterſtellt, welche
ſie, nach der Beziehung ihrer Altersperiode, derjenigen Epoche der Nutzung zufihren muß, welche durch
den Eintritt ihrer Haubarkeit beſtimmt wird. Ohne
das Ganze zu ſtören, kann alſo auf dieſe Weiſe jeder
einzelnen Abtheilung einer Beſtandesclaſſe, die ſich
aus ihren ſpecifiſchen Verhältniſſen beſtimmende Zeit
ihrer wirthſchaftlichen Nutzung geſichert werden, indem ſie zu Beschleunigung derselben in eine ältere
Ordnung vorgerückt, im Falle ihrer erforderlichen
Verspätigung aber in eine jüngere Ordnung zurück-
geſetzt wird, wodurch ſie denn bei Anfertigung des
Nutzungsplans §. 41. immer die ihr zukommende
Stelle erhalten muß. Hierbei wird bemerkt: daß
bisher durchplänterte Beſtände in jedem Falle als vollkommene Beſtände betrachtet, nach dieſer Anſicht in
die Ordnungsregiſter aufgenommen, wo es nur anders thunlich iſt, in Beziehung des Nutzungsbetriebes in den Nutzungsplanen interpolirt, und übrigens
nach den ſpecifiſchen Verhältniſſen ihrer Gattung behandelt werden müſſen.

§. 49. Wenn ſich übrigens die Einlage der Durch-
forſtungsſchläge §. 24. im Allgemeinen nach der Gattung der Beſtände beſtimmt, und bei dieſer nach kli-
matiſchen Verhältniſſen modificirt, ſo bemißt ſich die
Möglichkeit ihrer Wiederholung in allen Fällen aus
der Größe der Umtriebsperioden der Beſtände ſelbſt,
und der Betrag ihrer Nutzung in Beziehung einzelner Beſtandes-Abtheilungen kann alſo allein nach
dieſem Verhältniſſe in Betracht gezogen werden.

Drittes Kapitel.

Benutzung der Niederwald=Bestände.

§. 50. Wenn auch nach §. 37. das Gesetz des Wachsthums, welchem zufolge sich, für die Dauer einer bestimmten Altersperiode, die Zunahme nach progressiven Verhältnissen vollführt, ein allgemeines ist, so verliert sich gleichwohl die Fähigkeit für den Hervortrieb des Stock= und Wurzel=Ausschlags §. 27. für sämmtliche Bestandesgattungen früher, als die Epoche ihres höchsten Wachsthums eintreten würde. Da, indessen in Aufgreifung jener sich die Regeneration der Niederwald=Bestände begründet, so ist hierdurch auch die Zeit des Umtriebs dieser Bestände gegeben, und der äußerste Moment ihrer Ausschlagsfähigkeit bestimmt also die Epoche ihrer Haubarkeit.

Während nun diese specifisch aus der Individualität der Gattung hervorgeht, alterirt sie sich noch insbesondere aus den Verhältnissen des Klima's, und beschleunigt sich für jede Gattung in dem Maaße, in welchem die Temperatur des Klima's niedriger ist.

§. 51. Werden nun die, die Niederwald=Bestände vorzüglich bildenden, Gattungen §. 27. nach den Verhältnissen gleicher Dauer der Ausschlagsfähigkeit und den Resultaten unserer hierüber gesammelten Erfahrungen berücksichtigt, so müssen nach den Verhältnissen des örtlichen Klima's die reine Bestände

A) von Eichen, Buchen, Hagbuchen, Rüstern, Ahornen und Linden auf fünf und dreißig bis fünf und vierzigjährigen —

B) Birken, Erlen und Aspen auf fünf und zwanzig bis fünf und dreißigjährigen —

C) Weiden, Haseln und andere Straucharten auf fünfzehn bis fünf und zwanzigjährigen — und

D) die Bestände der Grießhölzer auf zehn bis fünfzehnjährigen Umtrieb gesetzt werden.

§. 52. Die hier unterschiedenen Bestände jedoch stellen sich häufig vereint unter den mannigfaltigsten Verhältnissen der Mischung §. 27. dar.

Wenn nun nach vorigem §. in gemischten Beständen die Dauer der Ausschlagsfähigkeit der nebeneinander stockenden Gattungen differiren muß, so liegt hierin die Nothwendigkeit der Aufgreifung der Schlagbarkeit der, nach gleicher Dauer der Ausschlagsfähigkeit prädominirenden, Gattung; bei den Verhältnissen gleicher Mischung hingegen wird die Schlagbarkeit nach der Dauer der Ausschlagsfähigkeit der edleren Gattungen bestimmt.

Es seye also z. B. ein Eichen= und Buchenbestand in dem Verhältnisse mit Birken gemischt, daß jene beiden die Mehrzahl des Bestandes ausmachen, so bleibt der Birkenbestand unberücksichtigt und der Umtrieb wird nach jenen bestimmt; fände sich hingegen der prädominirende Bestand in den Birken, so müßte der Eichen= und Buchenbestand diesen untergeordnet, der Umtrieb also nach der sich bestimmenden Schlagbarkeit des Birkenbestandes festgesetzt werden. Ständen hingegen Eichen und Buchen mit dem Birkenbestande in gleichem Mischungsverhältnisse, so müßten die erstern beiden die Zeit des Umtriebs festsetzen.

Bei dem Umtriebe gemischter Niederwald=Bestände muß also immer die Regeneration des einen Theils des Bestandes der Regeneration des andern geopfert werden, und dieses trifft bei ungleichen Mischungsverhältnissen den minder zahlreichen, bei glei=

chen Mischungsverhältnissen hingegen den minder eb-
len Theil desselben.

§. 53. Es sey indessen der Niederwald-Bestand
ein reiner oder ein gemischter, so muß die Zeit seiner Schlagbarkeit und seines Umtriebs immer in eine
der §. 51. festgesetzten Perioden fallen. —

Durch die Bestimmung eines Durchschnittes dieser
Perioden folglich

für die Abtheilung A zu 40 Jahren,
für die Abtheilung B zu 30 Jahren,
für die Abtheilung C
       und   } zu 15 Jahren,
für die Abtheilung D

muß sich also für jede dieser Bestandes-Abtheilungen
eine Normalperiode ihres Umtriebs erzeugen.

Fordern nun örtliche Verhältnisse in Absicht der
reinen Bestände einer Abtheilung §. 51. oder die Bestockung gemischter Bestände §. 52. Verlängerung oder
Verkürzung der Umtriebszeit, so werden diese Bestände bei Anfertigung der Ordnungs-Register §. 40.
nach dem Verhältnisse ihres gegenwärtigen Alters im
ersten Falle um eine Ordnung zurückgesetzt, im letztern hingegen um eine Ordnung vorgerückt, und finden sich dadurch bei Verfassung der Nutzungspläne
§. 41. derjenigen Ordnung unterstellt, welche sie für
die Benutzung dem Momente des höchsten Ertrags zu-
führt.

§. 54. Da der in diesen Waldbeständen zu er-
haltende Oberholzbestand §. 30. in jedem Falle nicht
mehr als den achten Theil der Schlagfläche einneh-
men darf, so muß sich derselbe stets als der geringere
Theil der Nutzung darstellen, und also dem größern
untergeordnet finden.

Diesem zufolge wird die Benutzung des Oberholz-Bestandes durchaus durch den Umtrieb des Unterholzes §. 53. festgesetzt und bleibt also in allen Fällen von diesem abhängig.

Seine Benutzung indessen geschieht bei Eichen und Buchen, nach den für die Hochwald-Bestände dieser Gattungen §. 46. und 47. bezeichneten Grundsätzen, in Absicht auf

Hagbuchen, Eschen und Rüstern aber durch siebenzig- bis achtzigjährigen Umtrieb, in Beziehung auf Ahorne und Linden durch sechzig- bis siebenzigjährigen Umtrieb,

in Hinsicht

auf Birken durch fünfzig- bis sechzigjährigen Umtrieb, und

in Absicht

auf Aspen durch vierzig- bis fünfzigjährigen Umtrieb.

Wenn nun nach §. 36. auch die Nutzung des Oberholz-Bestandes mit Nachhaltigkeit betrieben werden muß, so resultirt hieraus, daß sich die Stämme der für seine Erhaltung zu bestimmenden Gattungen §. 30. in einem mit den Umtriebs-Perioden des Unterholzes korrespondirenden Verhältnisse finden müssen.

Aus diesem Princip der so eben bezeichneten Umtriebszeit des Oberholzes selbst und dem §. 30. festgesetzten Verhältnisse seiner Verbreitung über die Fläche, bestimmt sich also das Maaß der Nutzung desselben auf jedem durch den regulirten Umtrieb des Unterholzes zu führenden Schlage.

Da jedoch von einer und eben derselben Gattung Oberholzes eines Schlages niemals alle Stämme gleiche Hoffnungen für ihren weitern Wachsthum zei-

gen werden, und die minder vollkommenen also bei ih=
rer weitern Ueberhaltung ohne zu erwartenden Ersatz das
Unterholz verdämmen müßten, so erzeugt sich hieraus
der weitere Grundsatz, daß die Nutzung des Oberholz=
Bestandes sich in jedem Falle zunächst auf die, —
keinen ergiebigen Zuwachs mehr versprechenden Stäm=
me einer jeden Altersstuffe beschränken müsse, und sich
dann erst über die in schlagbarem Alter stehenden
Stämme in dem Maaße verbreiten dürfe, in wel=
chem sie in Verbindung mit den §. 30. neuerlich zu
überhaltenden Laßreisern und den vorhandenen Rai=
teln und Oberständern die bestimmte Größe der vor=
geschriebenen Kronenverbreitung über die Schlagfläche
überschreiten.

Durch diese Maaßnahme werden dann immer ein=
zelne Stämme dem gewöhnlichen Umtriebe enthoben,
und dadurch allmählig bis zu Erlangung derjenigen
Stärke übergehalten werden, bei welcher sie seltener
vorkommende Bedürfnisse zu befriedigen vermögen.

§. 55.   Nach diesen Grundsätzen übrigens werden
auch die Materialertrags=Anschläge der Oberholz=Be=
stände den Umtriebsperioden der Niederwald=Bestände
korrespondirend den Ordnungsregistern §. 53. einge=
tragen, und in dieser Verbindung für die Anfertigung
der Nutzungspläne dargestellt.

Viertes Kapitel.
Benutzung der gemischten Bestände.

§. 56.   Die gemischten Bestände §. 32. stellen sich
entweder als solche dar, welche erhalten werden kön=
nen §. 23., oder sie erscheinen als solche, welche
durch die Weise ihrer Behandlung der einen oder an=

dern Classe reiner Bestände zugeführt werden müssen
§. 34.; die Grundsätze ihrer Benutzung müssen daher
in jedem Falle aus diesen Verhältnissen hervorgehen.

§. 57. Für die durch geeignete Behandlung zu
erhaltenden Bestandes-Mischungen §. 35. nun stützen
sich die Grundsätze ihrer Benutzung: bei ungleichen
Mischungs-Verhältnissen auf die Prädomination der
Gattung, und hiernach wird also ihre Benutzung
durch die §. 45. 46. 47 und 49. bezeichneten Grundsätze
nach den Verhältnissen der Oertlichkeit festgesetzt. Sie
müssen sich diesen zufolge unter sechzig = siebenzig=
achtzig = neunzig = bis hundertjährigem Umtriebe dar=
stellen.

In Absicht auf Bestände von gleichen Mischungs=
Verhältnissen hingegen wird die Umtriebsperiode nach
der örtlichen Schlagbarkeit der edlern Gattung be=
messen, und diese entscheidet also jedesmal nach den
§. 46. 47. und 49. gegebenen Bestimmungen.

§. 58. Von den nicht zu erhaltenden gemischten
Beständen §. 34. müssen die einen in die Classe der
Nadelholz-Bestände übergehen, und ihre Benutzung
geschieht also nach den §. 45. und 49. getroffenen
Bestimmungen; im entgegengesetzten Falle aber eig=
nen sie sich in die Classe der Niederwald-Bestände,
und werden also nach den, §. 51. und 52. hiefür fest=
gesetzten, Grundsätzen benutzt.

§. 59. Die Benutzung der gemischten Bestände
jedoch gründe sich auf Hochwaldbehandlung §. 57.
und 58., oder auf Niederwaldbehandlung §. 58., so
werden ihre auf bestimmte Altersperioden sich grün=
benden Ordnungen nach dem Betrage ihrer Fläche und
ihres Materials, den vorgeschriebenen Ordnungsregi=

stern §. 48. und 55. eingetragen, und auf diese die Bestimmung ihrer Nutzung in den Nutzungsplanen gegründet.

Dritter Abschnitt.
Grundsätze der Waldkultur.

Erstes Kapitel.

Nähere Bestimmung der Gegenstände der Wald=
kultur, der Mittel und Bedingungen ihrer Voll=
ziehung und des Princips ihrer Anwendung.

§. 60. Wenn §. 5. Begründung veränderter, eine zweckmäßige Holzproduktion sichernder, Verhältnisse Zweck der Waldkultur ist, so finden sich ihre Gegen= stände:

in Vervollkommnung und Veredlung bereits vorhan=
dener Waldbestände;

in Gewinnung des der Holzproduktion bisher ent=
zogen gewesenen Waldbodens, und in Bestockung
der hiedurch vermehrten Waldfläche.

§. 61. Die Mittel, welche sich für die Erreichung dieser Zwecke darbieten, sind:

die Saat als künstliche Beibringung des ausserdem
nicht ankommenden Saamens;

die Pflanzung durch die Einbringung bereits gebil=
deter Pflanzen=Individuen oder Theile derselben;

die Beförderung der Wurzelausschläge;

die Einlage von Absenkern und

die Führung von Schutz= und Abzugs=Gräben.

§. 62. Finden sich nun die Bedingungen der An=

wendung der in vorigem §. bezeichneten Kulturmittel zum Theil in dem Gegenstand selbst erfüllt, so kann in jedem Falle die Saat und die Pflanzung nur unter der Bedingung der Unterhaltung hinreichender Saamenmagazine und zweckmäßig behandelter Saam- und Baumschulen statt haben. Das Daseyn beider ist also Bedingung ihrer unbeschränkten Vollziehung.

§. 63. Als allgemeine Bedingung für die Anwendung sämmtlicher Waldkulturmittel aber tritt das Daseyn derjenigen äußern Verhältnisse hervor, unter welchen sich der Anschlag und zu bezweckende Erfolg von jener erwarten läßt. Diese Verhältnisse zunächst als die Wirkung des vollführten Nutzungsbetriebes hervorgehend, fordern für ihre zweckmäßige Aufgreifung die Begründung eines festen, auf den Gang des Nutzungsbetriebes berechneten, Entwurfs. In dieser Beziehung wurden in dem voranstehenden Reglement die allgemeinen Kulturplane in Korrespondenz mit den allgemeinen Nutzungsplanen, die periodischen und jährlichen Kulturplane aber in Relation zu den periodischen und jährlichen Nutzungsplanen §. 40. 41. und 42. vorgeschrieben. Da indessen jeder öde Waldflächentheil so bald als möglich zu bestocken gesucht werden muß, so ist leicht zu erachten, daß für größere oder isolirte Flächen der Nutzungsbetrieb der Bestände unbeachtet bleibe, sondern diese in jedem Falle in die erste Periode des allgenen Kulturplanes aufgenommen werden müssen. Der Erfolg der Vollziehung desselben jedoch wird in den gleichfalls vorgeschriebenen jährlichen und periodischen Nachweisungen dargestellt.

Anmerkung.

So wie oben in Absicht der Anfertigung eines

15 *

Nutzungsplanes der gemachte Anhang als Beispiel eines in dieser Beziehung aufgenommenen Reviers bezeichnet wurde, so geschieht dieses hier in Absicht des Kulturplanes, und es sind zu diesem Zwecke in demselben das Verzeichniß der bestockungsfähigen Fläche der allgemeine, periodische und Jahrskulturplan enthalten.

§. 64. Unverkennbar ist übrigens jedes Kulturunternehmen mit größerem oder geringerem Aufwande für den Eigenthümer verbunden, und dereinstiger voller Ersatz muß also für denselben erwartet und gefordert werden können, wenn er seinem Zwecke entsprechen, nicht als Verschwendung erscheinen soll. Hieraus geht das Gesetz hervor, daß jede Art von Waldkultur nur dann als zulässig betrachtet und angenommen werden könne, wenn sich in ihrem Gelingen der volle Ersatz des durch ihre Vollziehung erzeugten Aufwandes darbietet. Dieser Ersatz jedoch ist öfters nicht unmittelbar möglich, wie z. B. bei Pflanzungen, welche blos den Schluß bereits vorhandener Bestände erzwecken, bei Umfriedigungen, welche an sich der bisherigen Waldfläche nur unbedeutende Flächengrößen zutheilen, durch ihre Herstellung jedoch größere Flächen sichern ꝛc. Es kann daher in Fällen dieser Art bei Würdigung des Aufwandes nicht blos der partielle Erfolg dessen in Betracht gezogen, sondern es muß auch seine weitere Wirkung berücksichtigt werden. Um so strenger aber muß diese Würdigung seyn, in Fällen, worin blos partieller Erfolg zu erwarten steht, folglich keine weitere Wirkung desselben auf andere Waldparthien möglich ist, und der zu fordernde Ersatz des Aufwandes also unmittelbar aus dem Kulturobjekte selbst erwartet werden muß.

Niemals übrigens darf sich dieser Kalkul allein auf den Ertrag der nächsten Nutzung beschränken, weil dieser öfters bedeutend geringer als der Ertrag der folgenden ist, indem, wenn einmal eine Bestockung begründet wurde, letzterer vielleicht ohne allen weitern Aufwand erhoben wird.

Muß daher auch im Allgemeinen der Ertrag des Erfolges über die Zuläßigkeit des Kulturaufwandes entscheiden, so darf niemals der nächste Ertrag allein in Kalkul genommen, sondern die Wirkung eines Kulturunternehmens muß nach der Ertragsfolge der durch dasselbe möglich gemachten spätern Nutzungen und ihrer Summe nach festgesetzten Perioden gewürdigt und bemessen werden.

Hiebei übrigens können mißlungene Versuche niemals in Anschlag kommen.

Der Gewalt und Wirkung natürlicher Ereignisse unterstellt, bleibt der Erfolg jeden Unternehmens im Freien von diesen abhängig, und in der Zerstörung dieses Erfolges durch nicht abzuwendende äußere Verhältnisse kann so wenig Abschreckendes für den Forstmann bei Wiederholung seines Unternehmens liegen, als sie den Landmann von der Wiederholung vereitelter Saaten und Pflanzungen zurückhalten darf. Der eine wie der andere kann daher Ereignisse dieser Art nur als nicht zu verhütende Unglücksfälle betrachten. Diese aber können so wenig bei Erwägung des Erfolges eines Waldkulturunternehmens in Anschlag genommen werden, als sie bei Würdigung des Werthes einer Erndte in Betracht zu ziehen sind. Sie werden in dem einen wie in dem andern Falle als ungewöhnliche Ereignisse angesehen.

Zweites Kapitel.

Vervollkommnung und Vereblung bereits vorhandener Bestände.

§. 65. Wenn auch die in Absicht der Hochwaldbestände §. 16. 17. 18. und 19. dann §. 21. 22. und 23., so wie §. 28. und 29. in Beziehung der Nieder-Waldbestände, und §. 33. und 34. in Hinsicht der gemischten Bestände bezeichneten Grundsätze in ihrer Anwendung im Allgemeinen den vollständigsten Erfolg erwarten lassen, so werden sich gleichwohl Fälle darbieten, worin sich die Ergreifung weiterer Bestockungsmittel nöthig macht. Diese aber wird in den meisten Fällen unausweichlich, wo es sich um Vereblung der Bestände handelt, wo also neue bisher nicht bestandene Verhältnisse für die Erreichung dieses Zweckes begründet, neue Schöpfungen hergestellt werden müssen.

Selbst bei der zweckmäßigsten Waldbehandlung ist also die Ergreifung der sich darbietenden Kulturmittel unvermeidlich, in jedem einzelnen Falle aber muß sie durch das §. 64. begründete Princip geleitet werden.

§. 66. Auch bei den vollständigsten Saamenjahren stellt sich die Saamenproduktion nicht überall in gleichem Maaße der Ergiebigkeit dar, und wenn dieses auch in Beziehung ganzer Distrikte der Fall wäre, so geschieht es wenigstens nicht in Absicht aller einzelnen Saamenbäume derselben.

Verzögernde Bestockung aber hat im Allgemeinen im gleichen Verhältnisse stehende Verminderung der Materialproduktion zur Folge, und diese, mit dem Princip der Forstwirthschaft §. 1. in Widerspruch tretend, spricht also für sämmtliche Hochwaldschläge,

§. 16. 17. 18. 21. und 22., da, wo die erforderliche Befaamung mangelt, Hülfe durch Nachbefferung an.

Macht sich jedoch diese in Absicht der nach Grund-sätzen gestellten Befaamungsschläge nöthig, so muß sie sich als ganz unerläßlich in Beziehung auf die über-gehaltenen Befaamungsstreifen §. 16. 21. und 22. und der Befaamungsschachen §. 17. darstellen, weil es diesen nach Hinwegnahme des Bestandes an allen Mitteln der Bestockung fehlt.

In zweckmässig gestellten Schlägen nun, wo durch örtliche oder partielle Unfruchtbarkeit die erforderliche Befaamung ausbleibt, wird die Saat mit voller Wirk-samkeit ergriffen werden.

Es ist dieses der Fall in Absicht der Befaamungs-schachen §. 17., weil diese schon im zweiten Jahre nach der Befaamung nachgehauen werden, die Fichten aber einen freien Jugendstand ertragen, und die Dif-ferenz des Alters des hierdurch zu bewirkenden Saat-bestandes zu unbedeutend ist, als daß hieraus für die Folge sehr große Verschiedenheit des Wachsthums zu besorgen stände.

Aus eben diesem Grunde können auch in Fichten- und Forchen-Beständen §. 17. u. 18. durch den Nach-hieb der Schutzbäume entstandene holzleere Plätze, so wie die unbestockten Abfuhrswege durch Anwendung der Saat nachgebessert werden.

Andere Verhältnisse hingegen stellen sich in Absicht der übergehaltenen Befaamungsstreifen §. 16. 21. u. 22., so wie der durch die Nachhiebe beschädigten Plätze und der Abführungswege in den Beständen der Tannen, Eichen und Buchen dar. Da nemlich die Kei-mungsbedürfnisse sowohl, als auch der Jugend-Wachs-thum dieser Bestände fünf- bis achtjährigen Schutz fordern, so kann hier von Saaten bei freier Exposition durchaus kein Erfolg erwartet werden, und die Bestockung dieser Plätze wird also allein durch die Anwendung der Pflanzung, welche nach vollzogener Räumung der Schläge zu ergreifen ist, bewirkt.

§. 67. Die Veredlung der Hochwaldbestände kann sich allein auf Umwandlung der Fichten= und Forchen= Bestände, Tannen=Bestände oder der Nadelholz=Be= stände, überhaupt in Eichen= oder Buchen=Bestände beziehen, und hiebei ist sie entweder als eine totale oder als eine partielle zu betrachten.

In dem ersten Fall tritt die Saat in Wirksamkeit, und ihr Anschlag bedingt die Befriedigung derjenigen Schutz = und Keimungsbedürfnisse in dem bisherigen Bestande, welche sich für den zu bezweckenden neuen Bestand §. 16. 21. und 22. specifisch aussprechen, so wie die Nachhiebe den Anforderungen desselben gemäs geschehen müssen.

In dem zweiten Fall hingegen wird die zu bezwe= ckende Veredlung durch die Pflanzung vollführt. Sie wird stets nach dem geschehenen Nachhiebe vollzogen, und hängt in ihrem Erfolge von der aufgewandten An= zahl Pflanzen und ihrem Verhältnisse zu der Fläche ab.

Uebrigens ist die Pflanzung auch in dem ersten Falle oder bei der totalen Umwandlung der Bestände niemals ganz zu vermeiden, und nach beendigtem Nachhiebe als Besserungsmittel anzuwenden.

§. 68. Sehr oft zeigt sich die Wiederbestockung in den Niederwaldschlägen um so mangelhafter, als der, aus der Beachtung des Stock= und Wurzelausschlages, nur sparsam zu überhaltende Besaamungs=Bestand §. 29., wenn er auch durch Windwürfe, Schnee= und Duftrisse nicht ganz zu Grunde gerichtet wird, einem

großen Theile nach unfruchtbar wird, weil er, durch
die Winde in seinem Stande losgerissen, häufig in ei=
nen krankhaften Zustand verfällt. Hier bedingt sich
also vor allen andern die Ergreifung der sich darbie=
tenden Kulturmittel; dagegen bieten sie sich aber auch
in einer Zahl dar, wie sie sich für andere Bestandes=
klassen niemals finden.

Eins der leichtesten derselben indessen gewährt
die Beförderung der Wurzelausschläge. Es ist an=
erkannt, daß diese sich vorzüglich willig bei den Pap=
pelarten zeigen, weil sich an den Enden ihrer auf die
Oberfläche des Bodens auslaufenden Wurzeln unter
der Einwirkung des Lichtes sehr bald neue Knospen=
bildung erzeugt. Diese Eigenschaft jedoch haben
sämmtliche hieländische Laubholzgeschlechter mit ihnen
gemein, sobald ihre Wurzelenden dem Zutritte des
Lichtes überlassen werden, und sie zeigt sich vorzüg=
lich bei Buchen und Hagbuchen wirksam. In dem
Umkreise von fünf bis sechs Fußen von den Stäm=
men werden für diesen Zweck um die Mitte des Mo=
nats April, in rauhen Frühlingen wohl auch später,
die unter der Oberfläche des Bodens laufenden Wur=
zeln vermittelst scharfer Happen durchschnitten, etwas
von der Erde befreit und so der Einwirkung des Lich=
tes übergeben, worauf sich dann in den meisten Fäl=
len im Mai schon Knospenbildung und Ausschläge
zeigen.

Noch leichter geschieht die Vermehrung einzelner
Stämme von sämmtlichen Laubholzgeschlechtern durch
Absenker, welche sich vorzüglich an steilen Abhängen
thunlich zeigt, wo sie um so wichtiger ist, als sich
an denselben der Bestockung ohnehin größere Schwie=
rigkeiten entgegen stellen, als auf Ebenen der Fall

ift. Bon der Mitte des Monats April bis gegen
die Mitte des Monats Mai nehmlich, werden die
unterften Aeste der Bäume mit Vorsicht gegen die
Bergwand gezogen, und hier, vermittelst eines Ha=
kens, auf dem Boden befestigt, wo sie dann bald
Wurzel treiben und sich zum gesonderten Individuum
bilden.

So leicht indessen diese Vermehrungsmittel sind,
so bleiben sie gleichwohl immer nur auf örtliche Ver=
hältnisse beschränkt; allgemein anwendbar hingegen
ist die Saat. Da sich jedoch für ihren Anschlag auf
den Schlägen dieser Bestandesclasse wenig Schutz
darbieten kann, so muß sie immer nur auf diejeni=
gen Gattungen beschränkt bleiben, welche in ihrer
Jugend eine freie Exposition ertragen, und kann sich
also allein auf Rüstern, Eschen, Hagbuchen, Birken
und Erlen beziehen. Hierbei aber kann sie sich nur
da wirksam zeigen, wo sie längstens in den ersten
zwei Jahren nach dem Hiebe statt haben kann, weil
sie ausserdem von den rascher wachsenden Stock=
und Wurzelausschlägen verdämmt wird.

Später muß also in jedem Falle die Pflanzung
als Mittel der Bestandesvervollkommnung ergriffen
werden. In gleiche Kategorie mit dieser tritt aber
die Vermehrung durch Stöcklinge; da sie jedoch in
ihrem Anschlage sich zunächst auf Ellern, Pappeln
und Weiden beschränkt, so findet sie sich vorzüglich
nur für die Bestockung von Brüchen und andern
sumpfigen Plätzen, so wie der Grieshölzer und die
Bevestigung der Ufer anwendbar.

§. 60. Die Veredelung der Niederwaldbestände stellt
sich entweder als eine mittelbare durch Verdrängung
eines minder schätzbaren, oder als eine unmittelbare

durch die Anziehung eines wünschenswerthen Bestandes bar.

In dem ersten Falle bezweckt sie die Zernichtung einzelner Gattungen durch die Verhütung frischer Stock = und Wurzelausschläge derselben bei dem nächsten Hiebe.

Dieses geschiehet, indem diese Gattungen 4 bis 5 Jahre vor dem Schlage während des Spätjahres oder Winters ausgehauen werden.

Findet sich jedoch der edlere Bestand hierbei nicht in demjenigen Schlusse, welcher den Zutritt des Lichtes für die Stöcke bis zu dem Maaße hemmt, daß sie verderben müssen, so kann die Aushauung dieser Gattungen nur theilweise und in dem Maaße geschehen, daß die Stöcke von den übergehaltenen Individuen ihrer Gattung selbst beschattet und unterdrückt werden. In diesem Falle ist sich also mit theilweiser Erreichung des vorgesetzten Zwecks zu beruhigen, und was durch den nächsten Hieb nicht vollführt werden kann, dem folgenden zu überlassen.

Die unmittelbare Veredlung in dieser Bestandes= classe spricht sich entweder als eine allgemeine oder als eine partielle aus.

Erstere bezweckt die Umwandlung minder edeler Bestände in edelere, wie z. B. weicher Bestände in Eichen = und Buchenbestände, und kann allein durch den Erfolg der Besaamung geschehen. Da indessen dieser nur unter der Bedingung des erforderlichen Schutzes §. 21. und 22. möglich wird, so erzeugt sich die Nothwendigkeit der Ueberhaltung eines so zahlreichen Schutzbestandes, daß unter demselben kein Stock = und Wurzel = Ausschlag mehr möglich ist. Gewähren nicht alle zusammentreffenden Ver-

hältniſſe die Ueberzeugung des unfehlbaren Gelingens
dieſes Unternehmens, ſo muß es ſich immer als ein
ſehr gewagtes darſtellen. Unfehlbar hingegen bleibt
immer die partielle Veredelung, welche theils durch
Saameneinlage, theils durch Pflanzung zu bewirken
iſt. So ſchwierig auch der Anſchlag der Eichen und
Buchen bei vollkommen freier Expoſition iſt, ſo läßt
ſich gleichwohl unter den Saamenbäumen der Nie-
derwaldsſchläge §. 29. immer noch einiger Schutz
finden, und die Einſtufung dieſer beiden Gattungen
bleibt daher nie ohne allen Erfolg. Noch ſicherer
als dieſer aber iſt in allen Fällen der Erfolg der
Pflanzung, und dieſelbe iſt daher auch hier vorzüglich anzuwenden.

Weſentlich iſt übrigens, daß in den Niederwald-
ſchlägen die für die Nachziehung des Oberholzbeſtan-
des beſtimmten Heiſter §. 30., und hierunter vorzüglich Eichen und Buchen, welche ſich um ſo ſchwä-
cher darſtellen müſſen, je kürzer die Umtriebsperioden der Beſtände ſind, an ſtarke Pfähle aufgebun-
den, wenn ſie aber gleichwohl niedergedrückt werden
ſollten, eher in einer Höhe von 10 — 15 Fuß abge-
köpft werden, um ſie wenigſtens in unvollkommenem
Zuſtande zu erhalten.

§. 70. In Abſicht der mit Laub- und Nadelholz
gemiſchten Beſtände §. 14., in ſo fern ſie zu erhalten
ſind, §. 33. treten für ihre Vervollkommnung durchaus die §. 56. in Abſicht der Hochwaldungen bezeichneten Grundſätze in Wirkſamkeit.

Wird hingegen in dieſer Eigenſchaft ihre Veredlung erzweckt, ſo finden ſich die Mittel hierzu zunächſt
in Ueberhaltung von Saamenbäumen derjenigen Gattung, welche vorgezogen werden ſoll; übrigens aber

wird nach den §. 67. ertheilten Beſtimmungen ver=
fahren.

Müſſen aber dieſe Beſtände in Niederwaldungen
umgewandelt werden §. 34., ſo kommen bei Be=
zweckung ihrer Vervollkommnung die §. 68. gegebene
Beſtimmungen, im Falle ihrer zu bewirkenden Ver=
edlung aber die §. 69. bezeichneten Grundſätze in
Anwendung.

Drittes Kapitel.

Gewinnung des der Holzproduktion bisher entzogen geweſenen Waldbodens.

§. 71. Verluſt an tragbarer Waldfläche erzeugt
ſich entweder mittelbar oder unmittelbar durch die
Zerſtörung der Regenerationskräfte ihrer Beſtände.
Es entſteht daher theils durch Entführung der Mit=
tel für die Dammerden = Bildung, theils durch Ver=
ſumpfung, theils durch Zernichtung des Holzbeſtan=
des ſelbſt.

Dieſe Verhältniſſe indeſſen müſſen ebenſowohl zu
weiterer Verhütung ſolcher Ereigniſſe auffordern, als
ſich in ihrer Entfernung allein die Mittel der Wie=
dergewinnung der, auf die eine oder andere Weiſe
der Holzproduktion entzogen geweſenen Waldfläche
darbieten können.

§. 72. Sehr oft entführt für die Laubholzbe=
ſtände auf hohen Punkten, insbeſondere aber an Ab=
hängen in den Beſaamungsſchlägen, der Wind das
für die Bildung der Dammerde erforderliche Laub,
und dieſer Verluſt vereitelt dann den Anſchlag auch
der reichlichſten Saamenmenge. Bei den erfolgenden
Nachhieben aber überraaſen dann dieſe Plätze, und

können mit dem gröſten Aufwande kaum beſtockt werden.

Diesen nachtheiligen Ereigniſſen jedoch iſt vorzus beugen, wenn diese dem Winde ausgesetzten Plätze mit Dornen belegt oder besteckt, und durch dieses eins fache Mittel gegen die Entführung des Laubes ge= ſichert werden.

§. 73. Zufällige Umſtände erzeugen in den Wal= dungen Pfüzen, deren Ablauf auf die eine oder an= dere Weise gehemmt wird, und die ſich also auch deswegen von Jahr zu Jahr vergrößern; auſſer die= sem aber verſchlämmt ſich hie und da der Abfluß schwacher Quellen, und durch die Zeit bilden ſich aus beiden Veranlaſſungen allmählig Sümpfe oder Miſſen, welche alle Arten von Beſtockung mit Holz hindern, und also nach dem Maaße ihrer Ausdeh= nung ſich als Verluſt an Waldfläche darſtellen müſſen.

So leicht dieses Ereigniß nun bei seiner Entſte= hung durch die Anlage einfacher Abzugsgräben geho= ben wird, so schwierig iſt seine Entfernung, wenn ſich das Waſſer einmal in die untenliegende Lehm= schichte eingesenkt und diese erreicht hat. Die hiefür zu ergreifenden Mittel indeſſen bieten ſich allein in koſtspieliger Führung tiefer Abtrocknungsgräben dar.

Diese zerfallen ihrer Bildung nach in Haupt= und Schlizgräben. Erstere, beſtimmt, das bereits der Lehmschichte eingesenkte Waſſer aufzunehmen, und nach dem ſich darbietenden Gefälle zu führen, müſſen ſich in ihrer Anlage nach der Tiefe der Lehm= schichte bemeſſen, und hiebei fordert ihre Sicherheit gegen Zusammenſtürzen auf jeden Fuß Tiefe einen hal= ben Fuß Abdachung zu beiden Seiten.

Die Tiefe der Schlizgräben hingegen, welche das Waſſer von den Seiten, nach dem ſich darbietenden Gefälle, in die Hauptgräben leiten ſollen, beſtimmt ſich in jedem Punkte der Entfernung von dem Hauptgraben aus der ſchiefen Richtung, welche ſie von dem Grunde des Hauptgrabens bis in die der Lehmſchichte aufliegende Erblage erhalten müſſen. Aus dieſer ſich fortwährend mindernden Tiefe beſtimmt ſich alſo auch ihre ſich allmählig mindernde Ausdehnung und endlich bleibende obere Weite. Uebrigens müſſen ſie nach dem Gefälle des Ganzen gerichtet ſeyn, und in dieſer Richtung nach möglich ſpitzigen Winkeln in die Hauptgräben ausmünden.

Da indeſſen Unternahmen dieſer Art immer mit bedeutendem Aufwande verbunden ſind, ſo bleiben ſie S. 64. nur dann zu rechtfertigen, wenn jener durch den Werth des zu gewinnenden Bodens erſetzt wird, oder in ihnen das Mittel ergriffen werden muß, weitere Verbreitung der Verſumpfung vorzubeugen.

S. 74. Auſſer den S. 72. und 73. bezeichneten Urſachen der Veröddung der Waldfläche ſtellen ſich Vernachläſſigung der Abfuhrswege und die Anfälle des Weidviehes für die Waldungen dar.

Wo ſich einmal Wege gebildet haben, können ſie nur durch unzweideutige Kennzeichen ihres Verbotes gegen weiteren Gebrauch geſichert werden, und ohne dieſe bleiben alle Maaßnahmen ihrer Nachbeſſerung S. 66. 68. und 70. fruchtlos. Es müſſen alſo ſämmtliche Abführungswege nach beendigtem Gebrauche mit zwei Fuß tiefen und oben drei Fuß weiten Gräben queer durchſchnitten, und dadurch für jeden als verboten bezeichnet werden.

Anfälle des Weidviehes auf die Waldfläche hingegen haben vorzüglich an den Grenzen gewöhnlicher Viehtriebe und der Felder und Wiesen statt. Dort, wie hier, müssen also die Schläge und Schonungen durch Schutzgräben von der eben bestimmten Tiefe und Breite umfriedigt und gegen ungehinderten Uebertritt des Viehes gesichert werden.

Viertes Kapitel.

Wiederbestockung der veröbeten Waldfläche.

§. 75. Die Wiederbestockung der veröbeten Waldfläche geschieht entweder durch natürlichen Anflug, oder sie wird durch die Saat vollführt. Im letztern Falle aber kann sie entweder unmittelbar in Vollzug gesetzt werden, oder sie bedingt für ihr Gelingen ein gewisses Maaß der Vorbereitung des Bodens, woneben jenes jedoch weiter noch von der Auswahl des Saamens und der Weise seiner Einbringung abhängig ist.

§. 76. Sehr oft bietet die Natur zuvorkommend die Mittel der Bestockung der gegen weitere äußere Anfälle gesicherten Flächen von geringerer Ausdehnung durch den Saamenüberwurf aus nahe stehenden Beständen dar; in diesem Falle bedarf also die Bestockung derselben keiner weitern Mitwirkung, als der Verhütung möglicher Störung. Zuweilen indessen wird diese Wirkung der Natur durch den unter den bisher bestandenen Verhältnissen erzeugten Graswuchs gehemmt, und in diesem Falle bedingt sich also die Zernichtung desselben.

Wird nun berücksichtigt, daß die Graswurzeln durch wiederholtes Abschneiden im Laufe des Sommers und dadurch entstehende freie Einwirkung des Lichtes und der Wärme auf dieselben leiden müssen, daß ihre Zerstörung mehr noch durch das Abbeissen der jungen Nachtriebe von den Schaafen im Spätjahr und ihre hierdurch entstehende Exposition für die Winterfröste geschehen müsse, daß endlich durch eben dieses Abbeissen ihrer frischen Triebe bis gegen die Mitte des Monats April vollends ihre letzte Kraft zerstört werde, so bieten sich hierin entschiedene Mittel für die Zerstörung des Graswuchses dar, und ihre Anwendung ist also auch keineswegs zu unterlassen.

Unverkennbar indessen wird diese Vorbereitungsweise des Bodens für die Saamenaufnahme nur unter bedingten örtlichen Verhältnissen und in Absicht ihrer Ausdehnung nur durch die specifische Verbreitung des Saamenüberwurfes möglich.

Sie bleibt daher in Absicht der Holzgattungen von den Nadelholzgeschlechtern auf Fichten und Forchen, von den Laubholzgeschlechtern aber auf Birken, Erlen, Aspen und Weiden, in Absicht der Nadelholzgeschlechter höchstens auf fünfzig bis siebenzig Schritte Breite, auf der südöstlichen Seite eines Bestandes, in Beziehung der Laubholzgeschlechter hingegen auf achtzig bis hundert und fünfzig Schritte Breite beschränkt.

§. 77. Unbeschränkter Ausdehnung hingegen ist die Bestockung durch die Saat fähig, obgleich die Gesetze ihrer Anwendung theils durch die Beschaffenheit des Bodens, theils durch die Gattung des Saamens festgesetzt werden.

Bei ihrer Anwendung indessen zeigt sich die Beschaffenheit des Bodens entweder frei, und bei solcher ist dann derselbe für die unmittelbare Aufnahme einiger Saamengattungen empfänglich, oder der Bo-

16

ben ist überraaset, und in diesem Falle muß er erst
für die Aufnahme des Saamens vorbereitet werden.

Ersterer Fall tritt auf bisher stark gebrauchten
Viehweiden ein, und ihrer Einsaat mit Fichten und
Forchen, Birken und Erlensaamen, welche an der
Oberfläche und unter der unmittelbaren Einwirkung
des Lichtes keimen, tritt kein Hinderniß in den Weg.

Andere Verhältnisse hingegen treten hervor, wenn
der Aufnahme des Saamens die Vorbereitung des Bodens vorausgehen muß, und in diesem Falle ist dann der
Boden entweder vollkommen freier Platz, oder es ist
vormaliger Schlag und hin und wieder mit einzelnen
Holzpflanzen bestanden. Ist er nun vollkommen
freier Platz und seine Bestockung darf auf Fichten,
Forchen, Birken oder Erlen beschränkt werden, so
wird er, nach vorigem §., durch wiederholtes Abschneiden und Abhüten vorbereitet, seine Einsaat aber
dann nach der so eben gegebenen Bestimmung vollzogen. Muß hingegen diese mit Laubholzgeschlechtern, welche Bedeckung mit Erde fordern, folglich
mit Eschen, Ahornen, Rüstern und Hagbuchen geschehen, so wird der Boden auf 2 — 3 Jahre als
Ackerland verliehen, dann aber der Saamen eben-
genannter Gattungen ausgesäet und in der Weise
untergeegt, daß der Saamen der Ahorne 1 — $1\frac{1}{2}$ Zoll,
der Eschen und Hagbuchen $\frac{3}{4}$ — 1 Zoll, der Rüstern
aber $\frac{1}{4}$ — $\frac{1}{2}$ Zoll hoch mit Erde bedeckt wird.

Im Fall hingegen diese Vorbereitungsweise des
Bodens nicht statt haben kann, oder derselbe ein
vormaliger überraaster Schlag ist, muß seine Vorbe-
reitung vermittelst der Hake oder Haue geschehen.
Wird nun hiebei berücksichtigt, daß sich in jedem
Bestande mit zunehmendem Alter ein Theil seiner

Individuen durch Kümmerung ausscheidet, so findet
sich hierin entschiedener Beweis, daß nicht alle eine
Fläche bestockenden jungen Pflanzen zu Nutzung kommen, und sich also bis zu dem Eintritte dieser Periode für ein bestimmtes Maaß der Entfernung ihres
Standes ausscheiden. In diesem Processe der Natur
bestimmt sich also für jede Fläche ein specifisch gewisses Maas der Bestockung. Dieses Maas jedoch
ist in der Kulturanlage herzustellen, wenn sich diese
auf bestimmte, demselben entsprechende schlangen-
förmige Saatstreifen bezieht. In Aufgreifung dieses
Verhältnisses aber bietet sich das Mittel dar, den
Aufwand der Vorbereitung des Bodens auf den dritten, wohl auch vierten Theil seiner außerdem erforderlichen Größe zu beschränken.

Diesem zu Folge werden für Fichten und Forchen
die Saatstreifen zu zwei Fuß Breite und drei Fuß
Entfernung für Hagbuchen und Rüstern auf gleiche
Weise, für Eschen auf drei Fuß Breite und sechs
bis sieben Fuß Entfernung, für Ahornen aber auf
drei Fuß Breite und sieben bis acht Fuß Entfernung
geführt.

Das in den Saatstreifen ausgehauene Gras wird
auf beide Seiten derselben gezogen; in Absicht auf
die Saat der Fichten, Forchen, Birken und Erlen
wird der Boden blos aufgeschärft, in Beziehung auf
die Einbringung der Rüstern, Hagbuchen, Eschen
und Ahorne aber in derjenigen Tiefe aufgehackt, daß
den Saamen vermittelst eiserner Rechen das oben
bezeichnete Maaß der Bedeckung verschafft werden
kann.

Sollten übrigens solche Plätze mit Eichen, Buchen
und Tannen besaamt werden, so sind die Saatstreifen

16 *

von zwei Fuß Breite und fünf bis sechs Fuß Entfernung, von Morgen gegen Abend geführt, mit
Forchen einzusäen. Nach fünf bis sechs Jahren gewähren dann diese den sich zwischen ihnen findenden Räu-
men so vielen Schutz, daß die Saat jener Gattungen
mit Erfolg in derselben vorgenommen werden kann.
Haben dann nach Verfluß von drei, vier bis fünf
Jahren die Eichen-, Buchen- oder Tannenpflanzen
die erforderliche Stärke erlangt, so werden die Forchen allmählig ausgehauen, jene aber ihrem weitern
Wachsthum überlassen.

Pflanzungen in solchen Kulturanlagen dürfen also
nur zu Untermengung einzelner Geschlechter, so wie
zu Nachbesserungen, angewandt werden, und sind
ausserdem gänzlich zu umgehen.

§. 78. Uebrigens ist leicht zu erachten, daß bei
Anfertigung der allgemeinen und periodischen Kulturplane §. 63. stets nur die Bestockung verödeter Wald-
plätze §. 76. und 77. berücksichtigt werden können;
sämmtliche zu bezweckende Bestandesvervollkommnungs-
und Veredlungsplane §. 66. 67. 68. 69. und 70., so
wie die für Wiedergewinnung der für die Holzproduktion
verloren gewesenen Waldflächentheile §. 72. 73. und
74., hingegen Gegenstände der jährlichen Kulturplane
werden müssen, in diesem also mit den Objekten der
allgemeinen und periodischen Kulturplane in Verbindung zu setzen sind.

Fünftes Kapitel.

Unterhaltung der Holzsaamenmagazine.

§. 79. Wenn auch die Erfahrung den Grundsatz gebildet hat, daß die Bestellungszeit der Saaten

durch die Reifung und den Abfall der Saamen bestimmt werde, so können sich gleichwohl mehrere
Umstände vereinigen, welche seine jedesmalige Ausübung hindern. Für diese Fälle bedingt sich also die
Aufbewahrung der Saamen bis zur Zeit ihrer zweck-
mäßigen Verwendung.

Die Bedingung hiebei indeſſen iſt in jedem Falle:
Erhaltung der Keimungsfähigkeit. Wird nun die Erfüllung dieſer Bedingung unmöglich, wie bei den Rü-
ſternsaamen der Fall iſt, ſo findet auch keine Aufbewahrung ſtatt, und die Saat muß ſogleich nach erfolgter Reifung geſchehen. Bieten ſich hingegen mehr oder minder
weitläuffige Erhaltungsmittel der Keimungsfähigkeit
dar, ſo müſſen ſie mit Sorgfalt aufgegriffen werden.

§. 80. Dieses macht ſich insbeſondere in Abſicht
der Saamen der Eichen, Buchen und Ahorne nöthig.
Vorzüglich die erſten und letzten für Fröſte ſehr empfindlich, behalten alle ihr Keimungsvermögen nur
unter der Bedingung eines beſtimmten Grades äuſſe-
rer Temperatur und niemals länger als bis zum
nächſten Frühjahr. Das nächſte und leichteſte Mittel
ihrer Erhaltung bietet ſich durch Einſchlagung dieſer
Saamen in trockener Erde bis zu derjenigen Tiefe
dar, bei welcher das Eindringen des Froſtes nicht
zu fürchten iſt.

§. 81. Eſchen- und Hagbuchensaamen behalten
ihre Keimungsfähigkeit bis in das dritte Jahr, wenn
ſie gegen Vertrocknung geſichert werden.

Zweckmäßig wird daher für ihre Aufbewahrung das
in vorigem §. bezeichnete Mittel der Einſchlagung in
trockne Erde ergriffen.

§. 82. Bei vollkommen trockener und alſo luftiger
Lage hingegen erhalten ſich die Nadelholzſaamen, mit

Ausnahme der Saamen von Tannen, so wie Birken-
und Erlensaamen bis in das vierte Jahr keimungs-
fähig; die Erfüllung dieser Bedingung jedoch erfordert ihr öfters wiederholtes Umschlagen vorzüglich bei
feuchter und warmer Witterung.

Diese Verhältnisse indessen führen die Nothwendigkeit der Anlage bestimmter Saamenmagazine §. 62.
herbei, in welchen die hier bezeichneten Saamengattungen der für ihre Erhaltung erforderlichen Behandlung unterworfen, und aus welchen sie für die Voll-
führung vorhabender Saaten nach Bedürfniß abgegeben werden.

Die in den Saamenmagazinen sich findenden Vor-
räthe übrigens werden in den in dem Reglement vorgeschriebenen Saamenregistern jährlich angegeben.

Sechstes Kapitel.

Betrieb der Saamen- und Baumschulen, so wie der Eichenkämpe.

§. 83. Der zu sicherem Gelingen führende Betrieb der Pflanzungen §. 66. 67. 68. 69. und 70., dann
§. 76. und 77. setzt unter allen Umständen den Besitz
der für diesen Zweck erzeugten Pflanzen voraus. Diese
Erzeugung aber wird in den meisten Fällen allein
durch die Anlage und den Betrieb von Saamen- und
Baumschulen möglich.

Beide für eine und ebendieselbe Bestimmung wir-
kend, unterscheiden sich allein durch die Behandlungs-
weise der in ihnen zu erziehenden Pflanzen und der
Dauer des Wachsthums der letztern in denselben.

§. 84. Für beide gemeinschaftlich indessen ist das
Bedürfniß vollständiger Umfriedigung, so wie der Um-

grabung und Reinigung ihres Bodens von Graswurzeln und gröberen Steinen bis zu 1 oder 1½ Fuß Tiefe. Das nächste Mittel hiezu aber bietet sich in ihrer Einlegung mit Kartoffeln und der Kultur derselben dar. Neben diesem aber bedingt das Erforderniß öftern Begießens, vorzüglich für die Saamschulen, bei ihrer Anlage die Berücksichtigung des Daseyns des hiezu nöthigen Wassers.

§. 85. Der Betrieb der Saamenschulen nun fordert die sorgsame Einebnung des Bodens und seine Abschnürung in vier Fuß breite Beete.

Die in diesen zu erziehenden Holzpflanzen aber sind: Eichen, Buchen, Eschen, Hagbuchen, Ahorne und Rüstern, und auſſer diesen: Tannen, Fichten, Forchen und Lerchen.

Die Saamen dieser Gattungen werden nach abgeschnürten Linien der Beeten in der Weise eingelegt, daß sich die Linien von Eichen, Buchen, Eschen, Hagbuchen, Ahornen und Rüstern auf 6 Zolle, der Tannen, Fichten, Forchen und Lerchen hingegen auf vier Zoll von einander entfernt finden. Hierbei werden die Saamen der Eichen und Buchen zwei, der Eschen, Hagbuchen und Ahorne aber einen bis ein und einen halben Zoll hoch mit Erde bedeckt, aber die Säamen der Rüstern, so wie der Nadelholzgeschlechter hingegen wird der Boden nur in der Weise hingezogen, daß sie zu etwa einem Viertels-Zolle mit Erde bedeckt werden.

Müssen nun auch diese Saameneinlagen bei trockner Witterung zuweilen begossen werden, so macht neben diesem ihre freie Exposition doch für alle die Beschirmung der Saamen gegen das Licht durch Belegung der Saamenbeete mit lichtem Reise nöthig, und das Bedürfniß derselben dauert um so länger, als die specifischen Verhältnisse ihres Jugendwachs= thums mehr oder weniger Beschattung fordern.

Diesem zu Folge werden sämmtliche Laubholzge= schlechter in der Regel so lange bedeckt erhalten, bis sich die Bildung ihrer Herzkeime vollständig vollführt hat, den Fichten, Forchen und Lerchen aber wird ihre Bedeckung abgenommen, wenn sich ihre Nadeln ausgebreitet haben; Eichen, Buchen und Tannen hin= gegen werden nach abgenommener Bedeckung in der Weise mit belaubten Zweigen besteckt, daß sie immer nur gebrochenes Licht erhalten.

Hiebei macht sich fortwährende Reinigung der Saatbeete von Unkraut nöthig, und mit wiederholtem Begießen bei trockener Witterung wird bis in den Monat September fortgefahren, wonach dann den Pflanzen die Zeit der so nöthigen Verholzung ge= lassen wird.

Uebrigens werden die Saamenbeete mit dem Ein= tritte des Monats November mit trockenem Laub oder Moos bedeckt, und hierdurch gegen die Gewalt des Frostes geschützt.

§. 86. Der durch diese Saameneinlage sich be= stimmende dichte Stand der Pflanzen beweiset von selbst, daß dieselbe längstens bis in das dritte Früh= jahr in den Saamenschulen erhalten werden können, und fordert also auch spätestens in diesem ihre Aus= hebung und Verwendung für ihre weitere Bestim= mung.

Erstere geschieht mittelst Ausstechung ganzer Klumpen der Pflanzenlinie durch einen Spaten, wo= von dann die einzelnen Pflanzen ohne weitere Schwie=

rigkeit abgelesen und an den Ort ihrer Bestimmung gebracht werden können.

Dieser findet sich in der Regel in dem nach §. 66. 67. 68. 69. 70. 76. und 77. der Nachbesserung der dürfenden Stellen.

§. 87. Da indessen bei dieser Dauer des Wachsthums in den Saamenschulen die Bedingungen der Stärke der Pflanzen, welche sie nach ihrer verschiedenen Bestimmung, z. B. der Einpflanzung der Eichen zu Erziehung des Oberholzes in den Niederwaldungen, der partiellen Bestockung von Viehweiden u. s. w. erhalten müssen, nicht erfüllt werden können, so macht sich die weitere Ausbildung derselben in den Baumschulen §. 93. und 84. nöthig.

Diese wird durch ihre Einsetzung nach geraden Linien zu einem Fuß Entfernung (: · :) und drei bis vierjährigem Wachsthum in diesem Stande bewirkt.

Ihre Verpflegung hiebei beschränkt sich auf wiederholtes Ausjäten des Unkrauts und Begießen bei trockener Sommerwitterung. Die Gattungen aber, welche in den Baumschulen erzogen werden, sind auf Eichen, Hagbuchen und Pappeln beschränkt, welche leztere durch Stöcklinge verschafft werden.

Sollten übrigens für den einen oder andern Zweck stärkere Pflanzen erforderlich seyn, als bei drei- bis vierjährigem Wachsthum zu erwarten stehen, so wird je die zweite einer Linie ausgehoben, die erste, dritte u. s. w. aber zu weiterem Wachsthum übergehalten.

§. 88. Der Aufwand, welcher durch den sorgfältigen Betrieb der Saam- und Baumschulen sich erzeugt, fordert §. 64. die möglichste Beschränkung ihrer Ausdehnung, und nach diesem Princip muß das Maximum der letztern für ein Revier auf die Fläche eines halben Morgens gesetzt werden.

Da indessen vorzüglich der Betrieb der Eichenkultur von großer Wichtigkeit ist, und von dieser Holzgattung der Saame öfters mehrere Tage lang stehet, so erzeugt sich die Nothwendigkeit der Errichtung von Eichenkämpen, in welchen bei eintretendem Saamenjahre eine größere Quantität Eicheln eingebracht werden kann.

Nach geschehener Umfriedigung werden diese bepflügt und mit Kartoffeln eingelegt, um dem Boden den erforderlichen Bau zu verschaffen. Bei eintretenden Saamenjahren aber werden die Eicheln im Spätjahr zugleich mit Winterroggen oder im Frühjahr aber mit Haber eingesät und untergeegt, welcher ihnen für den nächsten Sommer einigen Schutz gewährt und im Herbst geerndtet werden kann.

Aus diesen Kämpen können dann von dem dritten Jahre an bis in das sechste oder siebente jährlich bedeutende Quantitäten Pflanzen ausgehoben und in die Niederwaldschläge versezt werden.

Inzwischen aber tritt wieder ein Saamenjahr ein, ihre Besaamung geschieht von Neuem und es kann also in keinem Jahre an tüchtigen Pflanzen fehlen.

§. 89. Die theils in den Saam- und Baumschulen §. 85. und 87., theils in den nach vorigem §. errichteten Eichenkämpen sich findenden Pflanzenvorräthe übrigens werden nach möglich genauer Schäzung in den durch das Reglement vorgeschriebenen Pflanzenregistern nach den bestimmten Sortimenten aufgeführt, welche dann den angefertigten jährlichen Kulturplanen anzulegen sind.

Vierter Abschnitt.

Grundsätze des Betriebes der Wald-Nebennutzungen.

Erstes Kapitel.

Bezeichnung der wichtigsten Gegenstände der Wald-Nebennutzungen.

§. 90. Der Begriff von Wald-Nebennutzungen und ihr Verhältniß zu der Hauptnutzung der Waldungen wurde oben §. 6. festgesetzt.

Ihren verschiedenen Gegenständen nach aber gefährdet ihr Betrieb entweder die Vervollkommnung und Erhaltung bereits vorhandener Bestände, oder Bildung neuer Bestände.

In einer oder der andern Beziehung erfordert er daher in allen Fällen die größte Aufmerksamkeit.

§. 91. In die Classe derjenigen Wald-Nebennutzungen, welche die Vervollkommnung und Erhaltung bereits vorhandener Bestände gefährden, gehören:

das Harzen, das Wieden- und Besenreis-Schneiden und

das Schnaiten oder Streuhauen.

§. 92. In die Classe derjenigen Wald-Nebennutzungen hingegen, welche die Bildung neuer Bestände hindern, sind:

die Waldweide, die Waldgräserei,

das Streusammeln und die unzulässige Benutzung der Mast

zu setzen.

§. 93. Diesem zufolge beziehen sich also die Wald-Nebennutzungen im Allgemeinen:

auf Harzen, Wieden = und Beseureif=Schneiden, Streusammeln, Benutzung der Mast und der Waldweide, so wie den Betrieb der Waldgräserei.

Zweites Kapitel.

Das Harzen.

§. 94. Das Harzen oder Harzreiffen bezweckt die Gewinnung des Bildungssaftes der Fichten, und muß in dieser Eigenschaft nicht nur hemmend auf den Wachsthum derjenigen Stämme, welche es betrifft, sondern auch zerstörend auf die Qualität der Holzmasse selbst wirken. Der Betrieb dieser Nutzung der Fichtenbestände kann sich also in jeder Beziehung nur nachtheilig für die Forstwirthschaft darstellen, gleichzeitig jedoch, bedingt für die Erreichung mehrerer technischen Zwecke, kann er nicht ganz umgangen und muß daher so unschädlich als möglich zu machen gesucht werden.

§. 95. Dieses zu erreichen, muß in Beziehung auf das Alter der Bestände die Harznutzung so weit als möglich hinausgesetzt werden, um ihnen die möglich längste Dauer des Wachsthums §. 37. zu verschaffen. Es wird daher hiemit festgesetzt, daß kein Distrikt angerissen werden dürfe, wenn er, nach dem begründeten Nutzungsplane, nicht nach Verfluß von längstens zehen Jahren zum Hiebe kömmt; wobei jedoch diejenigen Distrikte ausgeschlossen bleiben, welche vorzüglich zu Bau = und Werkholz bestimmt sind.

In Folge hievon findet aber die Erweiterung eines angerissenen Distrikts nur in dem Verhältnisse statt, in welchem seine Ausdehnung durch die Folge der Schläge beschränkt wurde.

In Besaamungsbeständen und Besaamungsscha-
chen §. 17. hingegen kann durchaus keine weitere
Harznutzung gestattet werden, weil durch dieselbe das
Saamenproduktions = Vermögen gestört würde, und
dasselbe ist der Fall in Absicht der sich etwa finden-
benden Schutzbestände, indem bei ihrem ohnehin früh-
zeitig eintretenden krankhaften Zustande dadurch die
Vermehrung des Borkenkäfers befördert werden müßte.

§. 96. In Absicht auf die Gewinnung des Harzes zeigen sich die Monate Julius und August als
die ergiebigsten; vor und nach denselben jedoch erzeugt sich Bildungssaft, und wird die Abnahme des
Harzes auf diese zwei Monate beschränkt, so wird
wenigstens der vor und nach demselben sich erzeugende Saft für die Holzbildung gewonnen. Auf
gleiche Weise aber wird der in den bestimmten Monaten sich erzeugende Saftverlust minder für die
Holzmasse verderblich, wenn die Bäume nur von einer Seite angerissen werden, weil dadurch in gleichem
Verhältnisse der Saftausfluß beschränkt wird. Es
darf also das Anreissen nie vor Antritt des Monats
Juli beginnen, die Einsammlung des Harzes aber
nur bis in die Mitte des Monats September dauern,
und hierbei jeder Stamm nur von Einer Seite angerissen werden.

§. 97. Unter Beobachtung dieser Bestimmung jedoch sind die §. 95. für das Anreissen zu überlassen-
den Distrikte unter zwei Abtheilungen zu bringen,
und diesem gemäß jedes Jahr nur ihrer einen Hälfte
nach zu beharzen, während die andere Hälfte in diesem Jahre für ihre Erholung übergehalten wird. Vorzügliche Stämme übrigens werden in denselben für
immer dem Anreissen enthoben.

§. 98. Hat indeſſen in den nach vorigem §. für dieſe Nutzung zu überlaſſenden Diſtrikten das Harzen auch nur alternirend ſtatt, ſo werden, zu Herſtellung der erforderlichen Ueberſicht der anzuharzenden Beſtände in den durch das Reglement vorgeſchriebenen Regiſtern gleichwohl die ganzen Diſtrikte, wie ſolche entweder bereits angeriſſen ſind, oder im Laufe des Jahrs angeriſſen werden ſollen, aufgeführt.

Drittes Kapitel.

Das Wieden= und Beſenreis=Schneiden.

§. 99. Wieden und Beſenreis, wenn ſie nicht in den jährlichen Schlägen erlangt, oder erſtere von den für dieſen Zweck an Bächen und Sümpfen mit Sorgfalt zu erziehenden Wieden gewonnen werden können, fordern die ſchwächern Aeſte und Zweige verſchiedener Laubholz=Geſchlechter, und hin und wieder auch der Fichten. In dem Verhältniſſe ihrer Gewinnung wird alſo den derſelben unterliegenden Stämmen ein größerer oder geringerer Theil der für die Erzeugung des Bildungsſaftes nöthigen Organe entzogen und in gleichem Maaße auch ihr Wachsthum beſchränkt.

Gleichwohl indeſſen nicht ganz entbehrlich, iſt die Verſchaffung der nöthigen Wieden und Beſenreiße nicht überall zu umgehen. Es bleibt daher auch nichts übrig, als durch zu ergreifende Maaßregeln die aus dieſer Wald=Nebennutzung für die Forſtwirthſchaft entſtehenden Nachtheile auf die möglichſt kleinſte Größe zu beſchränken zu ſuchen. Die Mittel hiezu aber bieten ſich theils in der Auswahl der Holzarten und Beſtände, theils in der Form, nach welcher dieſe Nutzung vollzogen wird, dar.

§. 100. Unverkennbar nun ist ein großer Theil der erforderlichen Wieden in den jährlichen Schlägen u gewinnen, und also auch allen Ernstes darauf zu sehen, daß solches geschehe. Die Forstoffizianten sind deswegen gehalten, sich die während der Schlagführung sowohl in den Kron = Domainen = Waldungen 2c. von den Holzhauern, als auch in andern Waldungen von den Eigenthümern ausgeschiedenen Wieden vorzeigen zu lassen und ihre Zahl zu notiren.

§. 101. Was jedoch auf diesem Wege nicht gewonnen werden kann, bleibt in den Beständen zu erheben, und es werden hiefür sämmtliche Weidenarten, Haseln, Birken und Hagbuchen bestimmt. Bei dem differenten Werthe dieser Gattungen indessen müssen in jedem Fall zunächst die minder bedeutenden für diesen Zweck verwendet werden.

Finden sich daher Grießhölzer oder Auen §. 27, so sind die in diesen sich darbietenden Weidenarten zunächst für die Gewinnung der erforderlichen Weiden zu bestimmen.

In Ermanglung dieser aber sind die sich findenden Haseln für diesen Zweck zu verwenden.

Und ohne großen Nachtheil kann die Gewinnung der Weiden von den in jungen Hochwaldbeständen sich findenden Birken geschehen.

Sollte sich indessen auch hierzu keine Gelegenheit darbieten, so muß dieselbe in die Niederwaldbestände gelegt werden, und hiervon zunächst die Haseln, dann aber Birken treffen; in Ermanglung dieser auf die Hagbuchen fallen.

In Absicht dieser wie jener jedoch bleibt es Gesetz, die Bestände gegen diese Art von Nutzung so lange als möglich zu schützen und dadurch die Dauer ihres Wachsthums zu sichern. Diesem zufolge dürfen in keinem Bestande Wieden geschnitten werden, welcher nach dem begründeten Nutzungsplane nicht nach längstens fünf Jahren dem Hiebe unterliegt.

Selbst für diese Bestände aber muß die Wiederholung dieser Nutzung verhütet werden.

Zu diesem Zwecke werden die so eben bezeichneten Bestände in fünf Theile getheilt, wovon dann jährlich je ein Theil dieser Nutzung unterworfen wird, und also, da mit jedem Jahre wieder ein ähnlicher Theil beigezogen wird, selbst auch dann, wenn es in dem einen oder andern an Wieden fehlen sollte, derselben vor dem Eintritte des Hiebes höchstens zweimal unterliegt.

In den Fichtenbeständen hingegen beschränkt sich das Wiedenreissen je auf die Schläge des nächsten Jahrs.

Was hingegen die Floßwieden betrifft, so sind solche jedesmal lediglich in den Durchforstungsschlägen zu erheben.

§. 102. Hiebei läßt sich für diese Fälle das Wiedenbedürfniß genau bestimmen, wenn die §. 101. in den Schlägen gewonnenen Wieden verzeichnet sind. Hierauf aber gründet sich dann die Zahl der Leute, welchen aus jeder Gemeinde nach zuvor erhaltener Belehrung unter Aufsicht der Forstofficianten das Wiedenschneiden oder Reissen überlassen werden kann.

§. 103. Zu Verfertigung der Besen können Pfriemen und die Staude des wilden Gaisblattes verwendet werden, da, wo sich also diese finden, ist, außer dem in den jährlichen Schlägen sich darbietenden Birkenreis, kein anderes Material für diesen Zweck zu verwenden.

In dem entgegengesetzten Falle indessen ist das bedürfende Birkenreis in den §. 101. bezeichneten Hochwaldbeständen, so wie in den für die Gewinnung der Wieden bestimmten Distrikten der Niederwaldbestände zu erheben, wo selbst dann der Abfall von den Wieden, wenn solche von den Birken geschnitten werden, für sich schon einen bedeutenden Theil gewährt.

§. 104. Zur Begründung der erforderlichen Aufsicht übrigens wird in jeder Gemeinde die nach ihrer Größe zu bestimmende Anzahl verläßiger Leute ausgewählt, welchen dann, nach erhaltener Belehrung, das Schneiden des Besenreises zu überlassen ist.

Viertes Kapitel.

Das Streusammeln.

§. 105. Bei einem mit der Größe des Ackerbaues außer Verhältniß stehenden Viehstande bleibt die Gewinnung der Waldstreu ein Bedürfniß, dessen Befriedigung nicht zu umgehen ist.

Sie findet sich ihren Gegenständen nach:

in Tannen- und Fichtenreise, so wie

in Einsammlung der Heide, des Mooses und
des abgefallenen Laubes,

und fordert also in verschiedenen Beziehungen nähere Berücksichtigung.

§. 106. Für die Gewinnung der Reißstreu nun werden die jährlich in Tannen- und Fichtenbeständen zu führenden Schläge, erforderlichen Falles aber auch die in dem nächsten Jahre zum Hiebe kommenden Distrikte immer die erforderlichen Mittel darbieten, dieselbe ist daher auch hierauf zu beschränken.

§. 107. Wo sich Heide findet, wächst dieselbe

17

immer mit dem jungen Holz empor, und kann also, so lange sie von diesem nicht vollkommen überwachsen ist, ohne Gefahr für dasselbe nicht ausgerupft werden. Dagegen aber verliert sie sich mehr oder weniger, je mehr durch weitern Wachsthum das Holz an Schluß gewinnt, und zeigt sich erst in dem Verhältnisse wieder in kräftigerem Wuchse, in welchem das Maaß vorangegangener Kümmerung den Holzbestand gelichtet hat. Dieses ist also auch die Periode, in welcher das Heiderupfen unnachtheilig gestattet werden kann, und es wird deswegen hiemit festgesetzt: daß das Heiderupfen nur in denjenigen Beständen gestattet werden dürfe, in welchen nach bereits vorüber gegangener Kümmerungsperiode die erfolgte Lichtung einen verstärkten Trieb der Heide gestattet, oder dem Alter und der Stärke nach demselben gleichgesetzt werden können.

§. 108. Moosarten finden sich im Allgemeinen immer nur bei einem bestimmten Maaße vorangegangener Lichtung der Bestände, von dem Nadelholz wie von dem Laubholz, in letzterem jedoch stets nur da, wo dem Boden die erforderliche Laubdecke entweder nach den specifischen Verhältnissen des Bestandes fehlt oder gewaltsam entzogen wurde.

Unter diesen Umständen jedoch verschwindet das Moos, sobald es einem höhern Maaße des Lichtzutrittes ausgesetzt wird, wie dieses auf den Schlägen der Fall ist, und geht in Dammerde über.

Im ersteren Falle nun bildet es die gegen das Eindringen der Fröste auf die Wurzeln der Bestände so nöthige Decke, im zweiten aber enthält es das Mittel der Erzeugung der für die Saamen-Keimung so unerläßlichen Damm-Erdenrinde, in dem einen wie

In dem andern Falle wird also seine Hinwegnahme Störung der Holzproduktion, und bei der Dringlich= keit des Bedürfnisses des Mooses muß daher seine Einsammlung so unschädlich als möglich zu machen gesucht werden.

Dieses geschieht, wenn den Beständen für die Bildung der erforderlichen Dammerde während der Dauer ihres Wachsthums die möglich längste Zeit verschafft, dann aber die Einsammlung des Mooses für mehrere Distrikte nur abwechselnd geschieht, und eine bestimmte Zeit vor dem Eintritte des Hiebes gänzlich aufgehoben wird.

Diesem zufolge kann in Hochwaldbeständen, ehe die erste Durchforstung §. 25. 33. und 34. eingelegt worden, in Niederwaldbeständen hingegen, ehe sie nach der festgesetzten Umtriebsperiode §. 51. und 52. die Hälfte ihrer Wachsthumsdauer erreicht haben, nicht Moos gesammelt werden, in beiden Bestandesclassen aber ist die Einsammlung des Mooses fünf Jahre vor dem nach dem Nutzungsplane eintretenden Hiebe einzustellen. Die hiedurch für die Einsammlung des Mooses sich bestimmenden Walddistrikte indessen wer= den ihrer Fläche nach in drei bis fünf Abtheilungen zerfällt, und nach diesen abwechselnd eröffnet. Uebri= gens darf die Einsammlung des Mooses überall nur vermittelst hölzerner Rechen geschehen, um die unter demselben sich findende Dammerdenlage nicht aufzu= regen.

§. 109. Was nun im vorigen §. in Absicht der Einsammlung des Mooses verfügt wurde, findet durchaus auch in Beziehung auf die Einsammlung der Laubstreu Anwendung. Sie darf in den Hoch= waldbeständen nur nach eingelegter erster Durchfor=

ſtung, in den Niederwaldbeſtänden hingegen erſt nach zurückgelegter Hälfte der aus ihrer Umtriebsperiode ſich beſtimmenden Wachsthumsdauer ſtatt haben, und muß in beiden, fünf Jahre ehe der Schlag einge= legt wird, enden. Hiebei werden die für das Laub= ſammeln nach dieſer Beſtimmung zu eröffnenden Di= ſtrikte in drei bis fünf Abtheilungen zerfällt, und von dieſen je Eine jährlich dieſer Nutzung unterwor= fen; die Sammlung des Laubes jedoch darf überall nur vermittelſt hölzerner Rechen geſchehen.

§. 110. Unter dieſen Beſtimmungen übrigens fin= det in Beziehung keiner Art von Streu §. 106. 107. 108. und 109. eine Pachtung in Abſicht einzelner Di= ſtrikte ſtatt, ſondern die Bedürfniſſe werden jährlich, ſelbſt auch in Abſicht auf die Ausübung lagerbuch= mäßiger Gerechtſame, nach dem Betrage von Fu= dern und Trachten, ſo wie der Größen der Flächen= Verbreitung und Beſchaffenheit der Beſtände, aus welchen jenes erhoben werden ſoll, aufgenommen, und in den durch das Reglement vorgeſchriebenen Regiſtern aufgeführt, woſelbſt dann in Beziehung der Berechtigten die Anſprüche auf unentgeldlichen Genuß nachgewieſen werden.

Fünftes Kapitel,
Die Benutzung der Maſt.

§. 111. Die Benutzung der Maſt geſchieht entwe= der unmittelbar, durch das Aufleſen der mit der Rei= fung abgefallenen Früchte der Eichen, Buchen und Haſelnüſſe, oder durch das Einſchlagen der Schweine in die Waldungen zu gleichem Zwecke.

§. 112. Wenn nun die Regeneration der Maſt

probuzirenden Beständе §. 21. 22. u. 27. allein durch
die Besaamung möglich wird, so geht hieraus von
selbst als Gesetz hervor: daß da, wo sich die Besaa=
mung für Bestandes=Regeneration wirksam machen
könne, durchaus keine Mastnutzung zuläßig sey.

Diesem zufolge wird hiemit festgesetzt, daß sämmt=
liche Besaamungsschläge aller und jeder Mastnutzun=
gen enthoben werden müssen.

Da indessen sich die Mastjahre immer nur sparsam
folgen, und also mit größter Sorgfalt für die Rege=
neration benutzt werden müssen, die im Herbst abge=
fallene Mast aber sich immer über den Winter erhal=
ten muß; so erfordert es die Nothwendigkeit: daß
auch sämmtliche in dem bevorstehenden Winter oder
folgenden Frühjahr zum Hiebe kommenden Distrikte
der Mastnutzung enthoben werden.

§. 113. In Absicht auf das Einschlagen der
Schweine aber bleibt wegen der durch das Brechen
der Schweine drohenden Beschädigung der Holzwur=
zeln, vorzüglich das Alter und die Stärke der Bestände
zu berücksichtigen. In Folge hievon ist also als
Grundsatz anzunehmen: daß das Einschlagen der
Schweine in Hochwaldbeständen nur da statt haben
dürfe, wo bereits die erste Durchforstung §. 25. ein=
gelegt worden; in Absicht der Niederwaldbestände
hingegen durch die erreichte Hälfte ihrer durch ihre
Umtriebsperiode §. 53. bemessenen Wachsthumsdauer
bestimmt werde, wenn einzelne dem Bestande unter=
mengte Holzarten oder in dem Wachsthum zurückge=
bliebene Distrikte desselben nicht örtliche Ausnahmen
und in denselben längere Dauer der Hegung fordern.

§. 114. Diesen Grundsätzen gemäß übrigens wird
die jedesmalige sich darbietende Mastnutzung in den

durch das Reglement vorgezeichneten Registern aufgeführt und zu erforderlicher Uebersicht zusammengestellt.

Sechstes Kapitel.
Benutzung der Waldweide.

§. 115. Wenn sich auch für manche Gegenden
die Benutzung der Waldweide zur Bedingung der Sicherung des Unterhaltes ihrer Bewohner macht, so
muß sie doch, da einestheils das Holz mit unter die
unerläßlichsten Lebensbedürfnisse gehört, anderntheils
nach den Verhältnissen seiner örtlichen Erzeugung immer für entferntere Gegenden wirkt; in jedem Falle
der ersten und wesentlichen Bestimmung der Waldfläche §. 1. untergeordnet bleiben, und folglich so viel
möglich unschädlich für die Holzproduktion gemacht
werden.

In dieser Beziehung aber ist sie theils nach den
Gattungen des Weidviehes, theils nach der Beschaffenheit und den Gattungen der Bestände, in welchen
sie gestattet wird, theils nach der Zeit ihres Betriebes zu unterscheiden.

§. 116. Unverkennbar sind nicht alle Viehgat-
tungen in gleichem Maaße gierig nach dem Genusse
der Holzpflanzen, und in dieser Beziehung scheiden
sich zunächst Schaafe und Ziegen von allem andern
Weidvieh aus, denselben bleibt daher, nach den bestehenden ältern Verordnungen, die Waldweide auch
für die Zukunft gänzlich verschlossen, wenn nicht bestehende Verträge rechtsbegründeter Ansprüche auf
Weidgang in den Waldungen ihnen denselben sichern,

Wenn nun aber auch im Allgemeinen die in den meisten Fällen immer nur kurze Zeit auf der Weide hinbringenden Pferde sich minder schädlich für den Waldbestand zeigen, als dieses in Absicht des Rindviehes der Fall ist, welches den größten Theil des Tages auf der Weide verweilt, so ist gleichwohl auch in Absicht jener zu unterscheiden.

Alte müde Arbeitspferde, welche, wenn sie ihren Hunger gestillt haben, sich der Ruhe überlassen, sind bei weitem weniger schädlich, als junge Thiere dieser Gattung, welche bei ihrer natürlichen Lebhaftigkeit mehr verderben, als sie als Nahrung zu sich nehmen. Hierbei jedoch flüchtig und regsam, schaden sie auch in dieser Eigenschaft weniger, als das Rindvieh, welches bei der ihm angestammten Gefräßigkeit nur ruht, um wiederkäuen zu können, und alles verschlingt, was sich für seinen nie gestillten Hunger darbietet.

Wenn also diesen Verhältnissen zu Folge, bestimmte Walddistrikte unnachtheilig den Arbeitspferden zum Weidgange überlassen werden können, so kann dieses nicht auch für junge Pferde geschehen, es kann noch weniger für das Rindvieh statt haben, welches sich unter allen Umständen verderblicher zeigt, als diese sich darstellen.

§. 117. Aehnliche Verhältnisse stellen sich in Absicht auf die Waldbestände selbst dar.

Wenn es auch allgemeines Gesetz ist: daß nur da der Weidgang gestattet werden kann, wo Gipfel und Aeste durch die erlangte Höhe des Holzbestandes dem Verbeißen des Viehes entwachsen sind, so bleibt immer noch der specifische Reiz, welchen die Gattung für das Weidvieh hat, und dem zu Folge das Letztere auch die ihm scheinbar lang entwachsenen Stämme niederbeugt, zu berücksichtigen. In dieser Beziehung können weit früher Nadelholzbestände der einen oder andern, nach vorigem §. bezeichneten Viehgattung zur Weide eingegeben werden, als dieses in Absicht auf Laubholzbestände bei erreichter gleicher Höhe und Stärke geschehen kann. Unter den letztern aber werden reine Birkenbestände ohne Nachtheil früher für die Weide eröffnet, als in Beziehung anderer möglich ist.

Bei erreichter gleicher Stärke und Höhe hingegen sind unter den Laubholzbeständen die aus Saamen erwachsenen Bestände weit früher zu eröffnen, als solches für Bestände, welche sich durch Stockausschläge regenerirt haben, und bei dem schwächern Verbande ihrer Stangen mit den Stöcken in Menge von dem Weidvieh abgedrückt werden, geschehen kann.

Neben den in vorigem §. bezeichneten Verhältnissen der Verschiedenheit des Weidviehes selbst, sind also auch die hier bemerkten Verhältnisse der Holzbestände bei Eröffnung der Waldweiden aufmerksam zu beachten.

§. 118. Unter allen Umständen indessen haben die jungen saftreichen Triebe der Holzpflanzen für alle Gattungen des §. 116. bezeichneten Weidviehes größern Reiz, als sie nach ihrer begonnenen Verholzung zeigen.

Unverkennbar muß daher in Absicht einer und ebenderselben Viehgattung und desselben Bestandes die Weide gefahrvoller im Frühjahr und Vorsommer seyn, als sie sich im Nachsommer oder Herbste zeigen kann.

Aehnliche Verhältnisse aber stellen sich in Absicht auf die Dauer oder die Wiederholung des Weidgan= ges in ein und ebendemselben Diskrikte dar. Je mehr nemlich das Weidvieh auf einen Diskrikt gebannt ist, oder je öfter die Betreibung desselben wiederholt werden muß, in gleichem Verhältnisse früher müssen vorhanden gewesene Gräser und Kräuter aufgenom= men und verzehrt seyn, und in gleichem Maaße muß sich also das Weidvieh genöthigt finden, seine Nahrung den Holzpflanzen abzugewinnen. Während also die Waldweide mehr oder weniger verherblich für die Holzbestände im Allgemeinen durch die Jahreszeit werden muß, in welcher sie betrieben wird, wird sie es auch durch die Dauer, nach welcher sie für einen und denselben Walddistrikt statt hat; und ihre mehr oder mindere Schädlichkeit in dieser Beziehung muß sich unter allen Umständen aus dem Verhältnisse der Größe der Weidfläche zu der Zahl des Weidviehes bestimmen.

§. 119. Nach diesen Grundsätzen übrigens wer= den jährlich die sich zeigenden Weidgesuche geprüft, und in den durch das Reglement vorgeschriebenen Registern vorgetragen. In Absicht der in densel= ben anzugebenden Weidflächen jedoch werden nicht nur diejenigen Diskrikte, welche neu eröffnet werden, sondern auch die von vorigen Jahren bereits eröffne= ten aufgeführt, um die nöthige Uebersicht des gan= zen Weidganges zu erhalten.

Siebentes Kapitel.
Betrieb der Waldgräserei.

§. 120. Der Betrieb der Waldgräserei bezweckt die Gewinnung der auf der Waldfläche, neben den

Holzpflanzen sich findenden Gras = und Kraut = Arten
und wird als Nebennutzung nur da zuläßig, wo er
ohne Nachtheil des Holzbestandes statt haben kann.

Diese Bedingung wird theils durch die Zeit, in
welcher der Betrieb der Waldgräserei in Absicht auf
das Alter der Bestände geschieht, theils durch die Form,
welche ihm gegeben wird, erfüllt.

§. 121. Unverkennbar ist, daß, so lange die Wur-
zelverbreitung der jungen Holzpflanzen noch beschränkt
ist, und diese also auch in gleichem Verhältnisse leicht
ausgehoben werden können, die Waldgräserei überall,
auch wenn sie durch bloßes Ausraufen oder Rupfen
mit der Hand geschieht, für die Holzbestände verderblich werden müsse. Es resultirt also hieraus: daß
sie im Allgemeinen nur da gestattet werden könne,
wo die Holzpflanzen Stärke genug erreicht haben,
dem Ausziehen mit dem Grase zu widerstehen. Bei
der Verschiedenheit des Wurzelbaues verschiedener
Holzgattungen macht sich jedoch hierüber nie ein allgemeines Gesetz möglich. Indessen ist einleuchtend,
daß, bei erlangter gleicher Höhe sämtliche Nadelholz = Geschlechter den Betrieb der Waldgräserei später als die Laubholzbestände gestatten, unter diesen jedoch die weichen Gattungen denselben früher
thunlich machen, als bei den harten der Fall ist.

Aehnliche Verhältnisse treten in Absicht auf die
Zeit des Betriebes der Waldgräserei ein. So lange
die jungen Jahrstriebe noch saftvoll und krautartig
sind, vermögen sie keinem Angriff zu widerstehen;
haben also auch die Holzpflanzen wirklich die so eben
bezeichnete Stärke und Höhe erreicht, so ist es nicht
möglich, in dieser Zeit sie bei dem Betriebe der Waldgräserei gegen Abdrücken der Jahrstriebe zu sichern,

und die Folge davon müßte dieselbe seyn, welche von
ihrem Verbeißen durch das Vieh zu erwarten wäre.
Es erzeugt sich also hieraus die Nothwendigkeit: daß
Schonungen und Schläge, so lange der Holz-Be-
stand nicht diejenige Höhe erreicht hat, bei welcher
seine jungen Triebe durch die Grasleute nicht mehr
abgestoßen oder abgedrückt werden können, frühestens
mit dem Eintritte des Monats Juli für den Betrieb
der Waldgräserei eröffnet werden.

Bis zu dieser Zeit beschränkt sich also derselbe auf
ältere Bestände, welche §. 117. für den Weidgang
geschlossen sind, für den Betrieb der Waldgräserei
unter der eben getroffenen Bestimmung aber unnachtheilig eröffnet werden können.

§. 122. Unter Beobachtung der in vorigem §.
enthaltenen Bestimmungen indessen bleibt die Form
des Betriebes der Waldgräserei im allgemeinen immer auf das Rupfen des Grases mit der Hand beschränkt, und Ausnahmen hievon können allein in
solchen Beständen gemacht werden, welche nach §. 117.
etwa bereits für den Weidgang eröffnet werden könnten, und also Stärke genug erlangt haben, um von
der Sichel weder abgeschnitten, noch in ihrer Rinde
bedeutend beschädigt werden zu können.

§. 123. Uebrigens werden sämmtliche Waldgrä-
sereigesuche jährlich aufgenommen, und sowohl ihren
neuen Beziehungen nach; als auch in Absicht der
schon früher für die Waldgräserei eröffnet gewesenen
Distrikte in den durch das Reglement vorgezeichneten
Registern mit der erforderlichen Bestimmtheit ausgeführt.

4. Bestimmung der Holzpreise.

Der Preis des Holzes nach der Taxe wird sich aus nachfolgenden Angaben der Hauptsortimente beurtheilen lassen.

1 Klafter buchen Scheitholz	.	.	4 fl. — 14 fl.
1 — — Prügelholz	.	.	3 - — 10 -
1 — eichen Scheitholz	.	.	3 - — 10 -
1 — — Prügelholz	.	.	2 - — 8 -
1 — Tannenholz	.	.	2 - — 6 -
100 Stück buchen Reisig	1 fl. 20 kr. — 4 fl. 40 kr.		
1 Kubikfuß eichen Werkholz	.	.	9 kr. — 15 kr.
1 — — Bauholz	.	.	9 - — 15 -
1 — Buchenholz	.	.	9 - — 13 -
1 — Tannenbauholz	.	.	3 - — 6 -

Der Holzmacherlohn, welcher hierbei mit begriffen ist und der aus der Staatskasse bezahlt wird, beträgt für ein Klafter Scheitholz ½ — 1½ fl. der Fuhrlohn beträgt auf eine Stunde Wegs p. Klafter 2 fl. Im Durchschnitt kann auf 4 Stücke Zugvieh 1 Klafter Brennholz geladen werden, auf chaussirten Wegen kann 1 Klafter Brennholz auch mit zwei Stücken Zugvieh beigefahren werden.

Der Marktpreis steigt selbst in der Nähe großer Staatswaldungen oft auf mehr als das doppelte, und das Klafter Buchenholz wird auf dem Markte zu Stuttgardt und in der Umgegend mit 20 bis 25 fl. ja oft noch theurer bezahlt. Die Totalsumme des in allen Waldungen von Würtemberg jährlich zur Nutzung kommenden Materials ist wenigstens öffentlich nicht bekannt. Doch läßt sich der jährliche Verbrauch beiläufig nach der Seelenzahl bestimmen.

Memminger nimmt auf eine Ehe etwas über 6 Menschen an. Auf eine Familie mögen nach Privatbeobachtungen nahe an 5 kommen, die öffentlichen Tabellen geben hierüber keinen Aufschluß, da sie weder Wittwen noch Hagestolzen enthalten. Nimmt man auf jede Familie (zu 5 Seelen) jährlich überhaupt 3 Klafter Brennholz, und nimmt man dazu, was an Leseholz gesammelt wird, und an Bau= und Werkholz nöthig ist, so wird einschließlich des Bedarfs für alle bürgerliche Gewerbe auf jede Familie allerhöchstens 5 Klafter Holz zu 144 Kubikfuß Raum anzunehmen seyn. Da nun auf jede Familie über 6 Morgen Waldfläche zu rechnen sind, so würde auf jeden Morgen fünf sechstels Klafter jährlicher Holzzuwachs kommen, was im Allgemeinen mit der Erfahrung in sofern ziemlich genau übereinstimmt, als man im gegenwärtigen Fall die holzleeren Waldflächen mit in Anschlag bringt. Der Betrag des zum Betrieb der Hütten, Salinen, der Holzausfuhr u. s. w. nöthigen Holzbedarfs würde sich gegen die Holzeinfuhr auf der Achse aus den benachbarten Fürstenthümern Hohenzollern = Hechingen und Sigmaringen, aus Baiern aber auf sogenannten Pflaudern in der Iller — in Schlesien Matatschen genannt — beigeflößt wird, und die Torfgräbereien wohl ausgleichen, und noch besonders auszumitteln seyn.

Die in Würtemberg gebräuchlichen Holzmaaße sind für das Brennholz die Klafter zu 6 Fuß Höhe, 6' Breite und 4' Tiefe, also die Klafter zu 144 Kubikfuß Raum. Das Reisig wird in Wellen hundertweise aufgesetzt, und jede Welle hat 4 Fuß Länge und drei Fuß Umfang, also 3 ⁴⁄₇ Kubikfuß Rauminhalt, und 300 Wellen werden einem Klafter Holz an

Werth gleich gesetzt, 100 Wellen aber gelten für 39¼ Kubikfuß solide Holzmasse.

Die Bau = und starken Werkhölzer werden im Runden nach dem Kubikinhalt berechnet und abgegeben, wobei der Landesfuß zu 1¼² Theile des Pariser zum Grunde gelegt wird. Nach den bestehenden herrschaftlichen Taxen wird in den Staatswaldungen alles Holz veräußert. In dem Schwarzwalde kommen in jedem Revier — in manchem Revier sogar zwei verschiedene Holzpreise vor, und die Marktpreise weichen immer mehr oder weniger von den Taxen ab.

Subhastations = Verkäufe kommen in den Staats= waldungen nur Ausnahmsweise, in den Privat = und Communwaldungen aber als Regel vor.

Die Erdstöckegewinnung in den Kronwaldungen geschiehet durch Lizitationsverhandlungen, wobei der Wagen gewöhnlich für 3 fl. verkauft wird.

In Hinsicht des Betriebes der Forstnebennutzungen ergeben sich vom Jahr 1819 folgende Resultate:

1) Für den Weidgang von 45,391 Stück Rind= vieh und 3,959 Pferde waren 183,114⅝ Morgen Kron= waldungen, also mehr als ¼ der ganzen Fläche eröffnet. Wo nicht begründete Gerechtsame vorliegen, wird ein festgesetztes Weidgeld entrichtet.

2) An Waldstreu wurde abgegeben:

an Laub und Moos . . 19,718 Fuder,
— Haiden . . . . 5,862 —
— Reiß . . . 702 —

Zusammen 26,282 Fuder, wozu die Fläche von 86,973½ Morgen Kronwald be= stimmt war. Sie betraf etwas über ⅓ der ganzen mit Holz bestandenen Fläche. An diesen Streubezug

kamen zur Bezahlung 8,058 Fuder; theils aus Ge=
rechtigkeit, theils aus Herkommen wurden unentgeld=
lich abgegen 18,224 Fuder.

3) Die Waldgräserei verbreitet sich über 20,266
Morgen Kronwald und wurde gegen die auf die Per=
son erhaltenen Erlaubnißscheine benutzt.

4) Die Harznutzung bezog sich auf 24,724½ Mor=
gen Kronwaldungen, und hatte nur in einzelnen For=
sten von zusammen 111,383⅛ Morgen, welche reine
Nadelholzbestände haben, statt. Sie dehnte sich also
über mehr als ⅕ der ganzen Fläche aus. Dieses Miß=
verhältniß wird sich durch die Vorschreibung der
Schläge heben, weil früher abgeschlossene Kontrakte
und viele bereits angerissene Bestände die Ursache
dieses Mißverhältnisses sind.

5) Die Nutzungen von 126 Steinbrüchen,
     —   16 Lehmgruben,
     —   24 Thongruben,
     —   30 Sand = und Erzgruben,
     —   14 Mergelgruben,
welche sich in den Kronwaldungen finden, geschehen
entweder nach Pachtungen oder nach bestimmten Quan=
titäten, und es sind wenige Gerechtsame darauf be=
gründet.

6) Die Ameiseneier konnten außer dem, für die
königliche Fasanerie abgegebenen Forste nur in einem
Forste verpachtet werden.

7) Die Waldschnecken warfen nur einen geringen
Ertrag ab.

8) Von wilden Bienen konnten nur 23 Schwärme
verwerthet werden.

9) Die Landjagden sind bis auf wenige Distrikte
verpachtet.

10) Zur Rugung wurden in den 6 Monaten vom April bis September 1819 gebracht.

Weid = Excesse mit	. .	1,486	Stück Pferden,
—	.	10,223	— Rindvieh,
—	.	9,504	— Schaafen.
—	.	196	— Ziegen,
—	.	19	— Schweinen.

Zusammen 21,428 Stück Vieh.

Durch Waldgräserei . .	4,621	Straffälle.
Streusammeln	2,377	—
Bodenstechen . . .	23	—
Holzdiebstähle	9,270	—
Wieden = und Besenreißschneiden	563	—
Minder wichtige Vergehen .	5,880	—
Jagdvergehen . . .	54	—

Zusammen 22,788 Straffälle,
wovon bei den königlichen Gerichtshöfen angeklagt
wurden: . . . . . 161 Straffälle,
also durch die königliche Forstämter
abgewandelt worden sind . . 22,627 —
wobei die Gefängnißstrafen 5,343 Tage betrugen.

11) Die Ausstockungen zur Erweiterung der land=
wirthschaftlichen Waldkultur betrugen:

Von den Kronwaldungen . .	79	Morgen.
Hofdomainen = Waldungen . .	30¼	—
Gutsherrlichen — . .	42¼	—
Stiftungs — — . .	5¼	—
Gemeinde — — . .	251¼	—
Privat — — . .	68¼	—

Zusammen 477½ Morgen.

Außerdem wurde für temporäre landwirthschaft=
liche Benutzung an holzlosen Gemeindewaldplätzen ab=

gegeben 11,657⅓ Morgen., welche aber nach einer bestimmten Zeit der Holzzucht wieder zurückgegeben
werden.

Die durch die gegenwärtige Forstverfassung her-
beigeführten finanziellen Verhältnisse, gehen aus den
Einnahmen und Ausgaben der Staatskasse von und
für den Forstbetrieb und aus dem hiernach bleibenden
reinen Ertrage hervor. Dieser aber stellt sich nach
Abzug der Kosten: für Administration und Schutz,
für Entrichtung der Grundlasten, für die Bewirkung
der Produktion dar.

Die Kosten für die Administration bestehen:

a) in den Besoldungen der Oberförster und ihrer
   Assistenten, der Revier= und Unterförster zur
   Hälfte, weil letztere auch für den Forstschutz zu
   wirken haben.

Die Ober= und Revierförster haben auch für alle
übrige Waldungen zu wirken, und ein Theil ihrer
Besoldung muß daher auf Rechnung der höhern
Staatspolizei gesetzt werden;

b) in den Diäten und Reisekosten;
c) in den Amtserfordernissen.

Als Kosten für den Forstschutz sind zu betrachten:

a) Die Besoldungen der Unterförster zur zweiten
   Hälfte und die der Waldschützen;
b) der Aufwand für außerordentlichen Forstschutz;
c) der Aufwand der Delationsgebühren;
d) die Einzugsgebühren von den Forststrafen;
e) die Grenzrenovations= Vermessungs= und Kar-
   tirungskosten.
f) Die Proceßkosten.

Zu den Kosten der Grund= und Reallasten können
nur die unmittelbaren Abgaben von Gerechtigkeits=

18

holz, Passiv-Holzzehnden ꝛc. gerechnet werden.

Als Kosten für die Produktion sind anzusehen:

a) der Aufwand für Kultur;

b) die Ausgabe für Holzhauerlöhne ꝛc.

c) der Aufwand für die Unterhaltung und Herstellung der Abfuhrwege, so wie der Errichtung von Rißen und Schlittwegen, und die Bestreitung zufälliger Ausgaben.

Hiernach berechnet sich der Aufwand im Verhältniß zu der Einnahme für die Staatskasse auf folgende Art:

1) für die Administration . .	$17\frac{5}{6}$	Procent.
2) — den Forstschutz . . .	$11\frac{2}{6}$	—
3) — die Bestreitung der Reallasten	$12\frac{1}{2}$	—
4) — die Produktion . . .	15	—
Zusammen	$56\frac{4}{6}$	Procent.

Die würtembergischen Staatswaldungen bieten daher einen reinen Ertrag von 43 $\frac{2}{6}$ Procent dar, wenn, wie hier, jede Ausgabe auf Administrations-schutz, Reallasten und Produktion bis zur baaren Einnahme in Kalkul genommen werden.

5) Das Forstrechnungs- und Kontrollwesen.

Die Kameralämter haben die Verrechnung der gesammten Einnahmen ihres Bezirks

aus den Hoheits- und obrigkeitlichen Rechten, mit Ausnahme der eigentlichen Steuern, und aus dem Domanialbesitz.

Sie bestreiten von diesen Einnahmen die Kosten ihrer unmittelbaren Verwaltung, und liefern ihren Ueberschuß zur Staatshauptkasse ab. Die Kameralämter besorgen die Verwaltung unter der Leitung der Finanzbehörden, welchen die Bestätigung ihrer Verrechnung zusteht;

Vereinigung der Forst = und Jagdverrechnung mit den Kameralämtern.

Da in Folge der Auflösung der bisher bestandenen Forstkassenämter die Kameralämter auch die Forstgefälle von den ihnen zugetheilten Revieren zu verrechnen haben; so sind die Rubriken der Forst = Etats mit in die Rechnungen der Kameralämter aufzunehmen, in welcher Beziehung zur Absonderung dieses Zweigs der Staatseinkünfte folgendes zu beobachten ist:

a) Sowohl die Einnahmen als die Ausgaben aus der Forst = und Jagdverwaltung werden unter einer besondern Hauptabtheilung vorgetragen. Zur Erhaltung einer nähern Uebersicht über den Forst = und Jagdertrag sind die Lieferungen, welche von diesen Einnahmen an die Staatshauptcasse gemacht werden, besonders zu unterscheiden. In dem Hauptbuche der Staatshauptcasse wird eine eigene Abtheilung für diese Lieferungen gehalten werden.

In der Rechnung selbst wird zwar dieser Ertrag mit dem der Kameralverwaltung auf eine Hauptsumme gebracht; es werden aber in der Ausgabe die auf die Forst = und Jagdgefälle gemachten Lieferungen mit der Abtheilung baar und mittelst Aufrechnung abgesondert aufgeführt, und bei dem summarischen Zusammentrag der Rechnungs = Rubriken die Resultate der Forst = und Jagdverwaltung, besonders zusammengestellt, um die Einnahme und Ausgabe vergleichen zu können.

b) Die Materialrechnung über den Ertrag der Forste wird von den Forstämtern geliefert, die Kameralämter verrechnen daher blos den Gelderlös von dem zum Verkaufe gebrachten Holze, so wie den Geldbetrag desjenigen, welches an die verschiedenen Zweige der Staatsverwaltung in Natur abgegeben, aber in den Staatsrechnungen in Geld ausgeglichen wird, sie verrechnen ferner die Forsthoheitseinkünfte und Nebennutzungen, den Ertrag der Jagd und den gesammten Aufwand der unmittelbaren Verwaltung. Die Rechnung eines jeden Kameralamts wird durch die mit den Materialrechnungen der Forstämter übereinstimmenden, von den Oberförstern beurkundeten Unterrechnungen (Particulare) der Revierförster begründet.

Bei der Rechnungsprüfung wird sodann die Materialrechnung eines Forstamts mit den Kameralrechnungen seines Bezirks verglichen, und so die vollkommene Uebereinstimmung der Geld- und Material-Verrechnung hergestellt.

c) Die Aktiv- und Passiv-Reste, welche sich in der Forst- und Jagdverwaltung ergeben, werden jedoch in den folgenden Rechnungen dem Wesen nach nicht unterschieden, sondern unter die Rubrik: „Reste" im Allgemeinen aufgenommen und verrechnet, in den Ausstandsverzeichnissen aber nach Revieren abgetheilt.

d) Die Verzeichnisse über die Forst- und Jagd-Nebennutzungen, über die allgemeinen und besondern Verwaltungskosten, übergeben die Forstämter den Kameralbeamten mit allen zur Verrechnung erforderlichen Belegen.

Die Kameralämter können Abschlagszahlungen auf diese Ausgabe nur innerhalb der Etatsätze und nicht anders, als auf vorangegangene Zustimmung des Forstamtes leisten.

e) Die allgemeinen Verwaltungskosten, so weit sie einen ganzen Oberförsterei = Bezirk treffen, kommen in die Verrechnung desjenigen Kameralamts, in dessen Bezirke das Forstamt seinen Sitz hat.

Sollten aber bei diesen die Einnahmen dazu nicht hinreichen, so werden sie bei jenem Kameralamt eingebracht, welches den größern Theil der Forstgefälle verrechnet. Von einem solchen Falle ist sodann besonderer Bericht an die Oberrechnungskammer zu erstatten, damit das Kameralamt bestimmt werde, welches die Kosten zu übernehmen hat.

f) Die Special = Etats der einzelnen Reviere werden den Kameralrechnungen zur Begründung der Verrechnung beigeschlossen.

Jeder Unterrechner liefert eine abgesonderte Rechnung, und die Resultate werden bei der Beamtung in eine Hauptübersicht gebracht.

Die Forst= und Jagdeinkünfte.

Da bei der Forst = und Jagdverwaltung die Kameralämter rein erhebend sind, und die ganze Administration von den Forstämtern geführt wird, so werden in dem Amtsgrundbuche des Kameralamts pur jene Verhältnisse aus der Forst = und Jagdverwaltung aufgeführt, welche sich auf die Erhebung beziehen.

Hierzu kommen also:

a) Bestimmungen über Pachtungen von Haupt, und Nebennutzungen.

b) Dekrete, wodurch Concessions = Gelder, Forst= zinse ꝛc. aufgelegt worden sind.

c) Regulirung der Besoldungen.

d) Darstellung der Grundabgaben.

e) Besondere Verhältnisse, welche bei den einzel= nen Gattungen von Verwaltungskosten zu be= rücksichtigen sind.

Die Beschreibung der Waldungen selbst, die Dar= stellung der Gerechtigkeitsabgaben ꝛc. wird bei dem Forstamte unmittelbar geführt.

Forst= und Jagdverrechnung.

Die Einnahmen von der Forst= und Jagdver= waltung haben die Kameralämter unter einer beson= dern Hauptabtheilung vorzutragen.

Der Forstrath ist die obere Behörde der ganzen Forst= und Jagdverwaltung, und hat als solche nicht nur die Einnahmen, sondern auch die Ausgaben zu Verrechnung anzuweisen. Die Verfügungen des Forstraths gehen unmittelbar an die Forstämter, welche die Kameralämter denselben, in so weit sie die Erhebung und Verrechnung betreffen, im Original oder in beglaubigter Abschrift mittheilen.

Einnahmen der Forstverwaltung.

Für die Verrechnung der einzelnen Rubriken wird bemerkt:

I) Aus der Forstverwaltung.

1) Aus forsteilichen Rechten.

a) Strafen und Confiscationen.

b) Beiträge zu Rugtagskosten.

Diese werden nach den von den Forstämtern aus= zustellenden Urkunden , welche den Kameralämtern nach Revieren abgetheilt, monatlich zu übergeben sind, verrechnet. Das Soll wird monatlich aus der Strafurkunde eingesetzt, und die Berichtigung allmäh= lig nachgewiesen. Finden sich aber in den Strafur= kunden sehr viele einzelne Strafansätze, so kann zur Abkürzung die Summe von Strafen und Confiscatio= nen auf einen Betrag zusammen gezogen werden.

 c) Concessions = Gelder,

 d) Holz = und Harzzehnten ,

 e) Forstzinse

werden nach den von den Forstämtern mitzutheilen= den Dekreten des Forstraths unter das Soll einge= setzt, und in dem Amtsgrundbuche vorgetragen.

 2) Aus dem Waldeigenthum.

 a) Holzertrag.

Die Verrechnung geschieht nach den von den Forst= ämtern auszustellenden Registern, welche abgetheilt nach Revieren, jeden einzelnen Schuldner mit dem empfangenen Holz und der Geldschuldigkeit darstellen müssen.

Diese Register sollen enthalten :

 aa) das wirklich verkaufte Holz mit der Unter= abtheilung an Privaten, an königliche Holz= verwaltungen ;

 bb) die für andere Zweige der Verwaltung geleisteten Holzabgaben , unter Anzeige der den geeigneten Kassen dafür aufzurechnen= den Preiße ;

 cc) das abgegebene Gerechtigkeitsholz, unter Anzeige der Forsttaxe , und des von den be= rechtigten zu ersetzenden Betrags.

Hiernach wird das Soll summarisch von jedem Revier und jeder Holzgattung (wie es bei dem Amts- grundbuche des Kameralamts bemerkt ist) berechnet und die Berichtigung nachgewiesen.

Die Holzpreise werden nach dem ganzen Ansatz in einer Summe verrechnet, ohne die Holzhauerlöhne, Stammiethe und Accise zu unterscheiden, die Accise wird dagegen in der Ausgabe ausgeschieden, um der Accise = Casse abgeliefert zu werden. Da die Holz- gelder in der Regel an besondern Einzugstagen erho- ben werden, so werden die einzelnen Zahlungen in den Heberegistern bemerkt, und die Gesammteinnahme eines Einzugtages summarisch in das Tagbuch und Hauptbuch übertragen. Einzelne Zahlungen, die ausser den Einzugstagen vorfallen, werden aber be- sonders im Tagebuche und Hauptbuche eingesetzt:

b) für Aeserich;
c) für Holzsaamen;
d) für Harzscharren;
e) für Streue;
f) Zins aus verliehenen Waldböden;
g) Bestandgelder von Theerbrennen und Pot- asche = Sieden.

Diese Einnahmen werden durch genehmigte Pacht- protocolle oder besondere Dekrete des Forstraths be- gründet. Das Soll wird unter Aufführung der ein- zelnen Schuldner eingesetzt, und die Berichtigung nachgewiesen. Die Pachtverhältnisse und die einzelnen die Erhebung begründenden Dekrete werden in dem Amtsgrundbuche vorgetragen.

Einnahme der Jagdverwaltung.

II) Aus der Jagdverwaltung.

1) aus dem Jagdrechte.

  a) Strafen werden wie die Forststrafen behandelt.

  b) für aufgehobene Jagdfrohnen.

Hier sind blos die für immer oder auf längere Zeit bestimmten Jagdfrohngelder einzubringen.

Wenn Jagddienste ganz abgekauft werden, so ist der Betrag unter den Grundstocksveränderungen zu verrechnen. Die Frohngelder sind übrigens durch Dekrete des Forstraths zu begründen, in dem Amtsgrundbuche vorzutragen, und das Soll ist in der Rechnung summarisch einzusetzen.

  c) Hundausstockungs = Surrogate werden, wenn sie früher schon regulirt sind, unter Berufung auf das betreffende Dokument in dem Amtsgrundbuche bemerkt, wenn sie neu angesetzt werden, nach den Dokumenten des Forstraths eingetragen, die Dekrete selbst aber in dem Amtsgrundbuche bemerkt.

Die Verrechnung geschieht unter Aufzählung der einzelnen Schuldner.

2) Jagdvertrag.

  a) Durch Selbstverwaltung.

Die Verrechnung wird durch Schußregister, welche die Unterförster nach der Forstdienstinstruktion zu liefern haben, nachdem solche von dem Revier = und Oberförster unterzeichnet sind, begründet. Die Preise werden entweder durch Verkauf im Aufstreich oder durch Taxen des Forstraths bestimmt, und die Register vierteljährig von den einzelnen Revieren dem Kameralamte zugestellt. Die Verrechnung geschieht summarisch unter Zugrundlegung dieses Registers.

Wenn Abgaben für die Civilliste oder auf Depu=
tate geleistet werden, so wird der Geldertrag in Ein=
nahme und der Staatshauptkasse als eine Lieferung
aufgerechnet.

b) Durch Pacht.

Die genehmigte Pacht = Verhandlung wird in dem
Amts=Grundbuche vorgetragen, und hiernach das Soll
unter Anführung eines jeden Pächters berechnet.,

c) Nebennutzungen

werden nach genehmigten Pachtprotokollen, oder nach
Urkunden der Revier= und Unter=Förster verrechnet,
und das Soll wird unter Anführung der einzelnen
Schuldner vorgetragen.

Ausgaben
auf die Forst = und Jagd=Verwaltung.

Mit der Verrechnung der Besoldungen der An=
bring=Gebühren und der Kosten für die unmittelbare
Forst= und Jagd=Verwaltung wird es in der Haupt=
sache eben so gehalten, wie es bei dem Aufwande für
die allgemeine Verwaltung verordnet ist.

Die Natural=Besoldungstheile und Pferdsrationen
der Forstbeamten mit Ausnahme des Holzes werden
unter Besoldungen in Geld verrechnet, und, insofern
die Beamtung das Natural selbst abgegeben hat, un=
ter dem Naturalerlös nach der Etatinstruktion der
Kameralämter in Einnahme gestellt. Die Holzbesol=
dungen der Forstbeamten werden in Natur in der Forst=
Rechnung verrechnet, wie weiter unten vorkommt,
jene Holzbesoldungen und Abgaben aber, welche für
die Kameralverwaltungen geleistet werden, kommen
als verkauft in Ausgabe, und der Geldbetrag wird durch
Einnahme und Ausgabe durchlaufend verrechnet.

Die Verzeichnisse über nichtständige Ausgaben

als Kulturkosten, Wegerhaltung, Schlagvermessungs=
kosten, Holzmacherlöhne 2c., Schuß= und Fanggel=
der und andere Jagdkosten werden durch die Forst=
beamten nach den in der Forstdienst=Instruktion vom
31. Decbr. 1818. ertheilten Bestimmungen bearbeitet
und eingeschickt, und nach eben dieser Instruktion ha=
ben sich auch die Kameralbeamten wegen der zu lei=
stenden Zahlungen zu achten.

Rechnungen der Revierförster.

a) Einnahme.

Die Revierförster haben die Verrechnung des gan=
zen Naturalforst= und Jagd=Ertrags ihres Reviers zu
besorgen.

Ihre Rechnung wird nach den Etatsrubriken ge=
bildet, und zwar:

Einnahme

I) aus der Forstverwaltung,

1) aus forstlichen Rechten. Holzzehnten.

Die Einnahme hievon gründet sich entweder auf
eine genehmigte Uebereinkunft, oder auf eine wirkliche
Ausmittelung des Naturalbetrags, worüber eine Ur=
kunde des Unterförsters angeschlossen wird.

2) Aus dem Eigenthum, Holzertrag.

Hier muß das Waldstück und das Holzerzeugniß
nach dem von den einzelnen Waldschlägen gefertigten
Aufnahmeregister aufgeführt werden.

II) Aus der Jagdverwaltung.

Hier muß nach den Schußregistern der Unterför=
ster der Ertrag an Wildbret aller Art, und sodann die
Einnahme an Häuten, Fellen und Hirschgeweihen
nach beurkundeten — das Jahr hindurch geführten
Registern dargestellt werden.

Ausgabe.

Die Ausgabe enthält:

I) auf die Forst- und Jagd-Verwaltung im Allgemeinen.

1) Besoldungen.

Hier werden die Natural-Holzbesoldungen der
Ober-Revier-Unterförster und Waldschützen verrechnet.

2) Amtserfordernisse.

Alles außer den Besoldungen für den Forstdienst
verwendete Holz wird, unter Beilegung der Dekrete
und Quittungen, hier in Ausgabe gesetzt.

II) Auf die Forstverwaltung insbesondere.

1) Holzberechtigungen.

Hier werden die auf Holzgerechtigkeiten geleisteten
Abgaben, unter Anführung des von den Berechtigten
zu bezahlenden Betrags, aufgeführt.

2) Holzabgaben zur Wege-Erhaltung.

3) Abgaben zu Begründung der Geldverrechnung.

a) auf Rechnung der Staats-Hauptkasse.

Hieher kommen die Abgaben für die Civilliste, für
das Militär, für die Besoldungen aus dem Departe-
ment der Justiz und des Innern.

b) Abgaben im Verkaufspreise.

aa) Für Rechnung der Holzverwaltungen;

bb) für das eigene Bedürfniß der Kameralämter;

cc) an Privaten.

Die Grundlage für die Verrechnung bildet das von
dem Forstrath genehmigte Holz-Anweisungsregister.
In die Rechnungen der Revierförster ist nur die Holz-
fällung eines Jahrs aufzunehmen. Da die Geldverrechnung des im Frühjahr 1819 gefällten Holzes erst
am ersten Juli 1819—1820 eintritt, so wird die Ma-

terialienrechnung immer 1 Jahr später der Geldrech=
nung beigeschlossen. Alle Strafen, Forstzinse, so wie
die Jagdnutzungen aber werden im Jahr des Anfalls
errechnet. Die Verzeichnisse über die Holzverkäufe
sind den Kameralämtern unfehlbar im Laufe des Mo=
nats Juli zu übergeben. Bei dem Verkaufe selbst
haben die Forstbeamten, wo nicht Gemeinden in Mit=
tel treten, für die möglichste Sicherheit des Holzerlö=
ses zu sorgen.

Zufällige Holzerlöse, welche in Folge von Wind=
würfen, Abfällen u. s. w. von den Revierförstern ge=
macht werden, übergeben sie sogleich nach dem vorge=
nommenen Verkaufe zur kameralamtlichen Verrech=
nung, indem sie darüber besondere Urkunden aus=
stellen.

III) Auf die Jagd=Verwaltung.

Die Verwerthung des Wildprets und die Verwen=
dung der Häute, Felle und Hirschgeweihe wird durch
Urkunden nachgewiesen.

Da die Uebersicht über die Forstverwaltung einen
andern Zeitraum, als die über die Jagdverwaltung
umfaßt; so ist eine besondere Rechnung von beiden
Verwaltungszweigen abzulegen.

Zu einer schnellen Uebersicht sind diese beiderlei
Rechnungen tabellarisch zu verfertigen, und zwar so,
daß die Tabelle über die Forstverwaltung von 1818
bis 1819 erst vom 1. Juli 1819—1820, und die Ta=
belle der Jagdverwaltung von 1819—1820 also im
laufenden Jahr gefertigt wird.

Erfordernisse der Revierrechnung.

Die Rechnung des Revierförsters wird erst dadurch
vollgültig für die Geldrechnung, daß sie von dem
Oberförster geprüft und für richtig erkannt ist. Aus

sämmtlichen Revierrechnungen verfertigt der Oberförster eine Uebersicht über den Naturalertrag des ganzen
Forstbezirks, welche er an den Forstrath einsendet,
von dem sie den Kreis-Finanzkammern zur Vergleichung mit den Specialrechnungen mitgetheilt wird.

Der Revierförster hat die unmittelbare Aufsicht
über sämmtliche Forst- und Jagd-Nebennutzungen,
namentlich: die Aekerichbezüge, Holzsaamen, Weid-
und Streu-Nutzungen 2c., welche nach den Bestimmungen der Forstdienst-Instruktion behandelt werden.
Ihre Verrechnung wird entweder auf die genehmigten
Pachtaccorde, oder wenn eine Nutzung anfällt, wo
eine solche Verhandlung nicht statt fand, auf die Urkunde des Revierförsters gegründet, welche in der für
die einzelnen Fälle in der Forstdienst-Instruktion vorgeschriebenen Form ausgefertigt wird.

Der Revierförster wird überhaupt den ganzen Ab-
schnitt der Forst- und Jagd-Verrechnung in der Ka-
meralrechnung beurkunden.

6) Vom Etatswesen.

Von den Forstverwaltungen sind, wie bei den Kameralämtern, Holz- und Torfverwaltungen, alle Jahr
zwischen dem 15. und 30. Mai Etats zur Königl. Ober-
Rechnungskammer einzusenden, welche nach den Rubriken der Rechnungs-Instruktion eingerichtet seyn
müssen, und zum Zweck haben

a) eine vollständige Kenntniß des Staats-Einkom-
   mens und der darauf haftenden Verbindlichkeiten,
   und

b) auf der möglichst genauen Vorherbestimmung
   der Größe der Einnahmen und Ausgaben für das
   künftige Rechnungsjahr.

7) Von dem würtembergifchen Forft= und Jagdrecht.

Das Forft= und Jagdrecht des Landes, welches dem Staats= und Forftwirth die rechtlichen Grenzen feines Wirkungskreifes bezeichnet, wird durch die gegenfeitige Rechte und Verbindlichkeiten des Regenten und feiner Unterthanen begründet, und zerfällt daher

  1) in die Privatrechte der Unterthanen, und

  2) in die Rechte des Regenten.

Unter die Privatrechte der Unterthanen gehören alle Eigenthums=, Dienftbarkeits= und andere Rechte, welche ehemals Kirchenräthlichen, jetzt Stiftungswaldungen, Communen und einzelnen Bürgern, in Abficht auf das Forft= und Jagdwesen zuftehen. Zu den Rechten des Landesherrn aber gehören, die Privatrechte, die der Regent oder das Haus Würtemberg befitzt (jura et bona patrimonialia), und die Rechte, welche aus der Landeshoheit fliessen (jura territorialia).

Zu den erftern Rechten gehören in Würtemberg die Eigenthumsrechte über die Kron= und Hofdomainen=Waldungen, zu den letztern aber diejenige Rechte, welche aus der Landeshoheit fliessen, deren Umfang die forftliche Hoheit ift.

Auffer diefen Rechten kommen noch die rechtlichen Verhältniffe mit benachbarten Staaten, und der — in das Land eingefchloffenen Gebiete vor; diefer Rechtszweig zerfällt daher in das innere und äußere Forft= und Jagdrecht.

Die Quellen des würtembergifchen Forft= und Jagdrechtes find entweder

  1) allgemeine oder

  2) befondere Quellen.

1) Die allgemeine Quellen sind:

   a) die Staats- und bürgerlichen Gesetze des Landes und

   b) die allgemeine Gesetze des teutschen Reichs, hinsichtlich des Forst- und Jagdrechts.

2) Beruhen die besondern Quellen auf Verträgen, Lehenbriefen, Testamenten, gerichtl. Erkenntnissen, vorzüglich aber auf Lagerbüchern.

Die Hauptstaatsgesetze bildet in Würtemberg nach dem Verfassungsentwurf das Volk durch die Stände-Versammlung mit dem König, und die Hauptstaatsgesetze der vorigen und jetzigen Zeit sind die Landtags-Abschiede, der Erbvergleich, und der Tübinger Vertrag von 1514 und nun in jetzigen Zeiten die Landes-konstitution.

Ferner sind noch diesen Staatsgesetzen an die Seite zu setzen, die ehemalige Herzogl. Bestätigungs-Urkunde über die Landesfreiheit, die Stammverträge, die Testamente und Codicillen der Herzoge, besonders das Testament Herzog Eberhard des III.

Die von den Regenten Würtembergs in Forst- und Jagdsachen ertheilten bürgerlichen Gesetze haben entweder eine allgemeine verbindliche Rechtskraft, oder sie verbinden nur einzelne Personen. Die allgemein verbindlichen Gesetze sind entweder ganze Sammlungen von Gesetzen einer Art, oder einzelne Gesetze. Jenes werden Ordnungen, dieses aber General-Rescripte genannt. Zu ersteren gehören in Rücksicht des Forst- und Jagdwesens, die Forst-, Wilderer-, Wald-feuer-, Communwildschützen-Ordnung, und die neuere Dienstinstruktionen für das Königl. Forstpersonal.

Noch haben einige andere allgemein-verbindliche bürgerliche Gesetze zuweilen einen eingreifenden Ein-

fluß auf das Forst = und Jagdwesen, z. B. die Lan=
des=, Bau=, Waffer=, Holzzoll=; Maß=, Weggelds=
und Commun=Ordnungen, die Rechnungs=Inſtruktion,
und die Inſtruktion, das zu verflößende Holz betref=
fend. Die älteſten und noch bis auf unſere Zeiten
wichtigſten Ordnungen in Abſicht des Forſt= und Jagd=
weſens kommen in dem Tübinger Abſchied vom Jahr
1514 vor, welche nachher wahrſcheinlich Anlaß zu der
Forſtordnung gaben, die Herzog Ulrich vor ſeiner Ent=
fernung aus Würtemberg verfaſſen ließ, und nach
Wiederbeſitznahme des Herzogthums im Jahr 1540
durch den Druck bekannt machte.

Herzog Chriſtoph, Sohn Ulrichs, ließ im Jahr
1552 die dritte etwas verbeſſerte — und im Jahr 1567
die vierte vermehrte und verbeſſerte Ausgabe der Forſt=
ordnung ins Land ergehen.

Von dieſer Zeit an blieb dieſe vierte Forſtordnung
die einzige Norm würtembergiſcher Forſtgeſetze bis
zum Jahr 1614, in welchem Jahr der Herzog Jo=
hann Friederich die fünfte neueſte Forſtordnung er=
ließ, die bis auf unſere Zeit die geſetzliche Kraft be=
hielt. Sie verbindet alle Unterthanen Würtembergs
in Kraft eines bürgerlichen Geſetzes; doch ſind ein=
zelne hergebrachte Rechte ausdrücklich darin verwahrt
und beſtätigt.

Dieſe im Jahr 1614 erlaſſene Verordnung zerfällt
in drei Haupttheile und zwar:

  erſter Theil, von den Waldvögten, Forſtmeiſtern
    und Knechten, Beſetzung, Staat, Eid und
    Verrichtung derſelben;
  zweiter Theil, von der Holzordnung, und
  dritter Theil, von der Wildfuhr, Wildbahn und
    Wildpret.

19

Die Generalrescripte oder einzelne Staatsgesetze Würtembergs haben gleich der Forstordnung ihre Rechtskraft, und die neueren Gesetze heben die älteren in denjenigen Punkten auf, in welchen sie mit denselben im Widerspruch stehen.

Die Forstlagerbücher, die zu den besondern Quellen des würtembergischen Forst- und Jagdrechts gehören, sind von dreierlei Art, nemlich solche, die

a) bei den Kameralbeamtungen,
b) bei den ehemaligen Kirchenguts-Beamtungen, oder
c) bei den Städten und Communen aufbewahrt werden.

Alle aber enthalten die Rechte und Gerechtigkeiten, wie auch die Verbindlichkeiten des Regenten und der Unterthanen in Absicht auf die forstliche Hoheit, Wildbahn, Waldeigenthum, Dienstbarkeit ꝛc.

Ausser dem würtembergischen Forst- und Jagdrecht ist das Herkommen oder die Observanz noch eine besondere Quelle, welche aus der stillschweigenden Einwilligung desjenigen fließt, den die Sache angeht. Es versteht sich aber von selbst, daß gewaltsame oder heimliche, oder auch nur vergünstigungsweise vorgenommene Handlungen hierbei niemals in Betrachtung gezogen werden.

Bei dem Forst- und Jagdwesen sind alle diese besondere Quellen als die erste Norm in Rechtssachen anzusehen, welches auch die Forstordnung und andere Gesetze bestätigen, und es können keine Specialrescripte ergehen, welche die lagerbüchlichen Vertrags- und herkömmlichen Rechte verletzen, so lange nicht Lagerbücher, Verträge, Herkommen ꝛc. ein anderes mit sich bringen.

Die forſtliche Hoheit oder Obrigkeit iſt ein Theil der höchſten landesherrlichen Gewalt, und ſteht in Würtemberg unwiderſprechlich dem Regenten zu. Die Hauptrechte, die daraus hervorgehen, ſind:

1) die allgemein forſtliche Oberaufſicht über alle im Königreich befindliche Staats=, Patrimonial=, Communſtiftungs= und Privat=Waldungen, über die Jagd= oder Freipürſch=Gerechtigkeiten nach dem ganzen Umfang;

2) die geſetzgebende Gewalt, ſowohl überhaupt als auch insbeſondere auf das Forſtrecht, unter Mit= wirkung der landſtändiſchen Verfaſſung;

3) die gerichtliche Gewalt. Hier findet aber ein Unterſchied in Abſicht auf deren Ausübung ſtatt, da die gerichtliche Gewalt von allen Gerichten Würtembergs in landesherrlichem Namen aus= geübt wird.

Zur eigentlichen Forſtgerichtsbarkeit werden nur diejenigen Fälle gezogen, bei welchen es um Unterſu= chung und Beſtrafung der wider die Forſtgeſetze be= gangenen Handlungen, nemlich Forſt=, Wald= und Wildbahns=Verbrechen zu thun iſt. Nur dieſe wer= den durch die Forſtbeamten, jedoch auch oft in Ver= bindung mit den Civilbeamten, abgeurtheilt, alle über die Streitigkeiten der Waldungen, Walddienſtbarkeit und andere Gerechtigkeiten entſtandene Fälle aber ge= hören für die Civilbeamten und Gerichte. Jedoch er= leiden die Abrugungen hinſichtlich der Beſtrafung, ſo wie der Rechte der Waldeigenthümer, hie und da ein= zelne Ausnahmen.

4) Iſt die Vollziehung der königlichen allgemeinen und beſondern Geſetze in Forſtſachen, der forſt= amtlichen geſetzlichen Befehle und Strafen ꝛc.

19 *

oben so gewiß ein Theil der forstlichen Hoheit, als die Executionsgewalt ein Theil der Landes=hoheit ist. Endlich

5) fließt aus der Landeshoheit für den Regenten das Recht, Forst= und Jagddiener aufzustellen, und Rang und Titel zu ertheilen.

Zur Ausübung der forstlichen Hoheit bedient sich der Landesherr der Collegien, der höhern und niedern Beamten.

Ferner hat der Landesherr das Waldmast=Benu=zungsrecht in denjenigen Privat= und Commun=Wal=dungen, in welchen das Jagdrecht ihm zusteht, als Ausfluß des Jagdregals, welches in allen andern deutschen Provinzen keine Abpertinenz der Jagdgerech=tigkeit ist.

Auch das Floßrecht, oder das Recht über öffent=liche Flüsse, insofern diese unter das Staatseigenthum gehören, mit allen daraus fließenden Rechten, macht in Deutschland einen Theil der Landeshoheit aus, und gebührt also in jedem Land und Gebiet dem Landes=herrn. Diese landesherrliche Gewalt ist jedoch durch die Reichsgesetze in Ansehung derjenigen Flüsse, die zum Vortheil mehrerer Länder gebraucht werden kön=nen, dahin beschränkt, daß auf denselben nichts vor=genommen werden kann, wodurch die Handlung und Schiffahrt verhindert würde.

In Würtemberg ist das Recht, über die in dem=selben befindlichen Flüsse zu verfügen, ebenfalls ein landesherrliches Regal, welches sich neben den allge=meinen staatsrechtlichen Grundsätzen noch auf folgende Gründe stützt:

1) Auf den ältern Besitz, nach welchem Würtem=berg schon in den Jahren 1476 und 1484 Verträge

mit Oeſtreich, das Floßweſen auf dem Neckar betref-
fend, geſchloſſen hat.

2) Auf die Erhöhungsurkunde und den Lehnbrief,
in welchen die Herzoge unter andern Regalien auch
mit Waſſern, d. i. mit dem Staatseigenthum derſelben, und den daraus fließenden Rechten belehnet
wurden.

Insbeſondere aber iſt

3) hinſichtlich des Neckars von Carl V. dem Herzog Chriſtoph in einer beſondern Urkunde vom 1. De-
cember 1553 das Recht beſtätiget worden:

> daß gedachter Herzog zu Würtemberg den Fluß
> Neckar heraufwärts, ſo weit ſolcher durch ſein
> Fürſtenthum fließt, ſchiffbar machen, und alſo
> darauf flößen und ſchiffen, auch allerhand
> Waare gemeinem Nutzen zu gute, und um meh-
> rerer Gelegenheit willen, auf- und abgeführt
> werden möge ꝛc.

4) Mit dem Recht über die öffentliche Flüſſe iſt
alſo auch das Floßrecht in Würtemberg ein wahres
Regal des Landesherrn, und wird ſolches durch das
allgemeine Staatsrecht, und insbeſondere durch die
Landesgeſetze beſtätiget. S. Forſtord. 9r Titel 2r Thl.

Was endlich

5) insbeſondere das Flößen auf dem Neckar vormals betroffen hat, ſo haben die drei Herrſchaften
Oeſtreich, Würtemberg und Eßlingen von ältern Zeiten her

a) das Vorrecht behauptet, den Floßhandel auf
demſelben allein, und mit Vertrettung aller
übrigen Anverwandten vom Adel und Unterthanen anzuordnen; folglich über die Floßord-
nung, welche ſodann auch andere angrenzende

vom Abel ꝛc. verbande, ſich einſeitig mit einander zu vergleichen.

S. Floßvertrag vom 20. Sept. 1740. §. 1. und damit wäre auch

b) eine gewiſſe Obergerichtsbarkeit in Streitigkeiten, welche des Flößens halber entſtehen könnten, verbunden, ſ. vorigen Vertrag §. 1. u. ſ. w. Realindex ſ. 130 — 158.

Weil nun aber die öſtreichiſche und Eßlinger Neckar=Herrſchaft aufgehört, und die anliegende Beſizungen Beſtandtheile von Würtemberg wurden, ſo hat auch Würtemberg dadurch den allgemeinen Beſizſtand des Neckars ſich erworben.

Ueber das würtembergiſche Forſt= und Jagdrecht ſ. die Forſtordnung vom 1. Juni 1614. Ferner Runde's Grundſätze des deutſchen Privatrechts 38 Hauptſtück 1791, und endlich Handbuch der würtembergiſchen Forſtgeſetzgebung, oder ſyſtematiſche Zuſammenſtellung aller über das Jagd=, Fiſcherei= und Holzweſen, ſo wie über andere zunächſt damit verwandte Gegenſtände vorhandenen ältern und neuern würtembergiſchen Geſetzen und Verordnungen. Mit hiſtoriſchen Erläuterungen, verfaßt von Johann Gottlieb Schmidlin 1r Theil, Stuttgart 1822.

B. Von Beſeitigung der Forſtſervituten.

Um die den würtembergiſchen Staatsforſten oft ſehr nachtheilige Waldſervituten und Gerechtſamen ganz abzulöſen oder abzufinden, wurde in Abſicht der Schönbuchswaldungen von der allerhöchſten Behörde verordnet: daß die dazu Bevollmächtigten die erforderlichen Vorarbeiten zu Entwerfung einer Ueberſicht über den Stand der Dinge treffen ſollen, ob nemlich zur Grundlage der Auseinandersetzung die Abtretung von Wald und die Beibehaltung der bisherigen Leistungen der Gemeinden oder der Nachlaß der Leistungen in Verbindung mit Abtretung der Waldflächen, oder einer jährlichen bestimmten Holzabgabe zu nehmen, und ob mit einzelnen Gemeinden oder mit mehreren zugleich unterhandelt werden möchte, wobei vorläufig bemerkt wird, daß die Abtretung von Grund und Boden an die Gemeinden und der Aufschluß derselben von den der Oberfinanzkammer verbleibenden Waldungen das Zweckmäßigste seyn dürfte, weil sodann die Gemeinden zur Schonung ihrer Waldungen mehr Sorge tragen würden, und eine regelmäßige Bewirthschaftung der Waldungen eingeführt werden könnte.

Zuerst sollen die Bevollmächtigten die Bedürfnisse eines jeden einzelnen berechtigten Ortes, und die zweckmäßigsten Mittel, wie diesen abzuhelfen seyn möchte, kennen lernen. Dieser Zweck aber ist am leichtesten zu erreichen durch Sammlung von Nachrichten:

1) Ueber den Flächenraum der in jeder Revierförsterei gelegenen

    a) Kameral- und kirchenräthlichen Waldungen,

    b) der sogenannten Bannwaldungen, welche aber schon Gerechtigkeiten unterworfen sind.

    c) Die offenen Schönbuchswaldungen, auf welchen die Gerechtigkeiten der Schönbuchsgenossen ruhen, und

    d) der unter diesen begriffenen Viehweiden.

2) Ueber den Flächenraum der jedem berechtigten Ort gehörigen

a) Gemeindewaldungen.

b) Viehweiden oder Allmanden.

3) Ueber die Familienzahl eines jeden Orts.

4) Ueber seinen Viehstand.

a) Pferde.

b) Rindvieh.

5) Ueber seinen landwirthschaftlichen Flächenraum.

a) Aecker.

b) Gärten und Wiesen.

6) Ueber seine allgemeinen Gerechtigkeiten an Holz und Weide.

a) Nach dem Inhalt des Lagerbuchs.

b) Nach seinem gegenwärtigen Genuß.

c) Nach dem Rechte Einzelner und ihrem wirklichen Genuß, und endlich

7) Ueber die Leistungen eines jeden Orts und einzelner Berechtigten.

a) An Geld,

b) an Früchten,

c) an besondern Diensten, die diese an die königl. Beamtung dafür zu entrichten haben.

Jeder Bevollmächtigte wird sich nun von den betreffenden Behörden die erforderlichen Notizen zu verschaffen wissen, diese vorzüglich gemeinschaftlich aus den Lagerbüchern und Rechnungen sammeln, und dadurch zugleich die gehörige besondere Kenntniß über die privativen Gerechtigkeiten einzelner Gemeinden und Personen, ihrer Entstehung, Ausbildung und ihren wirklichen Besitz zu erwerben suchen.

Nach einer vorläufig angestellten Rechnung hat man gefunden, daß die Herrschaft (der Staat) in dem Schönbuch besitze:

Cameralwaldungen, worin Niemand
eine Gerechtigkeit hat   .   .   2,118 Morg.
Bannwälder, worin Gerechtigkeiten   .
gegeben sind   .   .   .   .   5,441 —
Vormals kirchenräthliche Waldungen,   .
in welchen die Stadt Tübingen und   .
die Ortschaften Hagenloch, Lustnau
und Pfrondorf Gerechtigkeit haben 5,463 —
Offene Schönbuchswaldungen   .   23,575 —

                    Zusammen 36,597 Morg.

Es wurde der Antrag gemacht, die Helfte des
Flächenraums, welchen die offenen Schönbuchswal=
dungen halten, mit ungefähr anlaufenden 11,787½
Morgen den Gemeinden und einzelnen Berechtigten als
Abfindungssumme für alle ihre Gerechtigkeiten anzu=
bieten, wornach der Herrschaft verbleiben würden:
24,809½ Morgen.

Nach einer aus den gesammelten statistischen No=
tizen gezogenen Berechnung belaufen sich sämmtliche
Familien in den mehr oder weniger berechtigten Ort=
schaften auf   .   .   .   ,   .   11,355.
und nach einem Nachtrag der ausge=
lassenen Wittfrauen auf   .   .   .   136.

                    Zusammen 11,491.

So daß man im Durchschnitt auf jede Familie
einen Morgen als Entschädigung rechnen könnte.

Einen weitern Maaßstab möchte geben, wenn
man den Genuß jeder Gemeinde an Holz, Wald und
Weide auch nach Durchschnittsberechnung der beiden
letztern und dem größern oder geringern Genuß nach
der Holzabgabe des vorigen Jahres, die nach forst=
amtlichen Berechnungen die geringste war, in An=
schlag bringt, den Werth ihrer letzten entrichteten

Leistungen diesem abzieht, und den übrig bleibenden Wortheil vertheilt mit sofachem Betrag zu Capital erhöht, und die sich ergebende Summe mit Waldboden, den Morgen zu 100 fl. im Durchschnitt berechnet, vergütet.

Man könnte auch das Ergebniß beider Berechnungen zusammen nehmen, und die Mittelzahl als das Ungefähre annehmen, auf welches man bei Uebereinkunft Rücksicht zu nehmen hätte.

Zum Beispiel: Die Gemeinde Altdorf zählt:

211 Familien — 211 Morgen.

Ihr Nutzen aus dem Schönbuch besagt
  im vorigen Jahre nach dem geringen
  Schönbuchspreise an Holz und Reisach   200 fl. 9 kr.
Der Vortheil des Holzlesens und Führens
  à 1 fl. 30 kr. p. Familie . . 316 – 30 –
Der sehr stark benutzten Weidgerechtig-
  keit à 2 fl. p. Familie . . 422 –
                        Summa 938 fl. 39 kr.
Davon ihre Leistung an Geld und Haber ab-
  gezogen, mit . . 156 fl.
             Bleibt Rest 782 fl 39 kr.
Dieses im 20fachen Betrag zu Capital
  erhöht, u. den Morgen Wald zu 100 fl.
  gerechnet, thut . . . 156 Morgen.
Hiezu die obige . . . 211 —
             Zusammen 367 Morgen.
Gibt die Mittelzahl . . . 183½ Morgen.

Von 66 Dörfern und einigen Höfen, welche die Zahl der Schönbuchs-Berechtigten ausmachen, sind durch die rühmlichen Bemühungen des Regierungsraths Kausler zu Stuttgardt und des Oberförsters Vogelmann zu Bebenhausen im Laufe des vorigen und dieses Jahres die Abfindung mit 53 Gemeinden und mehreren einzelnen Müllern und Maiern zu Stand gebracht und zu der Hoffnung berechtigt, daß die wenigen übrigen Gemeinden dem Beispiel der Mehrzahl folgen werden. An die Gemeinden werden neben der Erlassung der ihnen obgelegenen Reallasten 10—12,000 Morgen Wald als Eigenthum abgetreten, und es bleiben der Krone die noch übrigen Waldungen unbelastet, welche sich dann regelmäßiger bewirthschaften, und um so mehr in einen höhern Ertrag bringen lassen, als das Holz nunmehr in dem laufenden höheren Preis verwerthet werden kann.

Der Forstwirth kann nur dann alles leisten, wenn die Hindernisse der Waldkultur aus dem Wege geräumt sind. Alle forstwirthschaftlichen Institute, alle Beispiele und Verordnungen sind fruchtlos und vergebens — so lange die Holzzucht mit der Erde durch Servitute darnieder gehalten wird, und die Vortheile, welche aus allen Forstinstituten für das Ganze entspringen, stehen in keinem Verhältniß zu dem, was Noth thut. Forst = und Landwirthschaft sind innigst mit einander verschwistert, und so wie nur einzig die Servitute den Ackerbau danieder halten, so verursachen nur einzig die Servitute, daß Deutschland bei den ungeheuer großen und ausgedehnten Wäldern, die es wirklich besitzt, fast überall Holzmangel hat. Nur einzig die Emanzipation der Forste vermag den radikalen Umschwung zum Besseren zu bewirken, und nur dieser radikale Umschwung ist als der einzige Rettungsanker unserer deutschen Forste zu betrachten, wo die Freiheit des Waldeigenthums Holzzucht und Urproduktion besser

empor zu bringen im Stande seyn wird, als alle
Beamten = Weisheit.

Dank und Achtung verdienen alle jene Männer,
die durch forstliche Bildungsanstalten ihren Namen
verewigt haben: allein in der Hauptsache ist damit
nichts ausgerichtet, indem es immer dabei an dem
Fundament zur Allgemeinnützigkeit fehlt. Das mu-
sterhafteste Beispiel blüht dem Forstwirth taub, so
lange man mehr auf die Interessen der Menschen
als des Volks eingeht, und die römische Rechtsweisheit, die zum Despoten alles dessen wird, was für
Cultur und Industrie spricht, für infallibel hält.

Wie das Individual = Leben des Menschen, hat
auch der Staat die Epochen des Kindes =, Knabens=,
Jünglings =, Mannes = und Greisen = Alters, und
was für die entvölkerten Jahrhunderte paßte, kann
nicht auch für das volkreiche Europa des 19ten Jahrhunderts seyn und bleiben. So lange das Holz-
material keinen oder doch nur einen geringen Werth
hatte, gewährten die Waldnebennutzungen einen höhern Ertrag als die Hauptnutzung, und Viehweide
verbunden mit der wilden Schaafhuth, wodurch das
in den Zeiten der Carthager, Römer, Gothen und
Araber so blühende Spanien in eine Wüste verwandelt, und das Land mit Räubern und Bettlern an-
gefüllt wurde — mag für die menschenarme Vor-
welt ökonomisch gewesen seyn. Für jene Bevölkerung war jene Holzproduktion groß genug, und unsere Vorfahren haben bei ihrer Waldweide gewiß
nicht daran gedacht, daß sie ihren spätern Nachkom-
men eine drückende Last dadurch aufladen würden,
und daß das, was ein Zeitalter unter ganz andern

Verhältniſſen ſchuf, ein ſchuldloſes andere tragen
müſſe.

Die Sache iſt ſchon längſt geweckt — ſie braucht
nur durch Einmiſchung der Landespolizei vervollkommnet zu werden; denn in unſern Zeiten kann die Wald-
wirthſchaft nicht länger neben einer Beſchränkung
der Holzzucht und der fruchtloſen Unterſuchung beſtehen, ob die Waldſervituten ſtaatsrechtlicher oder
ſtandesherrlicher Natur ſind; es muß die Bedeutung
der Zeit erwogen und beherzigt werden, daß eine
Servituten = Verfaſſung nicht geeignet iſt, weder die
Forſt = noch die Landwirthſchaft zu erheben.

Der Staat iſt nicht Rechtsanſtalt allein, ſondern
auch Culturanſtalt. Kennt der Staat ſeinen Zuſtand
und ſeine Eigenthümlichkeit, verſteht er ſeine Zeit
und die Epochen des Seyns und Wirkens ſeiner Zeit:
ſo hat er die Anforderungen der Zeit erfaßt. Rechtspflege kann kein iſolirtes Weſen, nicht unabhängig
von der Verwaltung des Staats ſeyn; denn wäre
der Staat eine bloße Anſtalt zur Sicherung der Rechte:
ſo gieng ihn auch die geſammte National = Oekono-
mie nichts an, und die Regierung hätte auch nichts
dazu beizutragen, das Geſammteinkommen und Ge-
ſammtvermögen zu vermehren. Allein das Verhältniß zwiſchen der Rechtspflege und der Staatsverwaltung iſt ſo genau und innig mit einander verwebt,
daß, wenn die Juſtiz ihren Zweck erfüllen ſoll, zwiſchen ihr und der letztern die vollſtändigſte Ueberein-
ſtimmung herrſchen muß.

Juſtiz = und Staatsverwaltung müſſen nothwendig mit dem ganzen Staatshaushalte im Einklang
ſtehen, wenn die Juſtiz die Verwaltung nicht allenthalben hindern und hemmen ſoll, und eine Regierung,

welche die Beseitigung der Servituten = Verhältnisse
nicht aus allen Kräften zu bewirken und zu beför=
dern sucht, hat das Wesen einer geregelten Forst=
wirthschaft zur Zeit noch nicht aufgefaßt.

Alle Dinge in der Welt erscheinen im gesellschaft=
lichen Zustande wechselsweise als Ursache und als
Wirkung, sie dürfen aber nicht einzeln aus der Reihe
gerissen und beurtheilt werden: denn es handelt sich
um die relativen Verhältnisse; diese allein sind dem
Staatswirthe wichtig, weil auf ihnen allein das
Wohl des Staats beruht, und kühne Neuerungssucht
ist keine rühmliche Auszeichnung, aber auch der ent=
gegengesetzte Weg ist es nicht! Nur der Mittelweg
ist der Pfad, der gewissenhaft über die alte Ordnung
wacht, der jede löbliche Anstalt beibehält, aber auch
die nothwendig gewordenen Reformationen nicht außer
Acht läßt; ob er sie gleich nur mit der äußersten
Behutsamkeit einführt, weil jeder Uebergang seine
momentanen Nachtheile hat, indem er eine Menge
zuvor bestandener Verhältnisse verletzt. Soll es aber
darum nie besser mit den Völkern werden, weil der
Uebergang für Einzelne von nachtheiligen Folgen ist?
wiewohl in diesem Falle nicht einmal ein Nachtheil
für Einzelne Statt findet, — da jeder entschädigt
wird: und das Problem der ächten Finanzkunst in
Erweckung und Belebung der Volksthätigkeit, nicht
aber in Zahlen und Tabellen besteht. Nicht der Er=
trag einzelner Einnahmsrubriken, nicht die Kunst
des Spekulirens auf den Geldbeutel des Volkes, son=
dern der ganze dauerhafte Ertrag der Staatsanstalt,
und seine Uebereinstimmung mit den höhern Bezie=
hungen der Staatsverbindung, bezeichnen die ächte
Finanzkunst, welche mehr seyn muß als eine bloße

Zahlenstatistik. Alle unsere, auf Vervollkommnung der Forstlehranstalten abzweckende Anordnungen und Einrichtungen werden vergebens seyn und vor der Hand nichts ausrichten; — so lange nicht diejenigen, welche belehrt werden sollen, unter Umstände gesetzt werden, das Bessere mit dem Schlechtern vertauschen zu dürfen. Alle Forstinstruktionen und technische Anweisungen für den Vollzug der Dienstinstruktionen, müssen aus Mangel an Freiheit des Waldeigenthums, entweder ganz oder größtentheils scheitern, weil es am Grund= und Schlußstein fehlt, ohne welchen das aufzuführende Culturgebäude weder begonnen, noch vollendet werden kann.

Die Servituten = Verhältnisse voriger Jahrhunderte, bei gänzlich veränderten Ursachen und Umständen, beizubehalten, um einen nur ehemals nöthigen Gebrauch nicht abzuändern, verräth eine Unachtsamkeit; die Gesetze der Staatspolizei nach den jedesmaligen allgemeinen Bedürfnissen und dem vorliegenden gemeinen Besten einzurichten.

So lange die Gesetzgebung, welche die Verfassung der Landesindustrie nach Zeit und Umständen organisiren soll, dem Waldeigenthume nicht die ihm so unentbehrlich gewordene natürliche Freiheit wieder herstellt, so lange bleiben wir immer und ewig auf der niedrigsten Culturstufe stehen, und Cultur und Wissenschaft können nur Kinder der bürgerlichen Freiheit seyn, Forst= und Landwirthschaft aber nur in jenen Ländern sich erheben, wo inhumane Verhältnisse gelößt sind.

Größtentheils sind die Maasregeln, die man seither zur Erhebung des forstwirthschaftlichen Betriebs eingeschlagen hat, weiter nichts als Vorhänge, hin-

ter welchen man das Umgehen der Hauptsache und
die Neigung zur Beibehaltung der bisherigen Observanz versteckt. Zur Schande der gepriesenen Volks-
mündigkeit unseres Zeitalters finden ächt staatswirthschaftliche Principien noch immer den Eingang nicht
bei den geeigneten Behörden, den sie finden sollten.
Gegen alles, was einer Abschaffung der Culturhinder-
nisse ähnlich sieht, hegt man noch immer den hart-
näckigsten Widerwillen, ohnerachtet man sich daneben
zum Schein das Ansehen giebt, als sey es recht
ernstlich mit dieser Abschaffung gemeynt, dabei aber
im Hintergrunde die hartnäckigste Vertheidigung der
Beibehaltung des Alten und Veralteten unverkennbar
liegt, und bei unsern so manchfaltigen verwickelten
Waldservituten und Berechtigungen, beim Mangel
an Grundsätzen der Gesetzgebung, solche abzulösen,
bei dem Grundsatz der römischen Rechtsweisheit stehen bleibt: in Zwistigkeiten der Partheien über alle
Gerechtsame blos den Status quo aufs neue zu
sanctioniren, statt durch einen entscheidenden Spruch
ein neues Verhältniß vestzustellen; bei diesem allen
muß es in der Hauptsache immer und ewig beim
Alten bleiben, was auch nebenbei durch Forstinsti-
tute, Forstinstruktionen und Forstliteratur intenbirt
wird.

Die Nothwendigkeit der Beseitigung der Cultur-
hindernisse im Forstwesen geht aus der Natur der
Sache als eine Forderung hervor, deren Erfüllung
die Anforderungen der Zeit ungesäumt erheischen,
und was die Anforderung der Zeit perhorrescirt, vermag selbst die vereinte Kraft des Beamtenthums
nicht aufrecht zu erhalten. Die Gesetze des Landes
müssen durchgreiffen, wenn nicht die Besoldeten im

Staate ihr böses Spiel treiben sollen; die Regierung aber muß den produktiven Bürger höher achten, als die Beamten, und diesen nicht auf Kosten jener nach= sehen, da der Staat keine Versorgungsanstalt für Beamte, und der Wald kein Invalidenhaus ist. Der Beamte ist des Bürgers wegen da, und wird vom Bürger unterhalten; die Beamtenkaste aber hat mehr Vorrechte erworben, als Erwerb und Lebensglück des Volkes ertragen kann.

Unter den vielen Uebeln, welchen die Waldungen durch Servituten ausgesetzt sind, steht noch beson= ders der Holzdiebstahl hoch oben an, weil er so all= gemein und so sehr nachtheilig ist, und es müssen von der Landespolizei zur Abwendung oder vielmehr zur Verminderung dieses, nicht ganz vertilgbaren, Uebels alle nur möglichen Vorkehrungen getroffen werden. Ein Felddieb wird durch die öffentliche Meinung geächtet, und es giebt Staaten, wo der= selbe peinlich processirt, und infamirt wird. Wald= diebe hingegen können öfters observanzmäßig und nach lagerbüchlichen Bestimmungen nicht so bestraft werden, daß der Verlust der Strafe dem Nutzen, den sie aus ihrem Diebstahl zogen, völlig gleich kommt, und dennoch werden manche derselben, we= gen einer geringen, ihnen zuerkannten Strafe, von vielen ihrer Nebenmenschen noch bemitleidet, indeß doch gewiß Felddiebstähle, sowohl auf den allgemei= nen, als Privatwohlstand, keine so nachtheiligen Fol= gen als Walddiebstähle haben. Das Entwenden einer Fruchtgarbe hat für den Eigenthümer für die Zukunft keine weitern nachtheiligen Folgen. Der reelle Verlust ist der einzige Schaden, den der Eigen= thümer erleidet. Durch das Entwenden eines Wald=

baums hingegen verliert der Eigenthümer nicht nur
den Baum, sondern dadurch, daß er unregelmäßig
gehauen, oder wenn es ein Saamenbaum ist, seiner
Bestimmung zu frühe entrückt wird, entstehen für
denselben öfters in der Folgezeit Nachtheile, welche
den wirklichen Verlust 20 — 30mal übersteigen können. Aber nicht nur wird durch den Holzdiebstahl
die Produktion vermindert, sondern auch die Consumtion vermehrt, denn nie leistet das grüne Holz
den guten Dienst zur Feuerung, wie das getrocknete,
und da das gestohlene Holz meistens grün verbrannt
wird, so muß auch nothwendig da, wo dieses viel-
fältig der Fall ist, der Verbrauch stärker seyn. Es
ist zwar sehr richtig, daß wenn nicht so vieles Holz
gestohlen würde, mehr auf den Kauf gehauen werden müßte, da ja doch einmal die Bedürfnisse befriedigt werden müssen; allein wenn auch das nemliche
Quantum, das alljährlich gestohlen, regelmäßig und
zur gehörigen Zeit gehauen wird, dieses lange nicht so
nachtheilig für den nachhaltigen Ertrag der Waldungen werden kann, als die Holzdieberei. Uebervölke-
rung einer Gegend befördert überhaupt den Holzdiebstahl am meisten, und unter den mancherlei Uebeln, welche diese mit sich führt, sind gewiß diejenigen, welche durch ihre Wirkungen auf die Forstwirthschaft für den Staat herbeigeführt werden, keine
der geringsten. Unverhältnißmäßiger Holzverbrauch
und Schaaren von Holzdieben sind die nächsten und natürlichen Folgen einer zu sehr angewachsenen Bevölkerung; wie sehr aber der Wohlstand der Einwohner von
der Produktion der Waldungen abhänge, dieß beweisen der Welzheimer und der Schwarzwald. Die
mäßige Bevölkerung des Schwarzwaldes ist die haupt-

sächlichste Ursache des höhern Grades von Wohl=
stand seiner Einwohner, und um statt des seitherigen
Wohlstandes Armuth und Noth auf dem Schwarz=
walde zu verbreiten, bedürfte es weiter nichts als
einer schnellen übermäßigen Bevölkerung, und um
diese herbeizuführen, gäbe es wohl kein zweckmäßige=
res Mittel, als die schon oft zur Sprache gebrachte
gänzliche Zerstückelung der sogenannten Lehenguter.
Die Vertheilung derselben in zwei, bei den größern
auch in drei und vier Theile, möchte allerdings für
die Beförderung des Nationalwohlstandes vortheil=
haft seyn, allein eine gänzliche Zerstückelung dersel=
ben würde nicht nur für die Bewohner des Schwarz=
waldes selbst, sondern auch für die Bewohner des
entfernteren Unterlandes, für die der Schwarzwald
seiner Lage und Richtung seiner Flüße nach, als eine
eigentliche Vorrathskammer von der Natur bestimmt
zu seyn scheint, von den traurigsten Folgen seyn;
der Welzheimer und der Schwarzwald aber stellen in
dem Wohlstande ihrer Bewohner den weitern Beweis
auf, daß zwar das Holz, als natürliches Produkt,
kein Mittel übermäßigen Reichthums sey, daß aber
der Wohlstand der Waldbesitzer sicherer begründet,
und weniger Gefahren ausgesetzt sey, als derjenigen
Landwirthe, die sich ausschließlich vom Feld= und
Weinbau nähren, und es bedarf bei der Unentbehr=
lichkeit des Holzes in unsern Gegenden, wo Mangel
an Feuerungs = Surrogaten herrscht, keines eigent=
lichen Holzmangels, sondern nur einer so bedeuten=
den Seltenheit des Holzes, daß dasselbe in einen
Preis zu stehen kommt, welcher mit den übrigen
häuslichen Bedürfnissen im Mißverhältniß steht, um
zerstörend auf die allgemeine Ordnung der Dinge

20 *

zu wirken, und die Quelle zur Verarmung unzähliger Familien zu werden. Weit um sich greifend sind darum die Folgen des Holzdiebstahls, und diejenigen, welche sich mit demselben befassen, zerstören nicht nur ihren eigenen häuslichen Wohlstand, sondern untergraben auch mittelbar den Wohlstand vieler ihrer Mitmenschen aufs empfindlichste. Gerade in denjenigen Gegenden Würtembergs findet sich dieses Uebel am häufigsten, wo die Forstwirthschaft in die engsten Grenzen eingeschlossen ist, und es sich hauptsächlich darum handelt, die stärkere Consumtion durch alle einschlägigen Mittel, die Kunst und Natur darbieten, zu Beförderung der Produktion anzuwenden, hier scheitern die zweckmäßigsten Anordnungen an den Eingriffen der Holzdiebe, und die schönsten Waldbestände werden fortwährend durch sie verheert; es giebt Gegenden, in welchen der Holzdiebstahl als ein eigenthümlicher Industriezweig betrieben wird, und wo durch unbestimmte, den jetzigen Zeitumständen nicht mehr anpassende, Verordnungen und Gesetze zweideutige Gerechtigkeiten entstanden sind, welche die Bewohner zum Holzdiebstahl anleiten und ermuntern, und sie geneigt machen, alle Forstofficianten, deren Pflicht es ist, diesem Uebel zu steuern, als Despoten zu betrachten, welche entweder aus angeborner Härte oder aus Strafdrittelsucht ihre Mitmenschen verfolgen.

Nicht minder wichtig, als in ökonomischer Rücksicht, sind auch die Folgen des Holzdiebstahls, der immer als eine Art Müssiggang zu betrachten ist, auf die Moralität des Volkes und eine der hervorstechendsten Eigenschaften aller Holzdiebe ist die Scheue vor jeder anhaltenden Beschäftigung. Kinder von 5—6 Jahren werden schon planmäßig zum

Holzstehlen abgerichtet, und die Lehren, welche diesen Kindern, wenn sie den Wald besuchen, von ihren Eltern mit auf den Weg gegeben werden, z. B. einen falschen Namen anzugeben, zu läugnen, zu entspringen, durch verstellte Aengstlichkeit und Noth Mitleiden zu erwecken u. s. w. einen Hang zur Verstellung, zum Lügen, Betrügen und Stehlen herbeiführen, und den Holzdiebstahl auf diese Weise zur eigentlichen Diebesschule machen. Zu den ökonomischen und moralischen Nachtheilen des Holzdiebstahls gesellen sich dann auch noch die Folgen, die derselbe auf die Gesundheit der Menschen hat. Das Tragen allzu schwerer Lasten in der Jugend, ehe der Knochenbau seine gehörige Vestigkeit und Vollkommenheit erlangt hat, muß für die Ausbildung des Körpers nachtheilig werden. Weit öfter aber noch, als sie sich auf die äußere Ausbildung zeigen, müssen die Extreme von äusserster Anstrengung und erzwungener Ruhe, von Erhitzung und Erkältung, Störungen in der innern Natur des Körpers verursachen, die öfters sehr spät, manchmal erst nach mehreren Jahren, oft aber auch plötzlich, ohne daß ein Mensch die Ursache ahnet, ihre Opfer wegraffen. Abwägen nach seinen physischen Kräften kann der Holzdieb seine Last nicht. Sobald er das ausersehene Holz gefällt hat, muß er seine Beute so schleunig als möglich in Sicherheit zu bringen suchen, und die Lüsternheit nach einem möglichst großen Gewinn, ist gewöhnlich der Maaßstab seiner Last, daher übersteigt dieselbe auch meistens seine Kräfte, und der Holzdiebstahl hat schon viele kräftige Menschen um ihre Gesundheit und sogar vor der Zeit um ihr Leben gebracht; bei Anlässen von Krankhei=

ten oder schnellen Todesfällen hört man daher oft
das Urtheil fällen: Der Verblichene habe die Nägel
zu seiner Bahre im Walde geholt.

Dem großen Uebel des Holzdiebstahls und allen
den traurigen Folgen, die daraus entstehen, Einhalt
zu thun, ist jetzt keine so leichte Aufgabe, als Mancher, der diesem Gegenstand nicht die gehörige Aufmerksamkeit schenkt, zu glauben geneigt seyn möchte,
denn das erste und zweckmäßigste Mittel, welches zu
Abwendung desselben erfordert wird: allgemeine Befriedigung des Holzbedarfs auf erlaubtem Wege,
findet in der Ausführung um deßwillen Schwierigkeiten, weil die Waldungen in manchen Gegenden
durch den Holzdiebstahl bereits so herabgebracht
sind, daß den ärmsten Bewohnern mancher Ortschaften nur ihr höchstbenöthigtes Brennholz nicht mehr
in solcher Nähe angewiesen werden kann, daß sie es
ohne ihre ökonomischen Kräfte übersteigende Transportkosten herbeischaffen könnten. Ohne besondere
zweckmäßige Einrichtungen, müßte die Ausführung
dieses Princips ins Stocken gerathen, und so lange
der unentbehrliche Holzbedarf nicht auf erlaubtem
Wege befriedigt werden kann, so lange wird der
zweckmäßigste Forstschutz, wenn auch jedes Individuum seine Schuldigkeit im höchsten Grade erfüllte,
den Holzdiebstahl nicht abzuwenden vermögend seyn.

Nichts compromittirt eine Staatsverwaltung so
sehr, und gefährdet die Moralität mehr, als wenn
Menschen gezwungen werden, unerlaubte Handlungen begehen zu müssen, um sich ihre unentbehrlich-
sten Bedürfnisse zu verschaffen, und aus diesem
Grunde ist auch die Befriedigung des Holzbedürfnisses
eine wichtige Staatsangelegenheit. Würtemberg hat

im Ganzen genommen noch keinen eigentlichen Holzmangel, aber wie schon gesagt, Gegenden, wo das
Holz bereits so selten ist, daß auch nur den ärmsten
Bewohnern mancher Ortschaften ihr höchst benöthigtes Brennholz nicht mehr so in der Nähe zugewiesen
werden kann, ohne daß schon die Transportkosten ihre
ökonomischen Kräfte übersteigen. Wenn der Staat
auch das Holz der ärmern Classe kreditirte, und Abschlagszahlungen angenommen würden, so könnte
dieses doch nicht so der Fall mit dem Fuhrlohn seyn,
weil es sich bei den meisten Fuhrleuten selbst um
den täglichen Verdienst handelt, und darum ist allgemeine Befriedigung des Holzbedarfs gar nicht möglich, wenn dieselbe nicht durch Anlegung örtlicher
Magazine in den holzärmern Gegenden bewerkstelligt
wird, aus welchen die ärmern Bewohner, welche
keinen Gulden aufzubringen vermögend sind, ihr
benöthigtes Holz Kreuzer- und Batzenweise beziehen
können; zu welchem Ende jede Gemeinde von der
höhern Landespolizei angehalten werden müßte, dasjenige Quantum, welches für den Unterhalt der un-
vermöglichen Gemeindeglieder, welche sich nicht auf
eigene beliebige Weise beholzen können, entweder
aus einem Hauptfloß-Magazin oder aus den Waldungen alljährlich zu übernehmen, und solches in
geringen Portionen auch an solche Gemeindeglieder
abzugeben, welche nicht im Stande sind, sich auf
eigene Kosten zu beholzen.

Wenn auch gleich einiger Nachtheil für die Ge-
meinde-Kassen mit dieser Einrichtung verbunden seyn
sollte, so müßten doch für die wohlhabenderen Mitglieder wieder Vortheile aus derselben hervorgehen,
durch welche der pecuniäre Verlust ausgeglichen würde.

Häufig ist der Holzdiebstahl die Ursache, daß einzelne Gemeindeglieder und ganze Familien, welche einiges Vermögen besaßen, ehe sie dieses heillose Gewerbe anfiengen, es in kurzer Zeit so weit brachten, daß sie zur Erhaltung der Ortsarmen=Kasse zur Last fielen, der Gewinn aber immer groß genug ist, wenn eine Quelle der Verarmung verstopft wird. Viele Personen könnten in den Magazinen mit Holzspalten und Holzsägen zu einer Jahrszeit beschäftigt werden, wo diejenige, die kein Handwerk treiben, selten auf dem Lande Gelegenheit zu einem Verdienst finden, und sich deswegen auch dem Holzdiebstahl ergeben. Mit zunehmender Seltenheit des Holzes muß der Preis der Güter nothwendig fallen, und das Interesse der wohlhabenderen Gemeindeglieder erfordert es daher, den ernstlichen Bedacht auf die Abwendung aller der Umstände zu nehmen, welche die Holznoth vermehren könnten, und der Zukunft ein Opfer zu bringen, daß die Gegenwart schon jedem, der sein Holz kaufen muß, wieder mittelbar durch den mäßigeren Preis ersetzt, welcher durch den abgewendeten Mißbrauch allein bestehen kann.

Wenn hinlängliche Einrichtungen getroffen sind, durch welche die allgemeine Befriedigung des Holzbedarfs auf erlaubtem Wege geschehen kann, dürfte erst die Abstellung des Handels mit gestohlenem Holz von glücklichem Erfolg seyn.

Der Holzhandel darf keineswegs beschränkt werden, aber nie würde der Holzdiebstahl einen so hohen Grad von Verderblichkeit erreicht haben, wenn der Handel mit gestohlenem Holz nicht hätte so öffentlich getrieben werden dürfen. Jeder, welcher eine gestohlene Waare verkaufen will, muß sich doch einigermaßen vor den Blicken der großen Menge scheuen, aber der Holzdieb kann, sobald er nichts mehr von den Verfolgungen des Forstpersonals zu fürchten hat, zu allen Thoren ein- und ausgehen, und auf allen Märkten unangefochten feil haben. Das Besenreißschneiden ist, unter gewissen Bestimmungen, bei Zuchthausstrafe verboten, aber dennoch werden jeden Wochenmarkt die Besen tausendweise nach der Hauptstadt getragen, und auf öffentlichem Markte feil geboten. Jeder vorübergehende weiß, daß ein jedes Reiß dazu gestohlen wurde, allein weder Käufer noch Verkäufer kommen darum in die geringste Verlegenheit, und dasselbe ist auch noch mit vielerley anderem gestohlenem Holz der Fall, wodurch nicht nur unzählige Holzdiebstähle unentdeckt bleiben, sondern auch bei den meisten Walddieben, welche den Gang der Gesetze ohnehin nicht kennen, der Gedanke erweckt wird, daß alle polizeiliche Anstalten, welche zu Abwendung des Holzdiebstahls getroffen werden, nur willkührliche Maaßregeln der Forstbedienten seyen; es sollte daher Jeder, der Holz zu Markte bringt, verbunden seyn, einen schriftlichen Beweis mit sich zu führen, daß seine Waare rechtlich erworbenes Eigenthum seye. Zu diesem Ende sollten alle Polizeidiener gehalten seyn, dem Holzhandel besondere Aufmerksamkeit zu widmen, und in denjenigen Gegenden, wo der Holzdiebstahl fortgetrieben wird, sollte in jedem Dorfe oder Flecken eine eigene Person zur Aufsicht über den Holzhandel aufgestellt werden, denn wenn einem so tief und lange eingewurzelten Uebel nicht von allen Seiten begegnet wird, so ist kein radikaler Umschwung zum Besseren zu bewirken.

Um dem Holzdiebstahl weitere gemeinschaftliche
Grenzen zu setzen, ist ein ganz gleiches Verfahren
hinsichtlich der Strafbarkeit in allen und jeden in einem Staat gelegenen Waldungen nothwendig. Im
Fall nicht in allen im Staat befindlichen Waldungen
nach ganz gleichen Grundsätzen verfahren wird, so
werden die Holzdiebe sich dahin ziehen, wo die geringsten Strafen angesetzt werden, und die wenigste
Aufsicht statt hat, und in denjenigen Gegenden, wo
zu gewissen Jahrszeiten Waldverbote bestehen, wenn
die Staatswaldungen vorzugsweise von dem herrschaftlichen Forstpersonal begangen, und Commun-
und Privatwälder der Aufsicht der Communschützen
überlassen sind, deren angebrachte Vergehen von den
Ortsvorständen abgeurtheilt werden, wo blos die Entwendung, die Uebertretung des Waldverbots aber
nicht bestraft wird, sich zu dieser Zeit die Walddiebe
auch vorzugsweise in Commun = und Privatwaldungen ziehen.

Wenn ein verbesserter Zustand der Waldungen
und eine ernstliche Besserung der Menschen wirklich
Zweck der Abwendung der Walddieberey ist, so ist
eine ganz gleichmäßige Behandlung aller Walddiebstähle, sie mögen auch vorfallen, wo sie wollen, absolute
Nothwendigkeit, da überhaupt keine mit Nachdruck
wirksame Polizei möglich ist, wenn sich die Aufsicht
des Staats = Forstpersonals nicht auf alle in einem
Revier liegenden Waldungen in gleichem Grade erstreckt; besonders nachtheilig aber ist in dieser Hinsicht das den Communen und Privaten zustehende
Strafrecht. Immerhin mögen die Communen und
Patrimonialherren die Strafgefälle aus ihren Waldungen beziehen, aber die Straffälle sollten allein

von den Forst- und Justizämtern untersucht und bestraft werden.

Wenn Bestrafung den Zweck hat, den Thäter
oder auch andere von der Begehung oder Wiederholung der Handlung abzuschrecken, so entsprechen keine
Strafen in der Welt dieser Bestimmung weniger als
die Forststrafen. Im Gegentheil sind die am öfte-
sten und härtesten bestrafte Walddiebe auch die hart-
näckigsten und boshaftesten Frevler. Bei dem größten Theil dieser Menschen sind Geldstrafen nicht anwendbar, und Gefängnißstrafen nicht beschämend genug, auch ist das müßige Beisammenseyn mehrerer
moralisch verdorbener Menschen in den Gefängnissen
in vieler Hinsicht nachtheilig, und das Abverdienen
der Strafen giebt den Bestraften neue Gelegenheit,
Holzdiebstähle zu begehen. Obschon in allen civili-
sirten Staaten alle und jede Eingriffe in fremdes Eigenthum nach den gemeinrechtlichen Principien verboten sind, so findet die Noth doch durch das älteste
und allgemeinste Recht, das Naturrecht, nach welchem Noth kein Gesetz kennt, einige Entschuldigung;
bei dem vorliegenden Gegenstand aber möchte dieß
ganz besonders zu beachten seyn, und der, welcher
aus Noth Holz oder ein anderes Waldprodukt entwendet, genau von dem zu unterscheiden seyn, der
aus Gewinnsucht den Wald bestiehlt, und den Richter für ein adäquates Urtheil bestimmen. Nur eine
besondere Aufmerksamkeit auf den Holzhandel aber,
welche gerade in dieser Hinsicht um so wichtiger wird,
kann durch öftere Entdeckungen den Boshaften von
dem Nothfrevler selbst unterscheiden, und wenn solche
Einrichtungen getroffen sind, daß Jeder auf erlaubte
Weise sich zu beholzen in Stand gesetzt wird, kann

ſtillſchweigend angenommen werden, daß Jeder, der
Holz ſtiehlt, aus Gewinnſucht ſtehle, und dann ge=
gen einen Menſchen, der nicht nur ſeine Mitbürger
und den Staat beſtiehlt, ſondern auch ſich und ſei=
nen nächſten Angehörigen dadurch ſelbſt verderben
hilft, nach aller Strenge der Geſetze verfahren werden.

Bei einem Holzdieb, der aus Gewinnſucht ſtiehlt,
können keine Strafen zweckmäßiger ſeyn, als Geld=
ſtrafen, wenn er zu bezahlen im Stande iſt, und ſo
nachtheilig gleiche Strafen in mancher Hinſicht ſeyn
mögen, ſo müſſen ſie doch für den, der aus Gewinn=
ſucht ſtiehlt, die abſchreckendſten ſeyn; aber der Frev=
ler darf durchaus keinen Grund zu dem Argwohn ha=
ben, daß ſeine Frevelthat um des Vortheils des An=
bringens willen beſtraft, und deshalb ſollte auch der
Delationsbezug gänzlich abgeſchafft werden, denn nie
wird ſich die gemeine Volksklaſſe überzeugen laſſen,
daß die Vergehen darum zur Beſtrafung angezeigt
werden, damit ſie in Zukunft unterbleiben ſollen, ſo
lange die Einrichtung beſteht, daß der Anbringer den
britten Theil von der angeſetzten Strafe bezieht, und
nichts ſchadet dem guten Fortgang einer Sache in
öffentlichen Angelegenheiten mehr, als wenn Eigen=
nutz das Motiv der Handlungen zu ſeyn ſcheint; der
Beſtrafte aber hat den triftigſten Grund, Eigennutz
zu argwöhnen. Ueberdies muß jeder Denunziant un=
partheyiſch in den Augen des Richters und des An=
geklagten erſcheinen, wenn kein Intereſſe, ſondern nur
Handhabung der Ordnung und der Geſetze der Maaß=
ſtab ſeiner Angaben ſeyn ſoll, und manche Unterſu=
chung könnte auf dieſe beiderſeitige Ueberzeugung hin
abgekürzt werden.

Allerdings iſt zwar der Fall denkbar, daß der

Drittelbezug manches für den Forstschutz aufgestellte
Individuum thätiger mache, aber am besten berathen
sind gewiß die Waldungen nicht, die unter der Auf=
sicht von Menschen stehen, welche mehr um des Drit=
tels als um der Ordnung willen thätig sind, und fast
läßt sich annehmen, daß, so lange der Drittelbezug
fortbesteht, auch der Holzdiebstahl sich nicht vermin=
dern wird, da der, welcher mehr des Drittels als der
guten Sache wegen fleißig ist, sich nie bestreben wird,
Walddiebstähle zu verhindern, und einen Wald, wel=
cher um der Nähe willen blos von ärmern Personen,
die kein Fuhrwerk haben, besucht wird, wird der Drit=
telbegierige seltener begehen, als eine fernere Wald=
gegend, in welcher Vermögliche, die eigene Züge ha=
ben, freveln.

Noch wäre in Absicht auf die Art der Bestrafung
für Holzdiebstähle zu wünschen, daß den forstamtli=
chen Rugtägen eine Einrichtung gegeben würde, nach
welcher nie eine große Anzahl von Frevlern, wie seit=
her geschahe, zusammen auf einen Rugtag beschieden
würden.

Der Anblick so vieler Mitschuldigen verringert
bei vielen Einzelnen das Gefühl der Schuld, und er=
muthiget sie zur Wiederholung der begangenen Feh=
ler, auch mag es keinen sehr günstigen Eindruck auf
die Gemüther der Untergebenen machen, wenn vor
der versammelten Bürgerschaft eines Orts eine Aus=
gabe abgelesen wird, daß der Hr. Schultheiß oder
Burgermeister Loci einen Bannreidel entwendet, —
oder einen Wagen Waldstreu gestohlen habe. Kin=
der aber, welche noch in die Schule gehen, sollten
niemal zu einem forstamtlichen Rugtag zugelassen
werden. Alle die schädlichen Folgen zu entwickeln,

welche für die Jugend und das Volk daraus entspringen, was sie hier hören und sehen, würde eine
eigene Abhandlung erfordern.

So lang indessen keine Bürgschaft für die Waldungen ausgemittelt wird, nach welcher jeder entdeckte Walddiebstahl, wenn auch der Thäter nicht
entdeckt werden kann, ersetzt und bestraft wird, so
lange werden auch bei den ernstlichsten und zweckmäßigsten Strafen die Holz = und Walddiebstähle
nicht aufhören; für diese Bürgschaft aber bieten sich
zwei Mittel an: 1) muß entweder jede Gemeinde
für die Vergehungen, welche in den Waldungen einer
jeden Ortsmarkung — es seyen Staats=, Stiftungs=
oder Privatwaldungen — begangen werden, und von
welchen die Thäter nicht entdeckt werden können, in
Gesammtheit verbindlich gemacht werden; oder 2) jedes Individuum, welches über einem Walddiebstahl
betroffen wird, für alle gleichartige Walddiebstähle,
welche in demselben Walddistrikt begangen werden,
so lange haften, bis ein neuer Frevler den vorherge-
henden seiner Sorgen überhebt. Wenn man in Erwägung zieht, wie wenig durch den seitherigen Forstschutz und durch die seitherige Forststrafen, der Zweck,
die Walddiebstähle zu vermindern, erreicht werden
konnte, so können dergleichen Maaßregeln um so weniger Tadel finden, als bei den thätigsten und ge-
wandtesten Forstoffizianten, bei der zahllosen Menge
von Walddieben, besonders in solchen Gegenden, wo
der Holzdiebstahl, das Besenbinden 2c. 2c. eigentliche
Gewerbe ausmachen, wo Ehen auf den Erwerb von
Waldungen geschlossen werden, auch bei der sorgfäl-
tigsten Aufsicht immer noch weit mehr Waldfrevler
unergriffen entwischen, als öfters die große Zahl der

Ergriffenen ausmacht. Durch nichts kann daher der
Holzdiebstahl mehr beschränkt werden, als wenn sich
die bessere Klasse der Einwohner eines Orts unmittelbar durch denselben von ihren schlechtern Mitbürgern, welche demselben ergeben sind, in ihrem Interesse angegriffen fühlen. Den Augen der Mitbürger und Nachbarn kann unter hundert Fällen auch
bei der größten Vorsicht bei Tag und Nacht sich ein
Walddieb nicht einmal ganz entziehen. Jeder, der
den Holzdiebstahl praktisch kennt, weiß, wie viel
eine Gemeinde zur Verminderung des Holzdiebstahls
beitragen kann, und daß der hundertäugige Argus-
kopf des Volks besser sieht, als die schielende Polizei eines Robespier's oder Bounaparte's. Dies beweisen die besseren und schöneren Waldbestände mancher neben und in den Staatswaldungen liegenden
Communwaldungen, in welchen sich die Waldfrevler
vor ihren Mitbürgern scheuen müssen, durch den guten Erfolg der allgemeinen Theilnahme. Eine solche
Einrichtung würde den Forstschutz sehr erleichtern und
wenig kostspielig, keineswegs aber ganz entbehrlich
machen. Wenn aber in Betracht gezogen wird, wie
kostspielig der Forstschutz besonders dann ist, wenn
der Kostenbetrag nicht nur die königlichen, sondern
aller zum Forstschutz aufgestellten Personen von Gemeinden, andern Körperschaften und Privaten des
ganzen Königreichs zusammen genommen, und dabei
ermessen wird, wie wenig dieses Heer von Waldhü-
tern im Stande ist, die Waldfreveln zu verhüten, oder
auch nur bedeutend zu vermindern, so möchte eine
Maaßregel dieser Art wohl Niemand zu streng scheinen. Allein einen günstigen Erfolg darf man sich
von allen Staatseinrichtungen, welche zu Abwendung

der Waldfreveln gemacht werden, nur bei einer besfern Belehrung des Landvolks über die Vortheile einer geordneten Waldwirthschaft und über die allgemeine Nachtheile der Waldverderbnisse versprechen; unverkennbar sind auch hier die Vortheile der Aufklärung, und die Lehren aus dem Munde des Predigers und Schullehrers müssen die vortheilhaftesten Eindrücke bewirken, welche das Landvolk für ganz unbefangen hält. Es giebt noch viele Menschen, welche es für eine bloße Mißgunst halten, daß man ihnen das Laub, welches nach ihrer Meinung doch unbenutzt im Walde verfault, nicht preisgebe, und eine Belehrung über dieses und ähnliche Vorurtheile ist um so nothwendiger, als die Anforderungen der Landwirthschaft täglich eingreifender in die Forstwirthschaft werden.

9) Münze, Maaß und Gewicht.

Die Münzen, welche in Würtemberg geprägt werden, sind in Gold, Dukaten, und 11 fl. Stücke; in Silber, statt der Conventionsthaler nun meist Kronenthaler zu 2 fl. 42 kr., und 24 kr. und 12 kr. Stücke, die beiden letztern nach dem alten Konventionsfuß; endlich Scheidemünze, Sechser, Groschen und Kreuzer.

In diesen Sorten geht auch mit Ausnahme der Scheidemünze, welche zuweilen als Monopol behandelt wird, das fremde Geld, und im Allgemeinen besteht das meiste Geld, das im Umlauf ist, aus fremder Münze. Gezählt wird nach dem Rheinischen oder 24 Gulden-Fuß, das Gepräge der Konventionsmünzen aber drückt den 20 Gulden-Fuß, ein 24 kr. Stück also 20 kr. aus.

Die gewöhnliche Rechnungsmünzen sind: Reichsthaler 90 kr., Gulden 60 kr., Batzen 4 kr. Im gemeinen Leben wird meist nach Gulden und Kreuzer gezählt.

Die Maaßverhältnisse sind nach den in den Jahren 1806 und 1808 allgemein eingeführten Bestimmungen folgende:

Längenmaaß: 1 Stunde hat 1300 Ruthen, eine geograpische oder deutsche Stunde aber 1296 1/3 Ruthen, ist also um 3 2/3 Ruthen kleiner als eine neue ürtembergische Stunde, eine Ruthe hat 10 Schuh, a Schuh 10 Zoll.

Häufig wird jedoch noch das früher üblich gewesene Duodezimalmaaß gebraucht, nach welchem die Ruthe 16 Schuh und der Schuh 12 Zoll hat.

Der würtembergische Schuh ist gleich 127 Pariser Linien, oder 144 würtembergische Schuh machen 127 französische Schuh. Eine Elle ist gleich 2 Fuß 1 Zoll 2/5 Linien.

Flächenmaaß. Ein Jauchert ist gleich 1 1/2 Morgen, 1 Morgen gleich 384 zehnschuhigen, oder gleich 150 16schuhigen Quadratruthen. 17,630 würtembergische Morgen machen eine würtembergische Quadratmeile, und 17,500 würtembergische Morgen eine geographische oder deutsche Meile.

Körpermaaß. 1 Meß oder ein Klafter Holz ist 6 Fuß hoch, 6 Fuß breit und 4 Fuß tief, also zu 144 Cubikschuhen Rauminhalt.

Eine Reißbüschel hat 4 Fuß Länge und 1 Fuß Durchmesser, also 3 1/12 Cubikfuß Rauminhalt. 300 Reißbüscheln werden 1 Meß oder Klafter Holz an Werth gleich geschäzt, 100 Reißbüscheln aber dem Werth von 39 1/2 Cubikfuß derber Holzmasse. Nach der

Beschaffenheit des Holzes sind zu einer Klafter 70 bis 100 Cubikschuh Holzmasse erforderlich. 1 Wanne Heu hat 8 Schuh im Würfel (Kubus), d. h. in Länge, Breite und Höhe, und wiegt 11 Zentner, 1 Zentner hat 5 Bund, 1 Bund 20—21 Pfund. 80 Bund Stroh machen 1 Fuder.

Getraidemaaß. Ein Scheffel hat 8 Simri, 1 Simri vier Vierling 2c. 2c. Ein Simri ist gleich 942 1/8 Dezimal oder 1628 Duodezimal Cubikzoll.

Maaß für Flüssigkeiten. Ein Fuder hat 6 Eimer, 1 Eimer 16 Imi, 1 Imi 10 Maaß oder 20 Bouteillen. 160 Maaß Trübeich machen 167 Maaß Helleich und 10 Maaß Helleich 11 Schenkmaaß. 1 Schenkmaaß ist gleich 78 1/8 Dezimal oder 135 Duodezimal Cubikzoll. 3 3/4 würtembergische Eimer machen ein Rheinisches Stück oder 7 1/2 Rhn. Ohm.

Gewicht. Ein zentnerschweres Gewicht hat 104 Pfd. und 168 würtemberg. Pfd. machen 100 Frankfurter Pfd. Das kleine oder leichte Gewicht stimmt ganz mit dem Köllner Gewicht überein. 1 Pfd. hat 2 Mark oder 32 Loth 2c.

10) Uebersicht des forstlichen National-Haushalts. Forstliches National=Vermögen.

Der Werth der Waldfläche wird in Würtemberg sehr verschieden angeschlagen; im Kannstadter Oberamt wurde im Jahr 1818 eine Waldstrecke zum Ausroden und Anbauen nach Abzug alles Holzinhalts zu 800 fl. dem Morgen nach verkauft; im Rottenburger Revier Bebenhäuser Forstes werden 10—15jährige Nadelholzbestände, die ferner Wald bleiben sollen, zu 120—140 fl. dem Morgen nach bezahlt, im

Durchschnitt aber schlägt Memminger den Morgen Wald nur zu 55 fl. an.

Wir haben oben gesehen, daß der gesammte Flächeninhalt der Waldungen in Würtemberg ist, und zwar:

1) der Kronwaldungen . . 608,419 Morgen.
2) der Stiftungs= und Kommun= waldungen . . . 604,923 — —
3) der Gutsherrlichen und Pri= vatwaldungen . . . 523,799 — —

zusammen 1,737,141 Morgen.

Nach diesem Anschlag machen:
Waldungen . . . 1,737141 × 55 =
95,542,755 fl.

welches somit die Summe des ganzen forstlichen National=Vermögens wäre.

Forstliches National=Einkommen.

Memminger giebt den jährlichen rohen Ertrag der Waldungen mit Haupt= und Nebennutzungen, als Eicheln, Bucheln und andern freiwilligen Erzeugnissen des Pflanzenreichs zu 3 fl. auf jeden Morgen an, und das sämmtliche rohe forstliche National=Einkommen beläuft sich also auf 3 × 1,737141

= 5,211,423 fl.

Dem Morgen nach aber berechnet die ständische Commission — wie weiter hinten gezeigt werden wird — den jährlichen rohen Ertrag der bestockten Kronwaldfläche zu 2 fl.

Vierte Abtheilung.

Bürgerliche Verbindung.

I. Staatsverfassung.

Würtemberg ist ein erbliches Königreich, das einen Theil des deutschen Staatenbunds ausmacht.

Die Einwohner des Königreichs bestehen aus zweierlei Ständen, nemlich dem Adelstand und dem Bürgerstand. Der Adelstand theilt sich wieder in Standesherrn und ritterschaftlichen Adel. Unter den erstern sind diejenigen fürstlichen und gräflichen Häuser begriffen, auf deren Besitzungen bei der vormaligen deutschen Reichsverfassung und der Eintheilung des deutschen Reichs in 10. Kreise eine Reichs- oder Kreistagsstimme ruhte, und die also unmittelbare Reichs- und Kreisstände waren. Ihrer sind 23 fürstliche und 23 gräfliche Häuser. Unter dem ritterschaftlichen Adel versteht man alle übrigen adelichen Familien, welche Rittergüter im Königreiche besitzen. Ihrer sind 95.

Das Oberhaupt des Staats ist der König. Er regiert nach dem Verfassungsvertrag, welcher von ihm und den Ständen des Königreichs am 25ten Sept. 1819 zu Ludwigsburg unterzeichnet wurde.

Der Hauptinhalt der Verfassungsurkunde ist:

1) Das Königreich bildet ein unzertrennliches

Ganze, und alle künftigen Erwerbungen werden demselben einverleibt.

2) Der König ist für seine Person unverletzlich, und alle Verantwortlichkeit der Regierung liegt auf den Ministern, welche deswegen auch alle königliche Verordnungen unterzeichnen. Der Thron ist sowohl in männlicher, als auch, wenn der Mannsstamm erloschen ist, in weiblicher Linie erblich. Dem Thronfolger wird der Huldigungseid abgelegt, wenn er die Festhaltung der Verfassung in einer den Landständen zugestellten Urkunde zugesichert hat.

3) Alle Staatsbürger mit wenigen, die ehemaligen Reichsstände und Reichsritter betreffenden, Ausnahmen, genießen gleiche Rechte und Freiheiten, alle haben gleiche Verpflichtungen. Der Bürger genießt Freiheit der Person, Gewissens- und Denkfreiheit, Freiheit des Eigenthums- und Auswanderungsfreiheit, so wie die Freiheit, sowohl im In- als Auslande seine Ausbildung zu suchen. Niemand darf seinem ordentlichen Richter entzogen, und länger als 24 Stunden über die Ursache seiner Verhaftung in Ungewißheit gelassen werden. Jeder hat das Recht über das Verfahren einer Staatsbehörde Beschwerde zu erheben, und diese bis zur höchsten Stelle und von dieser weiter durch die Landstände zu verfolgen.

Die Preßfreiheit soll in ihrem ganzen Umfange statt finden.

4) Die Staatsdiener. Niemand kann ein Staatsamt erhalten, ohne zuvor gesetzmäßig geprüft und für tüchtig erkannt zu seyn. Die Staatsdiener sind für Beobachtung der Verfassung verantwortlich. Sie können mit Ausnahme der Geheimenräthe und Minister weder willkührlich entlassen noch versetzt werden, und

diefem ift auf den Fall einer Entlaffung ein beftimm=
ter Gehalt zugefichert. Alle dem König in wichtigen
Angelegenheiten vorzulegenden Vorschläge der Mini=
fter müffen von diefen vorher im Geheimen Rathe
zur Begutachtung vorgetragen werden. Der Geheime
Rath ift das Mittel, durch welches der König und
die Stände verkehren.

5) Die Gemeinden, welche zu einem Oberamte
gehören, bilden zufammen eine Amtskörperschaft. Die
Gemeinden werden durch die Gemeinderäthe unter
Mitwirkung der Bürgerausschüffe, die Amtskörper=
schaften durch die Amtsverfammlung verwaltet. Ueber
das Eigenthum der Gemeinden kann mit Umgehung
ihrer Vorfteher keine Bebörde verfügen.

— 6) Jeder der drei christlichen Kirchen ift freie Re=
ligionsübung, jeder der volle Genuß ihres Kirchen=,
Schul= und Armenguts zugefichert, und das Kirchen=
gut wird zu dem Ende von dem Staatsgut getrennt.
Das Kirchenregiment und die Leitung der innern An=
gelegenheiten der Kirche bleibt den kirchlichen Behör=
den allein überlaffen.

7) Die Ausübung der Staatsgewalt kommt dem
König sowohl nach Auffen als Innen allein zu. Aber
ohne Einwilligung der Stände kann von ihm keine
in die Verhältniffe des Staats eingreifende Verbind=
lichkeit übernommen, kein Traktat oder Bündniß
ohne daß die Stände davon Kenntniß erhalten, an=
geknüpft werden, und Subfidien, Kriegscontributio=
nen ꝛc. werden Staatseigenthum. Kein Gefetz kann
ohne Beiftimmung der Stände gegeben, erläutert
oder verändert werden. Die Rechtspflege wird in
gefetzlicher Stufenordnung collegialisch und völlig un=
abhängig verwaltet. Die jährlichen Aushebungen

für den Kriegsdienst werden mit den Ständen ver-
abschiedet. Die übrigen Verhältnisse des Militärs
bleiben Gegenstand der Gesetzgebung und Gesetz-
revision.

8) Der Staatsaufwand wird zunächst von dem
Kammergut bestritten, das in den Grundstücken, Ge-
fällen und nutzbaren Rechten besteht, welche die Regenten theils schon in den frühesten Zeiten besessen,
theils nachher und mit den verschiedenen Bestandthei-
len des Königreichs erworben haben. Das Kammergut ist ein vom Königreich unzertrennliches Staatsgut. Der König erhält ein bestimmtes jährliches
Einkommen — Civilliste. Neben demselben genießt
er das Hofdomänen = Kammergut als Privateigenthum des königl. Hauses. So weit das Kammergut
für den Staatsaufwand nicht hinreicht, wird dieser
durch Steuern gedeckt. Ohne Einwilligung der Stände
kann keine Steuer aufgelegt werden, und dieselben
bewilligen diese von 3 zu 3 Jahren, nachdem sie vor-
rst sämmtliche Staatseinnahmen und Ausgaben,
welche ihnen in dem Hauptfinanzetat vorgelegt werden, geprüft haben. Der Einzug und die Verwaltung der Steuern kommt dem königl. Finanz = Depar-
tement zu; die Staatsschulden = Zahlungscasse wird
von den Ständen verwaltet.

9) Die Landstände sind die Vertreter des Volks,
und wachen über seinen Rechten. Sie haben Theil
an der Gesetzgebung, das Recht, dem König Wün-
sche, Vorstellungen und Beschwerden vorzulegen, das
Recht, wegen Verletzung der Verfassung Klagen an-
zustellen, und das Steuerbewilligungsrecht.

Die Stände theilen sich in 2 Kammern, in die
Kammer der Standesherrn und die Kammer der Ab-

geordneten. Die Kammer der Standesherrn besteht aus: 1) den Prinzen des königl. Hauses; 2) den Häuptern der standesherrlichen Familien; 3) den von dem König erblich oder auf Lebenslang ernannten Mitgliedern. Die Kammer der Abgeordneten ist zusammengesetzt aus: 1) 13 Mitgliedern des ritterschaftlichen Adels, welche von diesem aus seiner Mitte gewählt werden; 2) den 6 protestantischen General-Superintendenten; 3) dem Landesbischoff, einem von dem Domkapitel aus dessen Mitte gewählten Mitgliede und dem der Amtszeit nach ältesten katholischen Dekan; 4) dem Kanzler der Universität; 5) dem Abgeordneten von jeder der von König Friedrich ernannten 7 guten Städte: Stuttgardt, Tübingen, Ludwigsburg, Ellwangen, Ulm, Heilbronn und Reutlingen; 6) Einem Abgeordneten von jedem Oberamtsbezirke. Die beiden letztern Klassen werden von den besteuerten Bürgern gewählt. Ordentlicher Weise wird alle drei Jahre und nach jeder Regierungsveränderung ein Landtag gehalten. In der Zwischenzeit von einem Landtag zum andern, besteht ein von den Ständen aus ihrer Mitte gewählter Ausschuß, der seine eigene Kanzlei hat, über Erhaltung der Verfassung und Vollziehung der verfassungsmäßigen Beschlüsse wacht, und die Geschäftsgegenstände für den nächsten Landtag vorbereitet; 10) ein Staatsgerichtshof, welcher aus königl. Staatsdienern und aus Ständemitgliedern besteht, richtet über die Minister und Ständemitglieder, welche wegen Verletzung der Verfassung angeklagt sind, und versammelt sich im Fall einer solchen Anklage.

II. Staatsoberhaupt.

A. Der König.

Auf dem Throne Würtembergs sitzt dermalen König Wilhelm, geboren den 27ten September 1781, an der Regierung seit dem 30ten Oktober 1816. Sein Titel ist, mit Abschneidung aller frühern Titulaturen, kurz und einfach: Von Gottes Gnaden König von Würtemberg. Ebenso ist auch das Wappen von ihm wieder auf den einfachen Schild von zwei Feldern zurückgeführt, wovon das eine das alte Stammwappen von Würtemberg, drei liegende Hirschhörner, das andere, das alte Hohenstaufische oder Herzoglich Schwäbische, Wappen, drei leopardirte Löwen enthält. Die Farbe der beiden Felder ist gelb, die Figuren schwarz — die alten würtembergisch und schwäbischen Nationalfarben.

B. Königlicher Hofstaat.

Zum Glanze des Thrones bestehen nach der Verordnung vom Jahr 1808 vier Kronämter: 1) Das Reichs-Erbmarschallamt; 2) das Reichs-Erbhofmeisteramt; 3) das Reichs-Oberstkammerherrnamt; 4) das Reichs-Erzpanneramt.

Die Bedienung des Königs wird nach der neuern sehr vereinfachten Einrichtung vom Jahr 1818 durch 8 Oberhofämter besorgt.

1) Das Oberhofmeisteramt. Es umfaßt:
   a) den persönlichen Dienst des Königs und den Hofdienst;
   b) den Oeconomiedienst des Hofes;
   c) die Hofjägerei;
   d) die Bau- und Gartendirektion;
   e) die Schloßhauptmannschaft;

f) die Handbibliothek, den botanischen Garten und die Gallerie.

2) Das Oberst = Kammerherrnamt.

Es umfaßt das Ceremonienmeisteramt und zwei ordentliche und sechszehn ausserordentliche Kammerherrn.

3) Das Oberststallmeisteramt. Es umfaßt:

a) den Leibstall;

b) den Hof = oder Marstall.

Die Oberbehörde des ganzen Hofstaats ist der Oberhofrath.

C. Hof = und Domänenkammer.

Zum Hofe wird auch die Hofdomänenkammer ge= rechnet, welche mit Verwaltung des Hofkammerguts und der Oberhofkaffe, in welche die sämmtlichen Einkünfte des Königs fließen, beauftragt ist. Die unmittelbare Verwaltung des Hofkammerguts wird durch 8 Hofkammeralämter besorgt.

D. Geheime Kanzlei.

Die geheime Kanzlei, welche sich in das geheime Kabinet, an deffen Spitze der Staatsfekretär steht, und in die geheime Kriegskanzlei theilt, fertigt die unmittelbaren Befehle, Entschließungen und Anord= nungen des Königs aus.

III. Staatsverwaltung.

A. Behörden.

Die oberste Staatsbehörde ist der Geheime Rath, der unmittelbar unter dem König steht und dazu bestimmt ist, denselben in den wichtigsten Staatsan= gelegenheiten zu berathen. Die besondere Leitung der einzelnen Verwaltungszweige ist unter Departe= ments = Ministerien vertheilt: 1) Das der Justiz;

2) das der auswärtigen Angelegenheiten; 3) das des Innern und das des Kirchen⸗ und Schulwesens; 4) das des Kriegswesens; 5) das der Finanzen. Zu diesen kommt dermalen noch das Ministerium der Residenzpolizei. Jeder Minister hat seine eigene aus Räthen (wie die Minister der auswärtigen Angelegenheiten aus Legationsräthen) und andern Personen bestehende Kanzlei; und insbesondere ist dem Minister des Innern das Oberregierungs⸗Collegium, und dem Minister der Finanzen das Oberfinanz⸗Collegium zugetheilt.

Unter den Ministern theilen sich die Behörden in Central⸗ und Provinzialstellen, d. h. solche Stellen, deren Geschäftskreis entweder das ganze Königreich oder nur einen Theil, eine einzelne Provinz desselben umfaßt.

    a) die Centralstellen haben ihren Sitz zu Stuttgardt und sind:

      1) für die Justiz das Obertribunal;

      2) unter dem Ministerium der auswärtigen Angelegenheiten:

        a) der Lehenrath;

        b) das geheime Archiv.

      3) Für das Innere und das Kirchen⸗ und Schulwesen:

        a) das evangelische Consistorium;

        b) der katholische Kirchenrath;

        c) der Studienrath;

        d) das Medizinal⸗Collegium.

Für die besondern, unter der Leitung des Ministeriums stehenden, Anstalten bestehen noch:

        a) die Direktion der öffentlichen Bibliothek;

        b) die Theater⸗Intendanz;

        c) die Landgestüts⸗Commission;

d) Das Gensd'armerie = Kommando.

4) Für das Kriegswesen;
    a) die Administrations = Sektion mit der Militär=Rechnungskammer, der Oberkriegskasse, der Kasernenverwaltung, der Militär=Spitalverwaltung, der MontirungsMagazins=Verwaltung, dem Arsenal und der Reuterei=Equipirungs = Anstalt.
    b) die Justiz = Sektion;
    c) der Oberrekroutirungsrath, welcher mit dem Ministerium des Innern gemeinschaftlich ist.

5) Die Finanzverwaltung:
    a) die Oberrechnungskammer;
    b) das Steuer = Collegium;
    c) der Forstrath;
    d) der Bergrath;
    e) die Hauptstaats = Kassenverwaltung und für besondere Zwecke der Verwaltung:
    f) die Schiffahrts = Commission;
    g) die Kataster = Commission.

6) Die Provinzialstellen sind in den vier Kreisen vertheilt, so daß jeder Kreis 1) einen Gerichtshof für die Rechtspflege, 2) eine Regierung für die innere Verwaltung, und 3) eine Finanzkammer für die Finanzverwaltung hat.

Der Sitz dieser Collegien ist im Neckarkreis zu Ludwigsburg, im Schwarzwaldkreis zu Reutlingen, im Jartkreis zu Ellwangen, im Donaukreis zu Ulm, mit Ausnahme der beiden Gerichtshöfe für den Nekkar= und den Schwarzwaldkreis, welche ihren Sitz, ersterer zu Eßlingen, letzterer zu Tübingen haben. Für die Haupt = und Residenzstadt Stuttgardt besteht

ein eigenes, die Stelle einer Provinzialregierung ver-
tretendes Collegium, unter der Benennung Stadt-
direktion.

Unter den Central = und Provinzialstellen stehen
die Landbeamtungen: 1) Juſtizbeamtungen: 63 Oberamtsgerichte. 2) Regierungs = oder Adminiſtrations-
beamtungen: 63 Oberämter. 3) Forſtbeamtungen:
26 Oberförſtereien. 4) Finanz = oder Rentbeamtun-
gen: 77 Cameralverwaltungen, wozu noch für die
Beſorgung der Steuern die Umgeldereien, Zoll = und
Acciſeämter ꝛc. und für die Verwaltung der Eiſen-
und Bergwerke und Solinen die Hüttenämter kommen.

B. Verwaltung.

a) Die Rechtspflege wird in dreifacher Inſtanzen-
Ordnung verwaltet, ſo daß die Oberamtsgerichte und
in gewiſſen Fällen unter ihnen die Gemeinderäthe
den erſten, die Kreisgerichtshöfe den zweiten und
das Obertribunal den dritten Gerichtsſtand bilden,
und je nach der Bedeutung des Rechtsfalls ſtufen-
weiſe von dem Ausſpruch der einen Inſtanz an den
der andern appellirt werden kann. Von dem Oberamtsgerichte kann nemlich appellirt werden, wenn
die Streitſache den Werth von 100 fl. hat, von dem
Kreisgerichtshof, wenn ſie den Werth von 500 fl.
oder das ganze Vermögen einer Parthei betrifft,
oder wenn ſie den Werth von 200 fl. hat, und in der
erſten und zweiten Inſtanz nicht gleichmäßig ent-
ſchieden worden iſt. Das Oberamtsgericht, d. h. der
Oberamtsrichter für ſeine Perſon hat eine Strafbe-
fugniß von 10 Rthlr. oder acht Tage Gefängniß, das
vollſtändig beſetzte Oberamtsgericht aber, das heißt
der Oberamtsrichter mit den von der Bürgerſchaft
je auf zwei Jahre gewählten Gerichtsbeiſitzern, von

30 Rthlrn. oder von 4wöchiger Freiheitsstrafe. Höhere Straferkenntnisse gehören vor den Kreisgerichtshof; oder auch wie z. B. bei Dienstentsetzung, bei mehr als 5jähriger Freiheitsstrafe rc. vor das Obertribunal. — Dem Bestraften steht übrigens der Recurs, oder die Berufung von dem Straferkenntniß der niebern Stelle an den Ausspruch der höheren frei.

b) Innere Verwaltung. Sie theilt sich in ihrer Grundlage in die Gemeinde und in die Oberamtsverwaltung.

1) Die Gemeindeverwaltung. Jeder Gemeinde steht ein Gemeinderath vor, der theils für sich, theils in Verbindung mit einem Bürgerausschuß ihre Verwaltung besorgt. Der Vorstand des Gemeinderaths ist zugleich erster Ortsvorsteher. Die Gemeindevorsteher haben nach den Classen der Gemeinden eine Strafgewalt von 1 — 4 Rthlrn. oder 12 — 48 Stunden Gefängniß, und in Verbindung mit den Gemeinderäthen von dem doppelten; dem Bestraften steht aber auch hier, wie bei allen Straferkenntnissen, der Recurs frei. Der Rathsschreiber ist der Aktuar, Schreiber des Gemeinderaths. Der Gemeindepfleger besorgt die Kassen = und Rechnungsführung. Ueber die Einnahmen und Ausgaben der Gemeinden muß vor jedem Rechnungsjahre in Verbindung mit dem Bürgerausschuß ein genauer Voranschlag, Etat, Communschadensprojekt zur Nachachtung festgesetzt werden, und am Ende des Jahrs wird die Rechnung der Bürgerschaft vorgelesen.

Wie die Verwaltung des Gemeindevermögens, ist den Gemeinden neuerlich auch wieder die Verwaltung ihres Stiftungsvermögens überlassen, und der Gemeinderath bildet zu dem Ende, in Verbindung mit den Ortsgeiſtlichen, den Stiftungsrath. Zur Erhaltung der Kirchen =, Schul = und Sittenzucht beſteht das Kirchenkonvent, das zugleich der vollziehende Ausſchuß des Stiftungsraths iſt. Notariate ſollen noch errichtet werden.

2) Die Oberamtsverwaltung hat den Oberamtmann an ihrer Spitze, welcher im Namen der Regierung die Aufſicht über die Verwaltung ſämmtlicher Gemeinden des Oberamts führt, die höhere Polizei handhabt, und bei Amtsverſammlungen, welche die Verwaltungsbehörde des ganzen Oberamts bildet, den Vorſitz führt. Seine Strafgewalt geht bis auf 10 Rthlr. und acht Tage Gefängniß. Der Rechner und Kaſſenverwalter der Amtskörperſchaft iſt der Amtspfleger.

Die den Oberämtern unmittelbar vorgeſetzten Stellen, welche zugleich die allgemeineren, nicht blos einzelne Oberamtsbezirke betreffenden, Angelegenheiten leiten, ſind theils die Kreisregierungen, theils die oben genannten Centralſtellen, wovon ſowohl jene als dieſe unter dem Miniſterium des Innern unmittelbar ſtehen.

c) Das Kriegsweſen. Zum Kriegsdienſt iſt jeder Staatsbürger ohne Ausnahme verpflichtet. Die Dienſtzeit dauert ſechs Jahre. Zur Erſetzung der Abgehenden findet jährlich eine Aushebung ſtatt. Das Alter, welches derſelben unterliegt, iſt das 21te Jahr. Der Ausgehobene wird in Friedenszeiten nur ſo lange im wirklichen Dienſte behalten, als zu ſeiner militäriſchen Ausbildung unumgänglich nothwendig iſt, ſo daß er 3/4 ſeiner Capitulationszeit ſeinen bürgerlichen Beſchäftigungen obliegen kann. Stockſchläge und Spießruthen ſind ganz abgeſchaft. Der jetzige

Kriegsstand beläuft sich auf ohngefähr 22,000 Mann, wovon aber, um der angenommenen Beurlaubung willen, nur 1/5 anwesend ist.

d) Die Finanzverwaltung besorgt die Einnahmen und Ausgaben des Staats im Allgemeinen. Die Ausgaben der einzelnen Departemente werden durch die einzelnen Ministerien und ihre untergeordneten Stellen, wie z. B. die Ausgabe für Seminarien, durch den Studienrath besorgt. Die Ministerien übergeben deswegen ihre jährlichen Ausgaben = Etats an das Finanzministerium, und erhalten durch dieses die von den Landständen genehmigten Summen aus der Staatshauptcasse. Die Staatsschulden werden unter der Oberaufsicht der Regierung von den Landständen verwaltet.

Die ganze Staatsschuld beträgt ungefähr 25 Millionen. Zu ihrer Tilgung ist ein besonderer Plan entworfen, nach welchem sie innerhalb 45 Jahren abgetragen seyn soll.

Die Staatseinnahmen betragen nach Abzug der Erhebungskosten und Grundlasten (2 Millionen) ungefähr 9 1/2 Million. Sie bestehen 1) in dem Ertrage des Kammerguts oder der Domänen, womit dermalen noch das Kirchengut verbunden ist, 2) in den Regalien, als Post=, Salpeter = und Münzregal 2c. und in den Gerichtssporteln; 3) in den ordentlichen Steuern; 4) in den indirekten Steuern, als Zoll= Accise, Straßenbauabgabe, Umgeld, Taxe, Stempel, Salz = und Tabaksgefälle.

Die Staatsausgaben betragen ungefähr dieselbe Summe, und sind: 1) Civilliste, 2) Appanage und Witthum; 3) Staatsschuld, Zinse und Ablösung; 4) Renten und Entschädigungen; 5) Pensionen 2c.,

6) Besoldungen; 7) Verwaltungskosten für Inqui-
sitionen, Bauwesen, Gestüts- und andern Anstalten ꝛc.;
8) Kirchen- und Schulwesen; 9) Kriegswesen; 10)
Sträflinge ꝛc.

e) Forstliche Staatseinkünfte. Die oben genannten Staatseinnahmen und Ausgaben begreifen
auch die forstlichen Einnahmen und Ausgaben in
sich, und die Quellen, aus welchen die forstlichen
Einnahmen fließen, sind:

1) Aus forstlichen Rechten:
  a) Strafen und Confiskationen;
  b) Ersatz an Rugtagskösten;
  c) Concessionsgelder;
  d) Holz- und Harzzehnten;
  e) Forstzinse.
2) Aus dem Waldeigenthum:
  a) Holzertrag;
  b) für Eckerich;
  c) für Holzsaamen;
  d) für das Harzscharren;
  e) für Laub und Gras;
  f) Zinse aus verliehenen Waldböden;
  g) Concessionsgelder.
3) Aus dem Floßrecht.
4) Besoldungszuschuß von der königlichen Hofdo-
    mänenkammer.
5) Außerordentliche Einnahmen von Forst- und
    Jagdertrag.

Nach der Berechnung des königl. Forstraths und
der königl. Oberrechnungskammer ist der rohe Ertrag
der sämmtlichen würtembergischen Staatswaldungen
oder Kronforste:

22

Im Ganzen 608,419 Morg.	auf die Etatsjahre			
	1819—20 nach der wirklichen Erfahrung		1820—23 nach dem Voranschlag in dem Etat jährlich	
	fl.	kr.	fl.	kr.
1. Aus forsteilichen Rechten:				
Strafen und Confiskationen	94,595	21	78,855	19
Ersatz an Rugtagskosten	8,358	20	6,942	40
Concessionsgelder . . .	335	32	1,364	24
Holz= u. Harzzehnten . .	2,159	20	670	22
Forstzinse	5,570	53	5,320	58
2. Aus dem Waldeigenthum:				
Holzertrag	980,181	59	1,146,059	39
Für Eckerich	506	12	1,427	48
Für Holzsaamen . . .	77	36	34	48
Für das Harzscharren . .	2,915	39	2,694	48
Für Laub und Gras . . .	7,858	8	7,355	36
Zinse aus verliehenen Waldböden	6,030	23	5,744	50
Concessionsgelder . . .	170	—	194	30
3. Aus dem Floßrecht . .	14,285	28	13,550	—
4. Besoldungszuschuß von der K. Hofdomänenkammer	3,500	—	3,500	—
5. Ausserordentliche Einnahmen, ausserordentlicher Forst = und Jagdertrag .	49	58	310	15
Zusammen nach der Berechnung des K. Forstraths	1,126,594	49		
nach der Berechnung der K. Oberrechnungskammer . .	1,100,473	51	1,274,025	57

Forſteiliche Staatsausgaben.

Die forſteilichen Staatsausgaben beſtehen:

1) In den Ausgaben, die auf die Forſt= und Jagd= Verwaltung im Allgemeinen verwendet werden:
   a) Beſoldungen des Landforſtperſonals (alſo ohne das Perſonal der Centralforſtſtelle);
   b) Delations=Gebühren;
   c) Strafeinzugs = Gebühren ;
   d) Diäten, Taggelder und Reiſekoſten;
   e) außerordentlicher Aufwand für den Forſt= ſchutz,
   f) Amtserforderniſſe;
   g) Grenzrenovations=, Steinſatz= und Charti= rungskoſten;
   h) Prozeßkoſten.
2) Auf die Forſtverwaltung insbeſondere:
   a) Grundabgaben und Reallaſten;
   b) Kulturkoſten;
   c) Wegerhaltung und Herſtellung;
   d) auf den Holzſchlag.
3) Wiederabzugebende Gelder:
   a) Acciſe von dem Holzertrag ꝛc.
4) Auf das Floßweſen.
5) Außerordentliche Ausgaben, beſonders Abgang an Strafen.

Nach der Berechnung des Kbn. Forſtraths und der Kbn. Ober=Rechnungskammer ſind von dem forſt= teilichen rohen Ertrag folgende Ausgaben abzuziehen:

22*

Abzug der Ausgaben von dem rohen Ertrag.	auf die Etatsjahre.			
	1819—20 nach der wirklichen Erfahrung		1820—23 nach dem Voranschlag in dem Etat jährlich	
	fl.	kr.	fl.	kr.
1) Auf die Forst = und Jagd=Verwaltung im Allgemeinen:				
Besoldungen des Landforstpersonals (also ohne das Personal der Centralforststelle) . . .	319,709	18	309,699	28
Delationsgebühren	30,155	31	24,051	21
Strafeinzugsgebühren . . .	4,729	46	3,571	32
Diätentaggelder und Reisekosten	6,489	7	11,967	6
Außerordentlicher Aufwand für den Forstschutz	4,667	55	6,202	—
Amtserfordernisse	5,572	33	6,395	13
Grenz=Renovations=Steinsatz=und Chartirungskosten	2,931	31	7,000	—
Prozeßkosten	26	22	75	—
2) Auf die Forstverwaltung insbesondere.				
Grundabgaben und Reallasten .	155,843	41	152,573	10
Kulturkosten	17,399	32	20,191	48
Wegerhaltung und Herstellung	886	31	2,183	37
Auf der Holzschlag	144,067	23	170,779	52
3) Wiederabzugebende Gelder:				
Accise von dem Holzertrag .	—	—	9,000	—
4) Auf das Floßwesen . . .	5,000	—	5,000	—
5) Außerordentliche Ausgaben, besonders Abgang an Strafen .	308	45	8,316	57
zusammen				
nach der Berechnung des K. Forstraths	697,793	5	—	—
nach der Berechnung der K. Oberrechnungskammer aber . .	574,396	24	737,007	4
(Finanzetat von 1820 — 23 Einnahme II. B. Rau Vortrag S. 142. 143. 147. 148.)				
also reiner Ertrag				
nach der Berechnung des K. Forstraths	428,801	44		
nach der Berechnung der K. Oberrechnungskammer aber . .	526,077	26½	537,018	53

Abzug der Ausgaben von dem rohen Ertrag.	auf die Etatsjahre			
	1819—20 nach der wirklichen Erfahrung.		1820—23 n. d. Voranschlag in dem Etat jährlich	
	fl.	kr.	fl.	kr.
Transport:	526,077	26½	537,018	53
Hiezu kommt noch der reine Ertrag				
a) aus den Holzgärten . .	24,146	32	24,387	27
b) aus der Holzsaamen = Verwaltung	822	20	4,309	7
c) aus der Torfverwaltung .	2,134	40	1,309	28
d) aus den Jagden . . .	24,971	37½	23,752	19
zusammen also reiner Ertrag sämmtlicher Staatswaldungen und Jagden . . . . (Finanzetat 1819 bis 20 u. 1820 bis 23. Einnahmen II. B. Rau Vortrag S. 142—144. 164. 165.)	578,152	36	590,777	14

Wie schon oben gezeigt wurde, berechnet v. Seutter, hienach in seinem Abriß S. 64. die auf den Staats= oder Kronforsten haftenden Kosten:

für die Administration	17	5/6 Pct.
den Forstschutz	11	1/3 —
die Bestreitung der Reallasten . .	12	9/11 —
die Produktion	15	— —

zusammen 56 65/66 Pct.
des rohen Ertrags.

Das Königliche Finanz = Ministerium aber berechnet die Kosten der Staatsforst=Verwaltung (in dem Finanzetat 1820 — 23 S. 17.) zu 26 1/2 Pct. und die ständische Kommission (nach dem Vortrag des Abgeordneten Rau S. 155.) zu 36 1/2 Pct. des rohen Ertrags. Dem Morgen nach berechnet die ständische Kommission den jährlichen rohen Ertrag der bestockten Kronwaldfläche 1819—20 zu 2 fl.
1820—21 zu 2 fl. 19 kr.

den jährlichen reinen Ertrag eines Morgens aber ohne Abzug der Grundabgaben und Reallasten:

1819—20 zu 1 fl. 3 kr. 5 hlr.
1820—21 zu 1 - 15 kr. 2 —

und nach Abzug dieser Lasten;

1819—20 zu - - 46 kr. 5 —
1820—21 zu - - 58 kr. 4 —

(Rau Vortrag S. 163. 164.)

2) Memminger Geogr. S. 192.

g) Forstliche Besteurungen und Servituten. Was die direkte Besteurung der Kronforste betrifft, so ist in der Verfassungs=Urkunde vom 25. Septbr. 1819 Reg. Bl. Nro. 65. §. 108. enthalten, daß das Hof= Domänenkammergut zu den allgemeinen Landeslasten seinen Beitrag, so weit es bisher steuerfrei war, gleich andern früher steuerfreien Gütern gebe.

Die Stiftungs=, Commun= und Privatwaldungen sind ebenfalls den direkten Steuern unterworfen. Bei den Communen wird aber die Steuer, welche von ihren Waldungen zu entrichten ist, nicht besonders in den Communrechnungen verrechnet, weil sonst eine besondere Umlage deshalb unter der Bürger= schaft gemacht werden müßte, sondern blos die Steuer= summe, welche die Communen und ihre Inwohner aus ihren besitzenden Grundstücken nach der Repar= tition des Landessteuer=Catasters trifft, von den Ober= ämtern ausgeschrieben, und unter den Bürgern repar= tirt, unter welcher Umlage auch die Privatwaldun= gen begriffen sind. Die Gutsherrlichen Waldungen sind eben so der Besteurung unterworfen, aber nur allein der Staatssteuer.

Die Grundsätze, nach welchen die Waldgrundstücke besteuert werden, sind folgende:

Die gegenwärtige Staatssteuer, die aber einer Veränderung unterliegt, beträgt 2,400,000 fl. Nach dieser Summe kommt auf 1 fl. steuerbares Vermögen 1 kr. 3 1/3 heller. In hiesiger Gegend ist z. B. Der Morgen Waldfläche mit 6 fl. katastrirt, und giebt also 9 kr. 2 hlr. Staatssteuer.

Die indirekte Abgaben der Forsten, welche vorzüglich auf dem Verkehr haften, sind:

a) Accise für das von Inländern an Inländer verkaufte Holz;
b) Zölle für Holzeinfuhr und Durchfuhr.
c) Concessionsgelder für Holzausfuhr.

Von allem Holz, welches von Inländern an Inländer verkauft wird, ist von jedem Gulden Erlös ein Kreuzer Accise zu entrichten. In der Regel ist dieser Accis von dem Verkäufer zu bezahlen. Wenn aber das Holz aus Staatswaldungen oder Faktorien verkauft wird, so liegt die Bezahlung der Accise dem Käufer ob, und der Einzug derselben den Cameralämtern. Bei Holzeinfuhr und Durchfuhr zahlt das Klafter ohne Rücksicht auf Qualität 8 kr.; von der Holzausfuhr aber 10 Pct. vom Werth des Holzes.

Der Holz= und Harzzehnten, welchen der Staat an gewissen einzelnen Orten zu beziehen hat, beruht auf besondern lagerbüchlichen und andern Bestimmungen. In mehreren Gegenden des Landes wurden in frühern Zeiten den Communen und auch Privaten Forstallmanden käuflich oder auch unentgeldlich gegen einen bestimmten jährlichen Zins überlassen. Diese Güter sind nun durch die Verbesserung der Kultur, theils zu Aecker und Wiesen angelegt worden, und kommen in der Schwarzwaldgegend häufig vor; aus dergleichen Güter werden Forstzinse bezahlt, welche von dem K. Forstrath aufgelegt werden. Im Allgemeinen läßt sich über diese beiden Abgaberubriken nichts sagen, da sie nur in einzelnen Gegenden oder Orten vorkommen, und sich lediglich auf besondere Bestimmungen, die in jedem Ort wieder von einander abweichen können, gründen.

Die wichtigsten Servituten, die theils auf den Staats-, theils auf den Privatwaldungen in Würtemberg haften, sind:

1) Das Holz- oder das Mitbeholzungsrecht, welches entweder darin besteht, daß

   a) der Berechtigte einen bestimmten Theil vom jährlichen Holzertrag, oder ein festgesetztes Quantum Holz zu beziehen hat;

   b) daß derselbe zu Befriedigung eines bestimmten Bedürfnisses das erforderliche Holz aus dem Wald eines andern zu fordern das Recht hat;

   c) daß derselbe das Recht hat, das jährlich in den Schlägen abfallende Ast- und Reiserholz sich zuzueignen, oder

   d) das vom Wind und Schnee umgeworfene oder abgebrochene Holz zu nehmen;

   e) das Recht, Raff- und Leseholz oder dürres Holz einzusammeln; oder

   f) die Stöcke und Stumpen von abgehauenen Bäumen ausgraben zu dürfen, und

   g) das Recht, das sogenannte weiche Holz zu nützen.

2) Die Waldweide oder ein Recht, sein Vieh in den Wald eines Andern treiben zu dürfen.

3) Das Gras oder das Recht der Gewinnung des Grases in dem Wald eines Andern.

4) Die Waldstreu oder das Recht in dem Wald eines Andern Laub und Moos rechen zu dürfen.

5) Die Mast oder das Recht in eines Andern Wald den Saamen der Eiche, der Buche und des wilden Obstes entweder durch Einschlagen der Schweine oder durch Einsammlung zu benutzen.

6) Das Harz oder das Recht der Gewinnung des Bildungsaftes von der Rothtanne in dem Wald eines Andern.

7) Die Jagd oder das Recht der Wildbenutzung.

Diese Servituten sind meistens sehr alten Ursprungs, und schreiben sich von einem Zustande her, wo, wie alle bekannte Nachrichten darüber beistimmen, die Bevölkerung mit der jetzigen in gar keinem Verhältniß stand, und wo die damaligen der Anzahl und den Kenntnissen nach wenigeren Forstbedienten weder voraussehen konnten, was in hundert Jahren später sich dißfalls ergeben würde, noch auch besondere Kenntniß davon hatten, die vorhandene und nachwachsende Holzmasse mit Sicherheit anzugeben, und daraus einige nöthige Schlüsse auf künftigen möglichen Bedarf zu machen.

In den neuesten Zeiten kennt man nur ein vorzügliches Mittel, dem gänzlichen Untergang der mit vielerlei Servituten und Gerechtigkeiten belasteten Waldungen vorzubeugen, nemlich: Purifikation der Wälder, und die Grundsätze derselben (wobei die Berechtigten einen gewissen Theil dieser Wälder als wirkliches Eigenthum mit der Bedingung erhalten, um in den andern Theilen allen dergleichen Servituten und Gerechtigkeiten in rechtlicher Form zu entsa=

gen) find schon oben bei der Purifikation der Schönbuchswaldungen angegeben worden.

IV. Kirchliche Verbindung.

In dem alten Herzogthum gab es nur Eine Kirche
als Staatskirche, nemlich die evangelisch = lutherische.
Es war sogar Landes = Grundgesetz, daß auſſer ihr
keine andere geduldet werden solle. Zwar wurde zu
Ende des 17. Jahrhunderts eine Anzahl von Reformirten im Lande aufgenommen, allein sie genossen
weder vollkommen bürgerliche noch kirchliche Rechte,
den Katholiken aber waren alle Rechte versagt, und
sie wurden mit Ausnahme der wenigen Ortschaften,
welche entweder erst nach der Reformation zum Lande
gekommen waren, oder wo die Reformation besonderer Verhältnisse wegen nicht hatte eingeführt werden
können, im Lande gar nicht geduldet. Dieses Verhältniß konnte nicht mehr bestehen, sobald mit den
neuen Länder = Erwerbungen eine beträchtliche Anzahl
von katholischen Glaubensgenossen an Würtemberg
gekommen war. Der König Friedrich räumte deswegen durch ein Religionsedikt vom 15. Oct. 1806
den drei christlichen Kirchen gleiche bürgerliche und
kirchliche Rechte und Freiheiten im Königreiche ein,
und diese Gleichheit wurde durch die Verfassungsurkunde bestätigt, so daß also jetzt Würtemberg drei
gleich berechtigte Kirchen besitzt.

A. Evangelisch = Lutherische Kirche.

Die innere Angelegenheiten dieser Kirche werden
nach der Verfassung von dem Konsistorium und der
Synode besorgt. Die leztere entsteht durch den Zu-
sammentritt der sechs Generalsuperintendenten des

Landes mit dem Consistorium, und wird alljährlich im Frühjahr gehalten. Die besondere Aufsicht über die Kirche theilt sich in Generalate und Specialate oder General= und Special=Superintendenzen. Der erstern sind sechs, der letztern fünfzig. Die Special= Superintendenten oder Decane führen die Aufsicht über die Geistlichen ihrer Diözese, und diese und ihre Kirchen werden von ihnen alle zwei Jahr, so wie die Decane von den General=Superintendenten visitirt. Die Zahl sämmtlicher lutherischer Pfarreien ist mit Einschluß von 34, welche keine eigene Pfarrer haben, 844. Die Namen und Sitze der General= und Special=Superintendenten sind:

I. General=Superintendenz Oehringen.

Sitz Schönthal.

1) Blaufelden.
2) Creglingen.
3) Gaildorf.
4) Hall.
5) Ingelfingen.
6) Langenburg.
7) Neuenstadt.
8) Oehringen.
9) Weickersheim.

II. General=Superintendenz Heilbronn.

1) Backnang.
2) Besigheim.
3) Brackenheim.
4) Heilbronn.
5) Ludwigsburg.
6) Vaihingen.
7) Weinsberg.

III. General=Superintendenz Maulbronn.

1) Calw.
2) Dürrmenz.
3) Knittlingen.
4) Leonberg.
5) Stuttgardt.
6) Vaihingen.
7) Wildbad.

IV. General-Superintendenz Urach.

Sitz Stuttgardt.

1) Kannstadt.
2) Eßlingen.
3) Göppingen.
4) Kirchheim.
5) Neuffen.
6) Nürtingen.
7) Münsingen.
8) Schorndorf.
9) Urach.
10) Waiblingen.

V. General-Superintendenz Tübingen.

1) Bahlingen.
2) Böblingen.
3) Freudenstadt.
4) Herrenberg.
5) Reuttlingen.
6) Sulz.
7) Tübingen.
8) Tuttlingen.
9) Wildberg.

VI. General-Superintendenz Ulm.

1) Aalen.
2) Albeck.
3) Biberach.
4) Blaubeuren.
5) Crailsheim.
6) Geißlingen.
7) Heidenheim.
8) Ulm.

B. Reformirte Kirche.

Die reformirten Gemeinden stehen mit ihren Geistlichen unter dem reformirten Decan zu Kannstadt, und mit diesem dermalen gleichfalls unter dem evangelisch-lutherischen Consistorium. Es sind ihrer jedoch nicht mehr als acht, die mit dem Decanat verbundene Pfarrei Kannstadt mit eingeschlossen.

C. Katholische Kirche.

Die innere Verwaltung der katholischen Kirche steht zunächst dem Landesbischoff und seinem Domkapitel zu. Neben demselben besteht für die Verwaltung der in der Staatsgewalt begriffenen Rechte

als landesherrliches Collegium der katholische geistliche Rath.   Die besondere Aufsicht ist unter 28 De-
anate oder Landkapitel vertheilt.   Die Zahl sämmtlicher katholischen Pfarreien ist 629, nebst 185 Ka-
laneien.

Die Namen und Sitze der Landkapitel sind:

1. Americhshausen.	15. Rottenburg.
2. Biberach.	16. Rottweil.
3. Ehingen.	17. Saulgau.
4. Ellwangen.	18. Spaichingen.
5. Geißlingen.	19. Stuttgardt.
6. Gmünd.	20. Tettnang.
7. Horb.	21. Ulm.
8. Leutkirch.	22. Unterkochen.
9. Mergentheim.	23. Waldsee.
10. Neckarsulm.	24. Wangen.
11. Neresheim.	25. Wiblingen.
12. Oberndorf.	26. Wiesenstaig.
13. Ravensburg	27. Wurmlingen.
14. Riedlingen.	28. Zwiefalten.

Neben den christlichen Religionsverwandten genießen, was in frühern Zeiten nicht der Fall war,
auch die Juden Schutz und Duldung, und sie haben
an mehreren Orten des Königreichs Synagogen und
Schulen.

V. Oeffentliche Anstalten.

A. Sicherheitsanstalten.

Ein Gensd'armerie-Corps sorgt für die Sicher-
heit der Straßen und die öffentliche Ordnung; eine
Brandversicherungsanstalt gewährt Ersatz für den
Verlust an Gebäuden durch Feuersnoth, ein Irren

haus befindet sich zu Zwiefalten, ein Zucht = und Arbeitshaus für männliche Sträflinge zu Gotteszell bei Gmünd, für weibliche zu Ludwigsburg; Zwangs= arbeitshäuser bestehen zu Eßlingen, Heilbronn, Ell= wangen, Ulm, Rottenburg, und zu Markgröningen noch ein Filial = Zuchthaus.

B. Wohlthätigkeits = und Versorgungs= anstalten.

Ein adeliches Fräuleinstift befindet sich zu Obri= stenfeld, eine Invalidenanstalt zu Comburg, ein Waisenhaus zu Stuttgardt und eins zu Ludwigsburg, jedes mit 275 armen Waisen, eine Sparkasse ist seit 1818 zu Stuttgardt errichtet, in welcher die ärmere Volksklasse, hauptsächlich Dienstboten, ihre kleine Ersparniß sicher und kostenfrei zu 5 Procent anlegen können. Eine geistliche Wittwenkasse gewährt eine jährliche Unterstützung von ungefähr 60 fl. für Wittwen der Geistlichen und Lehrer. Eine weltliche Wittwenkasse oder Pensionsanstalt sichert einen un= gleich reichlicheren Zufluß den Wittwen weltlicher Staatsdiener und des Militärs zu.

C. Erziehungs = und Bildungsanstalten.

Schulen. Volksschulen, sogenannte deutsche Schu= len, befinden sich 2,187. nemlich 1,400 evangelische und 787 katholische im Lande. Jedes Kind muß vom 6ten bis 14ten Jahre in die Schule geschickt werden. Von dieser Zeit an besucht es die Sonn= tagsschule bis ins 18te Jahr.

Neben den gewöhnlichen Schulen bestehen an vie= len Orten noch Industrie = und Realschulen, an meh= reren auch Kunstschulen.

Die Aufsicht über die Schulen ist den Ortsgeistlichen und Dekanen, statt der letztern bei den Katholiken besonderen Schulinspektoren übertragen. Zur Bildung von Schullehrern ist seit 1811 zu Eßlingen ein Schullehrer = Seminarium errichtet, neben welchem noch Privat = Seminarien bestehen; zur Fortbildung der im Dienste stehenden Schullehrer werden vierteljährige Schulconferenzen gehalten, welchen in jeder Diözese einer oder zwei Geistliche als Direktoren vorstehen. Eine Unterrichts = und Erziehungsanstalt für die weibliche Jugend der gebildeten Stände wurde von der verstorbenen Königin Catharina zu Stuttgardt errichtet. Ein Taubstummen=Institut befindet sich zu Gmünd. Lateinische Schulen, in welchen neben dem gewöhnlichen Volksunterrichte die Anfangsgründe der gelehrten Sprachen gelehrt werden, besitzt jedes protestantische Landstädtchen neben den deutschen Schulen. Ihre Zahl ist im Ganzen 68, welche unter 3 Pädagogarchate vertheilt und dem Studienrath untergeordnet sind.

Nur in einigen wenigen katholischen Städten bestehen bis jetzt ähnliche Anstalten zum Ersatz für die durch Aufhebung der Klöster verlohrne Bildungsgelegenheit.

Gymnasien bestehen zu Stuttgardt, Heilbronn, Ulm, Ellwangen und zu Rottweil; Lyceen oder Mittelanstalten zwischen Gymnasien und Schulen: zu Tübingen, Ludwigsburg, Ehingen, Mergentheim.

Niedere Seminarien zur Bildung protestantischer Geistlichen, zählt man vier: zu Maulbronn, Schönthal, Blaubeuren und Urach. In denselben werden die Zöglinge vom 14ten bis 18ten Jahre unterrichtet.

Das theologische Seminarium zu Tübingen nimmt die Zöglinge der niedern Seminarien abwechselnd, nach einem 4jährigen Aufenthalt in diesen, auf, und vollendet ihre Bildung während eines 4jährigen Laufs.

Das katholische Convict zu Tübingen besteht unter gleichem Verhältnisse, wie das theologische Seminarium zur Bildung katholischer Geistlichen. Die Landesuniversität zu Tübingen, welche im Jahr 1477 gestiftet und in neuern Zeiten sehr vervollkommnet wurde, bietet Gelegenheit zur höhern Ausbildung in allen Fächern der Wissenschaften dar. Sie besteht aus sechs Fakultäten, und ist mit ansehnlichen Nebeninstituten versehen.

Bei der Forstorganisation im Jahr 1818 wurde zugleich zur Bildung der für einen jeden Dienstgrad erforderlichen Forst = Candidaten eine staatswirthschaftliche Fakultät in Tübingen zur Bildung zu den höhern Dienstgraden und ein niederes Forstlehrinstitut zur Bildung von Subjekten für Revier= und Unterförster zu Stuttgardt errichtet, und in Hinsicht des letztern die Einrichtung getroffen, daß dieses Institut mit dem Feldjägerkorps in Verbindung gesetzt und ihm ein militärischer und forstwissenschaftlicher Bildungszweck zugleich gegeben wurde. Am 1ten Juli 1820 aber wurde die mit der K. Feldjäger-Schwadron in Verbindung gesetzte niedere Forstschule von derselben getrennt, und mit der landwirthschaftlichen Unterrichtsanstalt zu Hohenheim vereinigt. Jeder, der zwei Jahre in der Feldjäger = Eskadron gedient hat, und in den Conduiten = Listen gut prädizirt ist, kann diese Lehranstalt besuchen wo er jährlich 200 fl. Stipendium erhält, die Aufnahme aber in diese Lehranstalt kostet jährlich 400 fl.

und nach einem vorgeschriebenen Lehrplane wird derselbe in einem Zeitraum von zwei Jahren oder vier Semestern beendigt. Gegen 400 fl. wird jeder In- und Ausländer, der sich durch Fleiß, Talent und gute Sitten ausweisen kann, aufgenommen. Bei Gleichheit der Kenntnisse zwischen Aspiranten zu einer Anstellung im Forstdienste, haben diejenigen, welche im Feldjägerkorps gedient haben, den Vorzug vor andern Forst-Candidaten.

D. Anstalten für Landwirthschaft und Viehzucht.

Ein landwirthschaftliches Institut, das Versuchs- und Unterrichtsanstalt zugleich seyn soll, ist seit 1819 zu Hohenheim errichtet.

Ein Landgestüt besteht als Staatsanstalt, neben der übrigen Einrichtung zur Beförderung der Pferdezucht, zu Marbach, in Verbindung mit den Fohlenställen zu Offenhausen, St. Johann und Güterstein.

Ein königl. Hofgestüt wurde von dem jetzigen König zu Klosterweil eingerichtet, und mit Scharnhausen und Klein-Hohenheim in Verbindung gesetzt.

Ein landwirthschaftliches Fest, welches seit 1818 alljährlich im September zu Canstadt gefeiert wird, hat den Zweck, durch ermunternde Preiße die Viehzucht im Ganzen zu befördern.

E. Zur Bequemlichkeit, zum Vergnügen und zur Gesundheit.

Eine wohleingerichtete Postanstalt verbreitet sich über das ganze Land. Sie ist seit 1819 wieder dem fürstlichen Hause Thurn und Taxis als Lehen überlassen, und dasselbe entrichtet dafür an die Staatskasse jährlich 70,000 fl.

23

Sämmtliche Posten sind unter die vier Oberpost-Ämter: Stuttgardt, Tübingen, Ulm und Heilbronn eingetheilt, mit Unterordnung der drei letztern unter Stuttgardt, als das Hauptpostamt.

Ein Hof- und Nationaltheater besteht zu Stuttgardt; das landwirthschaftliche Fest zu Canstadt ist zugleich zum Volksfeste bestimmt.

Mehrere Bad- und Bronnenanstalten, deren Einrichtung zum Theil von Staatswegen gemacht ist, dienen zur Erholung und Gesundheit. Die besuchtesten sind dermalen das Wildbad, das Canstadter Bad und der Bronnen, das Boller Bad, das Niedernauer Bad, die Teinacher Bad- und Bronnenanstalt.

Bekannt und mehr oder weniger besucht sind ferner: das Göppinger Bad und der Bronnen, das Liebenzeller Bad, das Theußerbad bei Löwenstein, das Ueberkinger, Reutlinger Bad ꝛc.

F. Wissenschaftliche und Kunstsammlungen.

Ausser der Universität besitzt vornehmlich Stuttgardt mehrere wichtige Sammlungen, namentlich eine große öffentliche Bibliothek, ein Münz- und Medaillen-Cabinet, ein Naturalien-Cabinet. Zu Ludwigsburg befindet sich eine gleichwohl nicht bedeutende Gemälde-Gallerie.

Ein Wohlthätigkeitsverein wurde im Jahr 1817, ein landwirthschaftlicher Verein im Jahr 1818, und ein Handels- und Gewerbs-Verein im Jahr 1819 errichtet.

G. Anstalten zur Auszeichnung.

Für diesen Zweck bestehen zweierlei Orden und zweierlei Verdienstmedaillen: a) die Orden sind: 1) der Orden der würtembergischen Krone; 2) der Militär = Verdienst = Orden.

Der erstere wurde durch eine Verfügung vom Jahr 1818 an die Stelle des würtembergischen Hausordens und des von König Friedrich gestifteten Civilverdienstordens gesetzt. Beide theilen sich in drei Klassen: Großkreuze, Commenthure und Ritter. Mit dem Militär = Verdienstorden ist für eine gewisse Anzahl von Rittern ein Ordensgehalt verbunden.

b) Die Medaillen sind: 1) eine goldene und eine silbere Civil = Verdienst = Medaille; 2) eine goldene und eine silberne Militär = Verdienst = Medaille.

Fünfte Abtheilung.

Topographie oder Ortsbeschreibung.

Neuere Karten.

v. Bohnenbergers Karte vom Herzogthum Würtemberg, und Ammanns und v. Bohnenbergers Karte von Schwaben. Stuttgardt und Tübingen, bis jetzt 41 Blätter. Jg. Am. Ammann, Karte von Schwaben, mit allen Städten, Marktflecken und Pfarrdörfern, Chausseen, Flüssen, Bächen und dermaligen Grenzen, aus eigenen astronomischen und trigonometrischen Beobachtungen und Berechnungen zusammengesetzt 1803, erweitert und verbessert 1814. Ebend. Generalkarte des Königreichs Würtemberg, nach den 12 Landvogteien. Ebend. v. Gelbke, Karte von Würtemberg in 4 Blättern. Tübingen 1811 — 1814. Karte vom Königreich Würtemberg, auf 6 Blätter von v. Hoff. Augsburg 1812. Das Königreich Würtemberg nebst dem Großherzogthum Baden v. Pflummern. Nürnberg 1811. Streit, Karte von Würtemberg und vom Großherzogthum Baden. Weimar 1811. Reinhardt, Karte vom Königreich Würtemberg, Großherzogthum Baden und Fürstenthum Hohenzollern. Nürnberg 1813. Hammer, Würtemberg, Baden, Hohenzollern und Rheinbaiern. Nürnberg

1817. Haug, Karte von Würtemberg nach den 4 Kreisen. Stuttgardt 1819. v. Zucheri, Karte des Königreichs Würtemberg und des Großherzogthums Baden ꝛc. Wien 1808. Weiland, Postkarte vom Königreich Würtemberg und Großherzogthum Baden, in 6 Sect. Weimar 1819. Carte Topographique de l'ancienne Souabe, commencée en 1801. par les soins du Général Moreau, executée au depôt de la Guerre etc. Paris 1818. 18 Blätter.

Haupt= und Residenzstadt.

Stuttgardt, die Haupt= und Residenzstadt liegt am Nesenbach, 1/2 Stunde vom Neckar, 712 Pariser Fuß oder 808 Würtemberger Fuß über der Meeresfläche, mitten im Königreiche, in einem tiefen Bergkessel. Mit Ausnahme der innern, alten Stadt ist sie ziemlich regelmäßig gebaut, und hat sich in neuern Zeiten eben so sehr verschönert, als vergrößert. Die Stadt enthält ungefähr 2,000 Häuser und mit den auf ihrer Markung gelegenen und eingebürgerten Ortschaften 22,340 und nebst den Fremden 26,906 meist lutherische Einwohner. Sie ist der Sitz aller Centralbehörden des Königreichs, des landständischen Ausschusses und der Ständeversammlung, der Centralstellen des Wohlthätigkeits=, des Landwirthschaftlichen= und des Handels= und Gewerbsvereins, auch einer Bibelgesellschaft, hat eine lutherische Hofkapelle, drei lutherische Pfarrkirchen, eine lutherische Garnisons= und eine Waisenhauskirche, eine reformirte Kirche und eine katholische Pfarrkirche, ein Gymnasium, ein Real= und ein weibliches Erziehungsinstitut, ein Waisenhaus, ein Spital und verschiedene Armenanstalten, ein litographisches Institut, eine Münze, ein Theater, eine öffentliche und eine K. Privatbibliothek, ein Naturalien=, ein Münz= und Medaillen=Cabinet, und mehrere Kunstsammlungen, worunter sich vorzüglich die K. Kupferstichsammlung, der Antikensaal, und vor Allem die Boisseréesche Gemäldesammlung auszeichnen; ein Museum, Privatanstalt für literarische und gesellschaftliche Zwecke. Die Stadt hat vieles Gewerbe und ansehnlichen Weinbau, der Handel ist lebhaft, und es werden neuerlich auch, besonders auf der Hofbank, bedeutende Wechselgeschäfte gemacht. Es befinden sich hier viele vorzügliche Künstler, für mathematische, optische, physikalische und musikalische Instrumente, mehrere Schriftgießereien, Kupfer= und Steindruckereien und berühmte Meister in der höhern Kunst, namentlich ein Dauneder, Müller, Wächter, Hetsch ꝛc. Unter den einzelnen Gebäuden ragen hervor: das schöne, vom Herzog Carl erbaute Residenzschloß mit den Schloßnebengebäuden (ehem. Akademie), das von Herzog Christoph erbaute alte Schloß, das Kronprinzen=Palais, der Prinzenbau, das Ständehaus, der schöne und große Marstall, die Stiftskirche mit der Fürstengruft, die 1811 neu erbaute katholische Kirche, das Theater, der Redoutensaal ꝛc.

Die Stadt hat vorzüglich schöne Spaziergänge, worunter sich ausser der Planie besonders die Schloßgartenanlagen auszeichnen, welche sich durch das ganze, fast 3/4 Stunden lange Thal bis auf den Kahlenstein hinziehen.

Um die Stadt her liegen die ansehnlichen Berge: die Feuerbacher Heide, wo einst die Burg Frauen=

burg stand, der Hasenberg der Bopser mit den Ruinen von Weissenburg und der Eßlinger Berg, wo Kaiser Rudolph, als er 1286 die Stadt belagerte, seine Wagenburg hatte.

Die eingebürgerten Ortschaften sind:

Heßlach, Pfarrweiler, in einem stillen romantischen Thale, mit einer Stiefelschäft = Fabrik; der Ort hatte einst eine besuchte Wallfahrtskirche. Gablenberg, Filial von Gaisburg, in einem fruchtbaren Gebirgsgrunde. Berg, Filial von Gaisburg, am Neckar, mit Marktgerechtigkeit. Ein Theil liegt auf Canstadter Markung und gehört deswegen zu Canstadt. Es befindet sich hier ein K. Holzgarten, eine Stiefelschäft = Fabrik, eine sehenswerthe mechanische Baumwollenspinnerei, eine türkischroth = Färberei, eine Seidenwattfabrik. Die Prinzen von Oldenburg haben hier ein schönes Sommerhaus. Auf der Höhe, wo das malerische Kirchlein liegt, stand einst die von Kaiser Rudolph 1287 zerstörte Burg Berg. Diese eingebürgerten Ortschaften enthalten zusammen ungefähr 2,540 Menschen.

I. Neckarkreis.

61 1/2 QM., 16 Oberämter, 367,373 Einwohner.

Oberförstereien.

1. Leonberg.
2. Neuenstadt
3. Reichenbach.
4. Sachsenheim.

Cameralämter.

1. Backnang.
2. Bietigheim.
3. Bottwar.
4. Brackenheim.
5. Canstadt.
6. Eßlingen.

7. Gundelsheim.
8. Güglingen.
9. Heilbronn.
10. Kocherdorf.
11. Leonberg.
12. Ludwigsburg.
13. Marbach.
14. Maulbronn.
15. Merklingen.

16. Murrhart.
17. Nellingen.
18. Sindelfingen.
19. Stuttgardt.
20. Vaihingen.
21. Waiblingen.
22. Weil im Schönbuch.
23. Weinsberg.
24. Wiernsheim.

Hofcameralämter.

1. Freudenthal.
2. Lauffen.
3. Scharnhausen, Sitz Stuttgardt.
4. Stammheim.
5. Stetten.
6. Winnenden.

1) Oberamt Ludwigsburg, 3 QM., 25,723 Einwohner. Ludwigsburg, Kreis und Oberamtsstadt, 3 Stunden von Stuttgardt, mit 5,472 Einw. Die Stadt wurde von Herzog Eberhardt Ludwig erbaut, und 1718 von ihm zur Residenz und dritten Hauptstadt (Tübingen war die zweite) erklärt. Sie ist die schönste und regelmäßigste würtembergische Stadt, hat eine starke Besatzung, und ausser der lutherischen Hauptkirche eine Garnisonskirche, in welcher zugleich der katholische Gottesdienst gehalten wird, eine Waisenhauskirche und eine reformirte Kirche, ein Lyzeum, ein Waisenhaus, ein Zuchthaus für weibliche Sträflinge, eine Post, ein grosses Zeughaus, eine Stückgießerei, eine K. Tuchmanufaktur, eine K. Porzellan- und Fayance-Fabrik ꝛc.

Unter den Gebäuden zeichnet sich insbesondere das weitläufige und prächtige K. Schloß aus, in welchem sich ein Theater, eine evangelische und eine katholische Kapelle und Gruft befinden. An das

Schloß schließen sich ein geschmackvoller Schloßgarten und herrliche, von König Friedrich geschaffene Anlagen an, mit der malerischen Emichsburg, dem reizenden Lustschlößchen Favorite, dem ungemein schönen Grabmahl des Grafen v. Zeppelin 2c. Mit den Anlagen steht das berühmte Lustschloß Monrepos (ehemal. Seehaus) in Verbindung. Die Stadt selbst ist von den schönsten und ausgedehntesten Alleen und Spaziergängen durchschnitten und umgeben, unter welchen sich vorzüglich der Salon auszeichnet. Zum Oberamte gehören:

Markgröningen, Stadt an der Glems, mit 2,694 Einwohner. Die Stadt hat ein reiches Spital, ein Filial = Zucht = und Zwangsarbeitshaus, und an Bartholomäi wird hier einer der vier Schäfermärkte des alten Herzogthums gehalten. Sie ist eine sehr alte Stadt, mit welcher der Besitz der Reichssturmfahne verbunden war. In der Kirche befindet sich noch das Grabmahl des Reichspanners, Graf Hartmann von Würtemberg = Gröningen, gest. 1280. Asperg, Marktflecken, 1,333 Einwohner. Ueber dem Dorfe liegt die Bergfestung Hohenasperg. Altingen, 1,010 Einwohner; Judenschule. Weihingen, 655 Einw. 2 von Gemmingsche Schlösser. Benningen, 765 Einw.; Römische Alterthümer. Bissingen an der Enz, 1,232 Einwohner; Holzgarten. Hoheneck, 536 Einwohner, Ruine, guter Weinbau. Kornwestheim, 954 Einw., Bad, kornreiche Gegend. Möglingen, 1,005 Einw., Hülsenfrüchte. Neckarweihingen, 885 Einw., Schiffbrücke über den Neckar. Oßweil, 1,312 Einw. Schwieberdingen, Post, 1,265 Einwohner, Schlößchen und Gartenanlagen, wo König Friedrich als Prinz sich eine Zeitlang aufhielt.

Oberamt Baihingen, 3 QM., 19,226 Einw. Baihingen, OASt. an der Enz, 6 Stunden von Stuttgardt, mit einem Bergschlosse, dem ehemaligen Sitz der alten Grafen von Baihingen, 2,776 Einw. Bleiche und lebhaftes Gewerbe, Holzgarten. Groß-Sachsenheim, Stadt, mit einem Schlosse und 1,225 Einw. Enzweihingen, Marktflecken, 1,488 Einw., schöne Enzbrücke. Hochdorf, 652 Einw., von Teßinisches Schloß, alte Burg Hohenscheid. Hohenhaslach, Marktflecken, an einem Berge, mitten in Weinbergen, mit Niederhaslach 1,989 Einw., dabei Rechentshofen, Hofkammergut, ehemaliges Kloster, wo die Grafen von Baihingen ein Begräbniß hatten. Horrheim, Marktflecken, 1,340 Einw. Nußdorf, 1,077 Einw., von Reischachisch. Ober = Riexingen, Stadt, 954 Einw. Rieth, 351 Einw., mit einem Schloß, von Reischach. Roßwaag, 736 Einw., vorzüglicher Wein. Unter = Riexingen, 827 Einw., gutsherrliches Schloß. Weissach, 1,108 Einw.

3) Oberamt Maulbronn, 4 QM., 20,907 Einwohner. Maulbronn, OA.=Sitz, 9 Stunden von Stuttgardt, ein ehemaliges 1137 gestiftetes Cisterzienserkloster, mit einer schönen Kirche, jetzt eines der vier Seminarien für protestantische Geistliche, dessen Vorsteher zugleich Prälat und General=Superintendent ist, 457 Einw., dazu gehört der durch seinen Wein berühmte Eilfinger Hof. Dürrmenz, Marktflecken, zu Einer Gemeinde verbunden mit Mühlacker, das nur durch die Enz getrennt ist, 1,997 Einw. Neben der lutherischen befindet sich hier eine reformirte Pfarrgemeinde, Ruinen des Schlosses Löffelstelz auf der Höhe. Knittlingen, Marktflecken,

auf der Grenze gegen die Pfalz, 2,134 Einw. Im 30jährigen Kriege wurde der Ort geplündert und angezündet und mehrere 100 Einwohner wurden gemordet. Dertingen, Marktflecken, 1,673 Einw. In der Nähe entspringt die Kreich. Enzberg, Dorf, auf der Grenze gegen Pforzheim, 880 Einw., Papiermühlen. Illingen, Post, 1,288 Einw. Lienzingen, 684 Einw. Nach dem 30jährigen Kriege waren nur noch 5 Einw. übrig. An die Stelle der alten traten abgedankte Soldaten von allen Nationen. 2 Häuser, 2 Scheuern und 5 leere Hofplätze wurden in dieser traurigen Zeit von dem Ortspfarrer für 100 fl. gekauft. Lomersheim, 733 Einw.; ein Walther von Lomersheim stiftete das Kloster Maulbronn. Oetisheim, 1,100 Einw. Treffen und Gefangennehmung des Herzogl. Administrators Friedrich Karl im Jahr 1692. Sternenfels, Dorf, 674 Einwohner, Sand, Gyps, Alabaster; der versteinernde Nonnenbronnen. In dem Oberamte liegen die Waldenserorte Groß- und Klein-Villars, Pinache, Serres, Cortes ec.

4) Oberamt Brackenheim, 4 1/2 QM., 22,094 Einw. Brackenheim, OASt., in dem weinreichen Zabergäu, 8 Stunden von Stuttgardt, 1,491 Einw. reiches Spital, altes Schloß. Güglingen, Stadt an der Zaber, 1,103 Einw. Schwaigern, Gr. Neippergische Stadt, mit einem Schlosse, am Fuße des Heuchelbergs und Leinbach, 1,794 Einw. Dürrenzimmern, 750 Einw., guter Wein. Kleebronn, 1,271 Einw. In der Nähe liegt das alte Schloß Magenheim, einst der Stammsitz eines angesehenen Geschlechts, welchem Brackenheim gehörte; weiterhin auf einem Felsen an dem waldigen Stromberg die Ruine Blankenhorn. Auch gehört zu Kleebronn

Tripstrill oder Treffenteill, Trophoniae Trulla, dessen Name von einem römischen Hauptmann Trephon abgeleitet wird. Ueber dem Dorfe Kleebronn, an der Spitze des Strombergs, erhebt sich der Michelsberg mit einer Kirche und einem Kapuzinerhospiz, wo man ebenfalls noch Spuren römischen Alterthums erblickt, und ein römisches Castell und ein Tempel der Luna gestanden haben soll. Man hat hier eine herrliche Aussicht. An dem Berge wächst ein guter Wein, und schon im 8ten Jahrhundert wurden hier Wein und Obst gebaut. Klein-Gartach, Stadt, 779 Einw. Massenbach, 889 Einw., Schloß des Freiherrn v. Massenbach. Meimßheim, 1,013 Einw. Neipperg, 454 Einw. Gr. Noippergisches Stammschloß. Nordheim, 1,012 Einw., Stöckheim, Marktflecken, 578 Einw., Bergschloß, Stocksberg auf dem Heuchelberg.

5) Oberamt Besigheim, 2 QM., 25,874 Einwohner. Besigheim, OASt. und Post, auf der Straße nach Heilbronn, zwischen dem Neckar und der Enz, welche sich hier vereinigen, 6 Stunden von Stuttgardt, 2,100 Einw. Die Stadt enthält noch mancherlei Alterthümer, besonders zwei Thürme, deren Anblick schon ihren römischen Ursprung verräth. Gegenüber liegt der Schalkstein, ein mühsam benutzter Felsenberg, auf welchem einer der besten Weine des Landes gewonnen wird.

Bietigheim, Stadt an der Enz und der Heilbronner Straße, 2,580 Einw., Färberei und Walke der Ludwigsburger Tuch-Manufaktur; Holzgarten. Bönnigheim, Stadt, mit dem K. Schloß und Garten, 1,982 Einw.; die Kirche enthält mehrere Alterthümer, einen schönen Hochaltar und ein Denkmal

außerordentlicher Fruchtbarkeit. Lauffen, Stadt und Dorf, beide durch den Neckar getrennt und durch eine schöne steinerne Brücke verbunden, 3,452 Einw. In dem Neckar liegt eine schöne Felseninsel mit Gartenanlagen, und dem vormaligen Oberamtssitze nebst Ueberresten eines Schlosses, die auf ein hohes römisches Alterthum hinweisen, wie man denn überhaupt noch mancherlei römische Alterthümer hier findet. Bei der über einer hohen Felsenwand am Neckar erbauten alten Kirche wird das Grabmahl der heiligen Regiswinda gezeigt, welcher zu Ehren schon 837 eine Kapelle und nachher 1002 ein Frauenkloster erbaut wurde. Der See wird jetzt trocken gelegt. Wichtige Schlacht bei Lauffen am 15ten Mai 1534. Freudenthal, Marktflecken, 596 Einw. Synagoge und Judenkirchhof. Königl. Lustschloß, von König Friedrich ausnehmend verschönert und mit mannigfaltigen Anlagen geziert. Zwei alabasterne Monumente in der Kirche. Groß = Ingersheim, Marktflecken, mit Klein = Ingersheim 1,340 Einwohner. Ehemaliger Sitz der alten Grafschaft Ingersheim. Ilsfeld, Marktflecken, 1,789 Einw. Kaltenwesten, Marktflecken, 1,164 Einw. Kirchheim am Neckar, Marktflecken, 1,445 Einwohner. Löchgau, 1,345 Einw., römische Alterthümer. Der Steinbach verliert sich bei dem Orte, geht unter einem Berge durch und kommt erst bei Besigheim wieder zum Vorschein.

6) Oberamt Heilbronn. 4 Q. M. 20,004 Einwohner. Heilbronn OASt. Ober=Postamt und ehemalige Reichsstadt am Neckar, 10 Stunden von Stuttgardt, in einer sehr schönen und fruchtbaren Gegend, 6,839 Einw. Die sehr alte Stadt, welche ihren Na-

men von einem aus 7 Röhren fließenden Heilbronnen hat, besitzt ansehnliche Gebäude — das ehemalige deutsche Haus, Rathhaus mit einer kunstreichen Uhr, gothische Hauptkirche, ansehnliches Stadtarchiv, K. Palais, ehemaliges Waisenhaus, Schießhaus ꝛc., ein Gymnasium, Bibliothek, reiches Spital, Zwangsarbeitshaus. Sie hat bedeutenden Weinbau, lebhaftes Gewerbe und verschiedene Fabriken, in Bleyweiß, Silberarbeit, Tabak, Schrot, gebrannten Wassern, Leder, eine große Bleiche, vorzüglich eingerichtete Gyps- und andere Mühlen, und einen noch immer wichtigen Handel, besonders in Colonialwaaren, und ist überhaupt eine der blühendsten und wohlhabendsten Städte des Landes. Auf einem ihrer Thürme, dem Diebsthurm, saß 1525 der berühmte Götz von Berlichingen mit der eisernen Hand gefangen. In der Nähe befinden sich 2 durch Anlagen und herrliche Aussicht ausgezeichnete Vergnügensplätze: der Wartthurm und das Jägerhaus. Die Gegend hat treffliche Stein- und Gyps-Brüche.

Böckingen 1,106 Einwohner, wichtige römische Alterthümer, Bonfeld, Mkfl. mit 2 Schl. dem Frh. v. Gemmingen, 1,153 Einwohner. Judenschule. Fürfeld, 708 Einw. Post, Schl. v. Gemmingen. Großgartach, Mkfl. am Leinbach, 1,506 Einw. Horkheim am Neckar, 657 Einw. Schl. Schiffleute. Neckargartach 792 Einw. mit dem Böllinger Hof, in dessen Nähe 1622 die merkwürdige Schlacht bei Wimpfen vorfiel, in welcher der würtembergische Prinz Magnus und 400 getreue Pforzheimer blieben. Sontheim 921 Einwohner, Synagoge. Thalheim an der Schozach, 1,192 Einw. Schl.

7) Oberamt Neckarsulm, 6 1/2 Q.M. 24,190 Einw. Neckarsulm, OASt. am Neckar beim Einfluß

der Sulm, 12 Stunden von Stuttgardt, 2,235 Einw. eine hübsche und gewerbsame Stadt mit einem ehemaligen Schloß, jetzt Oberamtey.

Neuenstadt, Stadt am Kocher, auch von der merkwürdig großen und alten Linde, welche bei der Stadt steht, zugenannt, 1,247 Einw.

Möckmühl, Stadt an der Jaxt, 1,250 Einwohner, Schl. und Oberförsterey. Götz von Berlichingen war hier Obervogt. Ehemal. Cent = Gericht. Gundelsheim, Stadt am Neckar, 846 Einw. In der Nähe das schön gelegene Schloß Hornegg.

Widdern, mehreren Herren angehörige Stadt, 1,130 Einw., 2 Schl. Jarthausen v. Berlichingischer Marktflecken, 1,005 Einw. 3 Schlösser, in deren einem Götz geboren ist. Kocherdorf, Marktfl. am Kocher, 1,086 Einw. 2 Schlösser, Judenschule, Tabaksfabrik. Nicht weit davon die neue Saline Friedrichshall. Oedheim, Marktflecken, 1,430 Einw. Burg. Offenau, 603 Einw. Bad und Saline. Roigheim, (Roirheim Ruschen), Marktfl. 697 Einw. Schwefelquelle. Siglingen, Marktfl. 534 Einw. Untergriesheim, samt dem Schloß Heuchlingen, 334 Einw. Unterkessach, 343 Einwohner, dazu gehört Roßach mit Schloß, d. von Berlichingen = Roßach. Züttlingen mit Assumstadt, von Ellrichshausisch; Domenek und Seehof, Uhlisch, 386 Einw. Außer mehreren andern kleinern Ortschaften enthält das Oberamt noch 24 Höfe.

8) Oberamt Weinsberg, 5 1/2 Q. Meilen, 24,016 Einw. Weinsberg, OASt. an der Sulm, in dem weinreichen Weinsberger Thale, 11 Stunden von Stuttgardt, 1,703 Einw. Guter Wein, ansehnliche Gypsbrüche, Ruinen des Bergschlosses, von der merkwürdigen Belagerung durch K. Conrad 1140. Weiber=

trone genannt. Furchtbare Auftritte im Bauernkrieg. Löwenstein, Stadt und Hauptort der Grafschaft Löwenstein an einem Berge, 1,119 Einw. Ueberreste des gräflichen Stammschlosses auf dem Berge. Theußer Bad; Berg= und Jagdschloß Stocksberg mit weiter Aussicht; Fil. Alt= und Neulautern, mit Glashütte und Hammerwerk. Affaltrach, 913 Einw. Synagoge. Eberstadt, Marktfl. 799 Einw. Eschenau, 861 Einwohner, schönes Schloß, Synagoge, von Uerküllisch. Mainhardt, Marktfl. 479 Einw. Schloß, Ueberreste der Teufelsmauer, Hohenlohisch. Steinsfeld, 878 Einw. Schloß, Synagoge, v. Gemmingisch. Sulzbach, 388 Einwohner, vorzüglicher Wein. Willsbach, 1026 Einw.

9) Oberamt Marbach. 4 Q. M. 26,404 Einwohner. Marbach, OASt. auf einem Hügel über dem Neckar, 5 Stunden von Stuttgardt mit 2163 Einw. eine alte Stadt, auf deren Boden man merkwürdige römische Alterthümer gefunden hat, Geburtsort Schillers und des berühmten Astronomen Tobias Mayers. Alexanderskirche vor der Stadt. 1693 wurde Marbach von den Franzosen eingeäschert. Großbotwar, Stadt an der Botwar, 2,407 Einwohner; Beilstein, D. 1,094 Einw. Ruinen eines Bergschlosses mit einem großen fünfeckigen Thurme, der Langhans genannt. Affalterbach, 1,002 Einw. Erdmannshausen, 1,065 Einw. Höpfigheim, 859 Einw. Kirchberg, 1,218 Einw. Kleinbotwar, 903 Einw. von Kniestedt. Schloß Schaubeck über dem Dorfe, trefflicher Wein, hauptsächlich am Käsberg. Murr, 843 Einw. Linde mit steinernen Sitzen, wo ehemals das Hardt= oder Waldgericht gehalten wurde. Oberstenfeld, Marktfl. 1,274 Einw. evangelisch=adeliches Fräuleinstift. In

Nähe das von Weiter'sche Bergschloß Lichtenberg mit berühmtem Weinbau. Pleidelsheim, Marktfl. 1,286 Einw. Steinheim, Marktfl. am Einfluß der Botwar in die Murr, 1,079 Einw. Ehmals Reichsdorf und Frauenkloster. Winzerhausen, 756 Einw. Schloß und in der Nähe die Ruinen des Schloßes Wunnenstein.

10) Oberamt Baknang. 5 Q. M. 24,837 Einw. Baknang, OASt. und Post an der Murr, 7 Stunden von Stuttgardt, 3,145 Einw. Gerberey, Tuchmacherey, Weberey, Pfahlmärkte. Ehemaliges Chorherrnstift. Denkmähler der Markgr. von Baden, denen Baknang gehörte, in der Stiftskirche. Murrhardt, Stadt an der Murr, in wilder waldiger Gegend, 1,935 Einw. Vormalige sehr alte Benediktinerabtey, gothische Kirche, mit der eine uralte Kapelle verbunden ist. Eine andere alte und merkwürdige Kapelle, zum heil. Walderich, war vor Zeiten ein starker Wallfahrtsort. Im J. 1765 brannte Murrhardt ganz ab. Ebersberg, 343 Einw. Bergschloß mit einer weiten Aussicht. Baumwollenspinnerey. Grosaspach, 1,300 Einw. von Sturmfederisch, so wie Oppenweiler, 670 Einw. schönes Schloß. Sulzbach an der Murr, Marktfl., 1,229 Einw. Löwensteinisch. Das Oberamt zählt auffer den Dörfern noch 72 Weiler und 46 Höfe.

11) Oberamt Waiblingen. 3 Q.M. 23,827 Einw. Waiblingen, OASt. und Post an der Rems, 3 Stunden von Stuttgardt, 2,699 Einw., eine alte merkwürdige Stadt, die einst den Hohenstaufen gehörte. 1086 vergabte Heinrich IV. Waiblingen und Winterbach an Speyer. Das Schloß, welches hier stand, wurde 1645 von den Baiern verbrannt. Holz-

24

garten. Winnenden, Stadt, 2,717 Einw. Fruchtreiche Gegend, ansehnlicher Kornmarkt, Pfahlmärkte, Schl. Winnenthal, Buoch auf einem hohen Berge, 309 E. Enbersbach, 1,006 Einw. Groß= und (Fil.) Klein= Heppach, 1,231 und 505 Einw. Trefflicher Wein. Hochberg, 547 Einw. Schloß und Synagoge. Korb, 1,495 Einw., berühmter Wein. Neckar=Rems, am Einfluß der Rems in den Neckar, Holzgarten, Ruine der ehemals berühmten Veste Remseck. Neustadt (Neustädtlein, Neu=Waiblingen), 871 Einw., guter Wein. Mineralquelle. Schwaikheim, 1,158 Einw. Strümpfelbach, 1,350 Einw.

12) Oberamt Kanstadt. 1 1/4 Q. Meilen, 19,279 Einw. Kanstadt, OASt. am Neckar, eine Stunde von Stuttgardt, in einer der schönsten Gegen= den und im Mittelpunkt aller Landstraßen, 3,276 Einw. Neben der lutherischen befindet sich hier auch eine ih= rer Auflösung nahe reformirte Gemeinde, deren Pfar= rer zugleich Dekan sämmtlicher reformirter Gemein= den des Landes ist. Tabaksfabriken, Türkischrothfärbe= reyen und Baumwollenspinnereyen, Kartenfabrik, Metallknopffabrik, Spedition, Neckarschifffahrt, Kran, eine Menge Mineralquellen, drei Badeanstalten und eine Bronnenanstalt, schöner Badgarten. Königl. Landsitz Bellevue mit schönen Gartenanlagen. Geburtsort des Geheimen Raths Bilfinger, Generals v. Nicolai und der Veteranen in der gelehrten Welt, von Schnurrers und Röslers. Altenburger Kirche, einst die Mutterkirche selbst von Stuttgardt, und Uff= kirche, vielleicht die älteste christliche Kirche des Lan= des. Eine Menge Denkmäler römischer Niederlas= sung, und merkwürdige Ueberreste einer dunkeln Vor=

zeit, Mammuths= und anderer Knochen, Versteinerun=
gen von Pflanzen und Bäumen.

Fellbach, schöner Marktfl. 2,586 Einw., trefflicher
Weinbau, vorzüglich in den Lämmelern, große Kultur.
Hedelfingen, 1,040 Einw., Fil. Kl. Weil, ehemals
Frauenkloster, jetzt Königl. Hofgestüt mit einem neu=
erbauten Schlößchen. Mühlhausen am Neckar, 669
Einw., von Palmisches Schloß und Schloßgarten,
guter rother Wein. Römische Alterthümer. 1816
wurde der Grundstock von einem großen römischen Ge=
bäude ausgegraben. Oberturkheim, 731 Einw., vor=
züglicher Wein. Deffingen, 750 Einw., Cichorienfa=
brik in einem ehemaligen Franziskanerkloster. Rom=
melshausen, 1,094 Einw. mit dem Staafhof, wo einst
die Herrn von Rommelshausen ihren Sitz hatten.
Stetten im Remsthal, Marktfl. 1,749 Einw. König=
liches Schloß und Schloßgarten. Guter Wein. Uhl=
bach, höchst reizend in einem fruchtbaren Gebirgskes=
sel gelegen, 845 Einw., berühmter Wein. Fil. Rot=
tenberg, 480 Einw., sehr hoch gelegen, mit Wirtem=
berg, dem K. Stammschlosse, das sich auf einem frei=
stehenden Hügel erhob, jetzt aber abgetragen ist, um
einer Gruft der verewigten Königin Catharina
Platz zu machen. An dem Hügel, von dem das Le=
ben Würtembergs ausgieng, wächst zugleich der beste
Wein. Unterturkheim, Marktfl. 1,698 Einw. Guter
Wein, Gypsbrüche, Senfbau. Zazenhausen, Dorf,
313 Einw., merkwürdige römische Alterthümer.

13) Oberamt Eßlingen, 2 QM. 20,754 Ein=
wohner. Eßlingen, OASt. und Sitz des Kreisge=
richtshofes am Neckar, 3 Stunden von Stuttgardt,
mit 5,568 Einw., eine alte berühmte ehemalige Reichs=
stadt mit einer Burg. Gothische Hauptkirche, Lieb=

frauenkirche mit einem schönen gothischen Thurm: reiches Catharinen=Spital, sehr schönes neues Rathhaus, Schullehrer=Seminar, Zwangsarbeitshaus, Tuchmanufakturen, Wollen= und Baumwollenspinnereyen, Fabrik in lakirten Blechwaaren, vorzüglicher Weinbau. Eingepfarrt ist das sogenannte Eßlinger Gebiet, das fast aus lauter im Gebirge zerstreuten einzelnen Wohnungen besteht. Denkendorf, Marktfl. an der Kersch, 1,306 Einw., ehemaliges Augustinerkloster. Köngen, Marktfl. in einer schönen Lage über dem Neckar, 1,619 Einw. Schloß. Merkwürdige Ausgrabung römischer Alterthümer im J. 1783. Nellingen, 888 Einw., ehmaliges Priorat. Sieg Ulrichs I. über das städtische Heer 1449. Neuhausen auf den Fildern, Marktfl. 1,852 Einw. Plochingen, Marktfl. und Post, 1,426 Einw. Schöne Brücke über den Neckar. Wendlingen, Stadt am Einfluß der Lenninger Lauter in den Neckar, 894 Einwohner.

14) Oberamt Stuttgardt, 4 1/2 QMeilen, 24,494 Einw. (Amtssitz Stuttgardt, das aber selber nicht dazu gehört). Plieningen, Marktfl. auf den Fildern, wo die meisten Orte des Oberamts liegen, 1,922 Einw., viele Weber. Auf dem hiesigen Rathhause werden die allgemeine Oberamtsgeschäfte abgemacht. In der Nähe liegt das einst so berühmte Schloß Hohenheim, das von Herzog Carl erbaut, und mit den mannigfaltigsten Anlagen umgeben wurde. Jetzt hat das Forst= und landwirthschaftliche Institut hier seinen Sitz. Waldenbuch, Stadt und Post an der Aich, 1,407 E. Schloß. Bernhausen, 1,267 Einwohner. Hier befand sich die (1449 zerstörte) Stammburg der uralten Familie von Bernhausen. Bothnang, 904 Einw. Wäscherey und Bleichen. Deger=

loch am Rande der Filder, 1,092 Einw., rother Wein. Echterdingen, Marktfl. 1,480 Einw. Hier starb der berühmte Mechanikus Hahn als Pfarrer 1790. Feuerbach, 2,056 Einw. Möhringen, Marktfl. 1,994 Einw. Plattenhard, 1,178 Einw. Starke Obstzucht. Scharnhausen, 650 Einw. Königl. Lustschloß mit schönen Anlagen von Herzog Carl 1784 erbaut. Vaihingen auf den Fildern, 1,247 Einwohner. Nicht weit davon Rohr, Dorf, 403 Einw., viele Hafner, Dentritenmarmor, und unter Vaihingen am Ende eines äußerst romantischen Thals das Fil. Kaltenthal mit 346 Einw. Ruinen einer ehemals festen Burg der Burggrafen von Kaltenthal.

15) Oberamt Böblingen, 4 QM. 22,007 E. Böblingen, OASt. und Post mitten im Schönbuche, 4 Stunden von Stuttgardt, 2,443 Einwohner. Altes Schloß, nun zum Schulgebäude benutzt. Chemische Fabrik. 1525 wurden hier die aufrührischen Bauern aufs Haupt geschlagen. Sindelfingen, St. 3,317 Einwohner, ehemals Chorherrenstift, das Eberhard I. mit der Universität Tübingen vereinigte. Torfgräberey. Aidlingen, 1,485 Einwohner. Altdorf mit dem Schaichhof, 1,085 Einw. Dagersheim, 982 Einw. Tuch= und Zeugmacher, und wie überhaupt in der Gegend starke Wollenspinnerey. Döhzingen, 480 Einwohner mit einem schönen dem Gr. v. Dillen gehörigen Schloßgut. Döffingen, 880 Einw. Sieg Eberhard des Grainers über die Reichsstädte 1388. Ehningen, 1,347 Einwohner, von Breitschwerdtisches Schloß. Holzgerlingen, Marktfl. 1,475 Einwohner. Magstatt, an der Calwer Straße, 1,511 Einwohner. Schönaich, 1,481 Einw. Weil im Schönbuch, Mktfl. 1,981 Einw.

16) **Oberamt Leonberg,** 5 QM. 23,937 Einwohner. Leonberg, ehemals Löwenberg, OMSt. an der Glems, 3 Stunden von Stuttgardt, 1,853 Einw. altes Schloß. Merkwürdige Versammlung 1457, wo man die ersten Spuren einer Theilnahme des Bürgerstandes an den öffentlichen Angelegenheiten findet. Weil, die Stadt, ehemals Reichsstadt an der Würm, 1,870 Einw., Tuchmacher, Färber, Tabaksfabrik, starke Schweinmärkte. Geburtsort des Reformators Brenz und des berühmten Mathematikers Keppler. Dizingen, Marktfl. 1,311 Einw., von Münchingisches Schloß. Eltingen, 1,482 Einw. Gerlingen, 1,207 Einw. Ueber dem Dorfe, auf einer das Land weit beherrschenden Höhe, liegt das schöne Schloß Solitüde, das von Herzog Carl erbaut und mit den prächtigsten Nebengebäuden und Gartenanlagen versehen wurde. Außer dem Schlosse ist nun beinahe alles wieder verschwunden. Heimsheim, St. 1,048 Einw., altes Schloß. Hemmingen, 865 Einw. Schloß, den Frh. v. Varenbühler, denen der Ort zur Hälfte gehört. Merklingen, Marktflecken an der Würm, 1,170 Einw. Mönsheim, 931 Einw. Burgstall und Schloßgut Ober-Mönsheim, den Frh. v. Phull-Rieppur. Münchingen, Marktfl. 1,335 Einw. 2 Schlösser den von Münchingen und von Harrling. Perouse, reform. Pfarrdorf, 375 Einw., steht auf der alten Römerstraße, Wollenweberey. Renningen, 1,333 Einw. Weil im Dorf, 1,082 Einw.

II. Schwarzwaldkreis.

84 QM. 17 Oberämter. 365,782 Einw.

Oberförstereyen.

1) **Freudenstadt.**

2) **Rottweil.**

3) **Wildberg.**

4) **Neuenbürg.**

5) Sulz.

6) Altenstaig.

7) Tübingen.

8) Urach.

Cameralämter.

1) Altenstaig.

2) Balingen.

3) Bebenhausen.

4) Dornhan.

5) Dornstetten.

6) Herrenalb.

7) Horb.

8) Hirsau.

9) Neuenbürg.

10) Neuffen.

11) Obernborf.

12) Pfullingen.

13) Reuthin.

14) Rosenfeld.

15) Rottenburg.

16) Rottenmünster.

17) Rottweil.

18) Tübingen.

19) Tuttlingen.

20) Urach.

Hof-Cameralamt Herrenberg.

1) Oberamt Reuttlingen, 3 1/2 Q. Meilen, 23,028 Einw. Reuttlingen, Kreis- und Oberamts-stadt mit Post, an der Echaz und am Fuße der Alp und der Achalm, 9 Stunden von Stuttgardt, in einer schönen fruchtbaren Gegend mit 9,000 Einw. Die Stadt hat einen ergiebigen Weinbau, bedeutende Gerbereyen, Leimsiedereyen, Webereyen, Bortenwirkerey, Fabrikation von Reuttlinger oder Ehninger Spitzen, starke Buchdruckerey, besonders Nachdruckerey, (literarisches Algier) Pulvermühle, treibt einen ansehnlichen Handel in Manufakturwaaren, und ist überhaupt ein sehr gewerbsamer Ort. Reuttlingen war ehemals eine Reichsstadt, und wurde als solche Veranlassung zur Vertreibung Ulrichs. Im Jahr 1726 brannte es beinahe ganz ab. Treffen, worin Graf Ulrich, Sohn Eberhards des Grainers, 1377 von den Reichsstädten geschlagen wurde. Schwefelquelle mit einer Badeinrichtung. Der Bergkegel Achalm mit

den Ruinen des Schloſſes der ehemaligen Grafen von Achalm, wo man eine herrliche Ausſicht hat.

Pfullingen, Stadt oder vielmehr ein offener Mktfl. 1/2 Stunde von Reutlingen mit einem Schloſſe, 3,300 Einw. Pfullingen war einſt der Sitz eines der älteſten und angeſehenſten Geſchlechter. Der Ort hat ſtarken Weinbau, Papiermühlen, Wollenſtrumpf-weberey, Bortenwirkerey. Das Pfullinger Thal iſt eines der fruchtbarſten und obſtreichſten Thäler des Landes. In der Nähe liegen der kegelförmige St. Georgenberg, die Ruinen der Burgen Greifenſtein und Stahleck, weiter hinauf das auf einem freiſte-henden ſchroffen Felſen erbaute Lichtenſteiner Schlöß-chen, ein Förſterhaus, und an dem Stellenberg die merkwürdige, über 600 Fuß lange und in manchen Stellen über 50 Fuß hohe, mit wunderbaren Tropf-ſtein-Gebilden ausgeſtattete Nebelhöhle. Betzingen, 2,076 Einwohner. Erpfingen, Marktfl. auf der Alp, 671 Einwohner. Schneckenzucht. Gomaringen in der Steinlach, 1,089 Einw. Schloß. Groß-Engſtingen, Marktflecken an der Alp, 607 Einw. Hauſen an der Lauchert, 394 Einw., berühmte Bröller. Honau, 374 Einw. Nußbaumreiches Thal, Marmorbrüche. Klein-Engſtingen, Dorf, 430 Einw. mit dem einzi-gen Sauerbronnen auf der Höhe der Alp.

2) Oberamt Urach, 5 QM., 25,650 Einw. Urach, OASt. und Poſt, an der Erms, 9 Stunden von Stuttgardt, in einem engen maleriſchen und obſtreichen Thale, 2,786 Einw. Die Stadt beſitzt eines der vier niedern Seminarien, iſt der Haupt-ſitz der Leinwandweberei und des Leinwandhandels, und hat eine große Bleiche, Pulver- und Papier-mühlen, einen ſtark beſuchten Schäfermarkt. Die

Weberbleiche. ist eine Reihe von Häusern, welche Herzog Friedrich I. für die von ihm gestiftete Webereianstalt erbauen ließ. Urach war einst die Hauptstadt der Grafen v. Urach, und später die Hauptstadt der getheilten Grafschaft Würtemberg = Urach, ist auch der Geburtsort Herzogs Christoph. Vor der Stadt erheben sich die Ruinen der Bergfestung Urach, welche Herzog Carl zerstören ließ, um mit den Trümmern Graveneck zu bauen. Hinter derselben, im Brühl, ist ein sehenswerther Wasserfall, weiterhin ein Fohlenstall mit den Ruinen der Karthause Güterstein, von wo eine künstliche Wasserleitung das Wasser auf die Alp hinauf treibt. Die Gegend ist reich an Tuffsteinen, enthält auch Walkererde und eine eiserne Rieße oder Rutsche, in welcher das Scheiterholz aus dem Uracher Thale in den Seeburger See herabläuft. Ehningen an der Achalm, der größte Marktflecken des Königreichs, mit 4,434 Einw. meist herumziehende Krämer. Mezingen, Marktflecken, 3,449 Einw., starker äußerst ergiebiger Weinbau, Wollenweberei. Dettingen, Marktflecken, 2,444 Einw., Ende des Weinbaus gegen Süden, Wagenfabrik. Neuhausen, 1,003 Einw., am Fuße der Alp, mit Fl. Glems, starker Erdbeerhandel. Pliezhausen, 1,049 Einw., Mühlsteinbrüche. Seeburg, 264 Einw., in einer still romantischen Lage, am Ursprung der Erms; auf einem der Felsen stand einst eine berühmte Veste. Wittlingen auf der Alp, 435 Einw., in der Nähe ein Schlößchen und die Ruinen der Burg Hohenwittlingen, auf der einst Brenz sich eine Zeitlang vor seinen Feinden verbarg; weiterhin die Ruinen von Baldeck, und zwischen beiden das Schillerloch, eine lange Berghöhle. Kau St. Johenn, ein Jägerhaus und Fohlenstall, 1/2 Stunde davon der grüne Felsen und der Wolfsfelsen mit überraschender Aussicht.

3) Oberamt Nürtingen, 3 1/2 QM., 23,164 Einwohner. Nürtingen, OASt., am Neckar, 6 Stunden von Stuttgardt, 3,602 Einw., ein altes Schloß, reicher Spital, steinerne Neckarbrücke, Baumwollenspinnerei, Türkischrothfärberei, Tuchmanufaktur, Drechslerarbeiten, musikalische Instrumente, ein durch den Krieg mit K. Rudolph 1286 berühmter Kirchhof. Neuffen, Stadt, mit 1,598 Einw., starker Weinbau, Ruinen der Bergfestung Hohen-Neuffen. Beuren, 1,366 Einw.; hier und in der Gegend wird guter Kirschgeist bereitet. Grbzingen, Stadt an der Aich, von massiven Mauern und Thürmen umgeben, 896 Einw. Grabenstetten auf der Alp, 793 Einw., Heidengraben, Falkensteiner Höhle, welche fast unter dem Dorfe liegt, sich in einem wilden von Urach herziehenden Felsengrunde öffnet, und über 600 Schritte weit bis zu einem tiefen See und hinter diesem weiter in unbekannter Verlängerung fortsetzt. Aus dem See kommt die Elsach hervor, welche brausend durch den Felsengang hervorläuft, und mitten in demselben mit großem Getöse in die Tiefe fällt, und erst außerhalb der Höhle wieder sich zeigt. Sie schwillt manchmal so sehr an, daß sie die ganze Höhle erfüllt, und einst einem abergläubischen Menschen, welcher darin mit Andern nach Schätzen grub, das Leben kostete. Linsenhofen, 990 Einw., im fruchtbaren Neuffemerthale, erzeugt einen sehr angenehmen Wein. Neckarthailfingen, Marktflecken, Post, 796 Einw., lange Brücke über den Neckar. Neuenhaus, 549 Einw.

meist Hafner, daher der Ort auch Häfner-Neuhausen genannt wird. Ober-Ensingen, 598 Einwohner, Schlößchen, Mühlsteinbrüche. In der Nähe die Ulrichshöhle, worin sich der flüchtige Herzog Ulrich verborgen haben, und von einigen Bauern von Haardt gespeißt worden seyn soll. Wolfschlugen, 1,045 Einw., guter Flachsbau. Unter=Boihingen, mit einem Schlößchen, 451 Einw., v. Thumbscher Gutsherrschaft. Unter=Ensingen, 789 Einw.

4) **Oberamt Tübingen**, 3 1/2 QM., 25,458 Einwohner. Tübingen, OASt. am Neckar, 7 Stunden von Stuttgardt, an und auf einem Bergrücken, in einer schönen Gegend, mit 6,630 Einw. (ohne 750 Studenten und andern Fremden). Die Stadt ist der Sitz der Landesuniversität und mehrerer damit verbundener Institute, des Kreisgerichtshofes und eines Oberpostamts, hat ein Lyceum, bedeutendes Spital, ansehnlichen Weinbau, Zeugmacherei, Pulvermühle, Kupferhammer und sonst mancherlei Gewerbe. Als ehemalige Residenz und Hauptstadt der Pfalzgrafen von Tübingen und nach Stuttgardt die bedeutendste Stadt in Altwürtemberg, wurde sie bei ihrem Uebergang an Würtemberg die 2te Haupt= und Residenzstadt von Würtemberg, und als in der Folge Ludwigsburg entstand, die 2te Haupt= und 3te Residenzstadt. Unter der vorigen Regierung fiel die Ehre der Residenz weg, dagegen wurde die Stadt zur dritten guten Stadt ernannt. Sie hat ein ansehnliches, auf einem Berge gelegenes festes Schloß, das nun der Universität überlassen ist. Es ist das alte Palatium — Pfalz — auf welchem die Pfalzgrafen residirten, und von dem noch eine angrenzende Weinberghalde die Pfalzhalde heißt, wurde aber von

Herzog Ulrich nach seiner Rückkehr aus der Verban-
nung neu gebaut. Man bewundert in demselben
noch seinen großen Keller mit einem ungeheuer großen Faß und einem außerordentlich tiefen Bronnen,
so wie verschiedene unterirdische Gewölbe und Gänge.
Was aber die Bewunderung vorzüglich erregt, ist
die herrliche Lage des Schlosses, zwischen zwei Thälern, dem Ammer = und dem Neckarthale, und die
wunderschöne Aussicht, die man hier genießt. Auf
einem Thurme des Schlosses befindet sich eine Stern-
warte. Nach dem Schlosse erregt die St. Georgen-
kirche mit der fürstlichen Gruft und mehreren schönen Denkmälern die Aufmerksamkeit. Besonders
merkwürdig ist die Stadt durch den berühmten Tübinger Vertrag, der 1514 hier abgeschlossen wurde,
am allermeisten aber durch die Stiftung der Universität im Jahr 1477 geworden. Die Einwohner der
Stadt sind sehr gewerbsam, und es blühte hier in
vorigen Zeiten besonders die Zeugmacherei. Hier
gründete auch der berühmte Unternehmer der Cotta-
schen Buchhandlung sein so bedeutend und wichtig
gewordenes Geschäfte. Sehr förderlich wurde dem
Gewerbfleiße das Unternehmen Herzogs Christoph,
der einen Theil der Ammer durch die Stadt führte,
zu dem Ende einen, fast eine Stunde langen Canal
grub, und an der Stadt selber einen Berg durchschnitt, durch welchen dieselbe in den Neckar geleitet wurde. Dieser Berg ist der schöne Oesterberg,
(Ostberg), von welchem die lateinische Schule — jetzt
Lyceum — den Namen Schola anatolica erhielt. Außerdem ist die Gegend sehr fruchtbar, obst = und weinreich.

Bebenhausen, Jagdschloß, vormals berühmtes,
von den Pfalzgrafen 1183 gestiftetes Kloster, jetzt

der Sitz der Oberförsterei Tübingen, mit einer schönen Kirche. Auf der Höhe liegt Waldhausen, vormals eine Burg, jetzt ein Maierhof. Degerschlacht, 266 Einw. Derendingen, 609 Einw., mit trefflichen Mühlsteinbrüchen. Dazu gehört das Bad Bläsibad mit dem von Hopferschen Bläsiberg. Kreßbach und Eck, ersteres mit Schloß und nach Wankheim 632 Einw. eingepfarrt, des von St. Andre. Dettenhausen, 844 Einw. Dußlingen, in der Steinlach, 1,812 Einw., starke Weberei und, wie überhaupt in der Gegend, Flachs- und Hanfspinnerei. Gönningen, am Fuße des hohen Roßbergs, mit 2,042 Einw., einst ein den Herrn von Stöffeln gehöriges Städtchen, von deren Burg man noch auf dem nahen Stöffelnberg die Ruinen findet. Große Obstzucht, Zwiebelbau, Papiermühle, starker Handel mit Saamen und andern Naturprodukten, durch die überall bekannten und bis nach Stockholm und Moskau ziehenden Gönninger Saamenhändler. In der Nähe befindet sich eine Mineralquelle, welche, an der Luft sich verhärtende Tuffsteine. Weilheim, 462 Einw. Kilchberg, mit Schloß, 280 Einw., den Freiherrn v. Tessin. Kirchentellinsfurth, 1,159 Einw. Tuff- und Sandsteine, ausserordentlich starker Kartoffelbau. Dazu gehört Einsiedel, ursprünglich ein von Eberhardt im Bart erbautes Kloster, in dessen Garten er den bekannten Dornzweig pflanzte, und wo der Herzog anfänglich auch begraben lag; später ein Jagdschloß und Fohlenhof, nun ein Hofgut. Kusterdingen, 491 Einw., starker Flachsbau. Lustnau, 1,328 Einw., Filial Pfrondorf, 633 Einwohner. Mähringen, 480 Einw. Nehren, 1,181 Einw., viele Versteinerungen, besonders Belemniten oder so-

genannte Strahldonnersteine, lapides lyncis. Ofer-
dingen, 407 Einw., der auf einer steilen Felswand über
dem Neckar stehende große Kirchthurm. Rommels-
bach, 396 Einw. Schlaitdorf, 765 Einw., Filial
Altenrieth, 435 Einw. Walddorf, 1,208 Einw.
Filial Gniebel, 462 Einwohner und Häslach, 452
Einwohner.

5) **Oberamt Rottenburg**, 3 QM., 25,078
Einwohner. Rottenburg, OASt. und Post, am
Neckar, 9 Stunden von Stuttgardt, in einer schönen
Lage, mit einem auf einer Anhöhe stehenden Schlosse
und 5,209 Einw. Die durch den Neckar getrennte
Vorstadt heißt Ehingen. Die Stadt ist der Sitz des
Generalvikariats, hat ein Priester = Seminarium,
Zwangsarbeitshaus, schöne Kirchen und mehrere
ansehnliche Gebäude, besonders ein ehemaliges Je-
suiten = Collegium und andere aufgehobene Klöster.
Bodelshausen, 1,388 Einw., Flachsbau. Ergen-
zingen, Marktflecken, 1,245 Einw., Wollenspinnerei,
Strumpfstrickerei, Tabakspfeifen-Fabrikation. Hirrlin-
gen, 1,198 Einw., mit einem Schlosse des Herzog Wilhelm von Würtemberg, welches jetzt die Gemeinde
an sich gekauft hat. Mössingen, Marktflecken, mit
dem Filial Belsen und Sebastiansweiler, 3,046 Einwohner, starke Branntweinbrennerei, weißer Marmor; zu Belsen befindet sich ein merkwürdiges Kirchlein mit heidnischen Alterthümern, und auf dem benachbarten Farrenberge stand eine aus den Zeiten
des Heidenthums herrührende Kapelle. Niedernau,
404 Einw., mit einem besuchten Bade in der Nähe.
Oberhalb Niedernau bei Obernau hört der Weinbau
im Neckarthale auf. Osterdingen, Marktflecken,
1,525 Einw. Wurmlingen, 934 Einw. Auf einem

Berg über dem Dorfe erhebt sich die Wurmlinger Kapelle, ein Wallfahrtsort und nicht unmerkwürdig durch die Geschichte ꝛc.

6) **Oberamt Herrenberg**, 4 QM., 21,794 Einwohner. Herrenberg, OASt. und Post, mit einem alten Bergschlosse und den Ruinen eines andern, 6 Stunden von Stuttgardt, in einer Obst- und Getraidereichen Gegend, mit 1,968 Einw., gehörte einst den Pfalzgrafen von Tübingen, Gyps, Alabaster, Versteinerungen.

Bondorf, 1,183 Einw., im Gäu, starker Fruchtbau, besonders auch Hülsenfrüchte. Entringen im Ammerthal, 1,133 Einw., Baumwollen = Sammt = Weberei, Wetzsteinbrüche; in der Nähe die Bergschlösser Hohen = Entringen und Roseck. Gärtringen, 1,282 Einw., von Hillerisches Schloßgut. Kuppingen, 1,332 Einw. Kaih, 507 Einw., Alabasterbruch, Kirschengeist. Mötzingen im Gäu, 893 Einw. auf einer fruchtreichen Höhe, mit einem Schloß. Nufringen, 1,146 Einw. Ober = Jettingen, 666 Einw., dabei das Schloßgut Sindlingen mit schönen Anlagen, der Fürstin Colloredo. Unter = Jettingen, 692 Einw., beliebte Stupfelrüben.

7) **Oberamt Horb**, 4 QM., 18,832 Einw. Horb, OASt. und Post, am Neckar, sehr bergig, 12 Stunden von Stuttgardt, 1,741 Einw., Schloß und Schloßruine, Badhaus, Leprosenhaus, aufgehobene Stifter und Klöster. Hier unterzeichnete im Jahr 1498 Eberhard der Jüngere, in Beiseyn des Kaisers, seine Abdankung. Ahldorf, 764 Einw., b. Frh. v. Ow, ebenso Felldorf, mit Schloß Neuhaus und 572 Einw. Bieringen, 613 Einw., Sauerbronnen, den Frh. v. Raßler; ebenso Börstingen

mit dem Schloß Weitenburg und 481 Einw. Bal-
fingen, 498 Einw., Synagoge, dem Grafen Schenk
v. Stauffenberg. Entingen, 1,172 Einw., Mühlen
am Neckar, 429 Einw. mit Egelstall, eine der vorzüglichsten Papiermühlen. Mühringen, 941 Einw.,
Synagoge, deren es überhaupt mehrere in der Gegend giebt, Sauerbronnen, Bergschloß Hohen-Müh-
ringen, des Freih. v. Münch. Nordstetten, 1,182
Einw., Synagoge. Wachendorf, 528 Einwohner,
von Ow.

8) Oberamt Nagold, 4 1/2 QM., 22,017
Einwohner. Nagold, OASt. und Post, 9 Stunden
von Stuttgardt, an der Nagold, in einem tiefen
Thale, 1,863 Einw., viele Tuchmacher, Kartetschenfabrik; schöne Burgruinen in der Nähe. Altensteig,
Stadt an der Nagold, 1,700 Einw., ist stufenweise
an einem Berge hingebaut, oben steht ein altes
Schloß, hat eine sehenswerthe Nadelholz-Saamen-
Ausklenkungs-Anstalt, Flachsbau, Gerberei, Sauer-
kleesalz-Fabrik. Wildberg, Stadt an der Nagold,
1,762 Einw., Federkiel-Fabrik, ehemals blühende,
jetzt völlig stockende Zeugmacherei. In der Nähe
das ehemalige Frauenkloster Reuthin. Berneck,
Stadt, 435 Einw, d. von Gültlingen. Ebhausen
mit Wöllhausen, Marktflecken, 1,181 Einw., starke
Tuchweberei, Filial Rohrdorf, Tuch- und Rattinfabrik. Egenhausen, Marktflecken, 843 Einwohner,
Harz- und Terpentinbereitung. Haiterbach, Stadt,
2,542 Einwohner.

9) Oberamt Calw, 5 QM., 18,690 Einw.
Calw, OASt. und Post, an der Nagold, 8 Stun-
den von Stuttgardt, in einem schmalen Thale, am
Anfang des Schwarzwaldes, 3,802 Einwohner. Die

Stadt ist eine der gewerbsamsten des Königreichs, hat bedeutende Gerberei, besonders Saffian-Gerberei, Tuch- und Casimir-Manufakturen, Strumpfweberei, Zeugmacherei und einen ansehnlichen Handel, ob er gleich nicht mehr ist, was er ehemals zur Zeit der alten Calwer-Compagnie, besonders in Holz und Wollenzeugen war. Calw war einst die Hauptstadt der uralten Grafen von Calw, deren Burg im Jahr 1600 hier abgetragen wurde. Im 30jährigen, 1645, und im französischen Kriege, 1692, hat sie vieles ausgestanden, und wurde beidemal abgebrannt.

Deckenpfronn, 1,029 Einw. Hirsau, in dem anmuthigen Hirsauerthale, 535 Einw. Saffian- und Löffel-Fabrik, Papiermühle, schöne aber traurige Ruine des ehemals berühmten, schon 837 und in gewisser Art schon 645 gestifteten Benediktinerklosters, welches von den Franzosen 1692 zerstört wurde. Man findet daselbst noch den Grabstein von dem Abt Bruno, einem Bruder Conrads, des ersten bekannten Grafen von Würtemberg. Neu-Bulach Stadt, 668 Einw., wozu Alt-Bulach gehört, mit 513 Einw., in einer durch Mineralien und verlassene Bergwerke merkwürdigen Gegend. Zavelstein, Stadt, 355 Einw., malerische Schloßruinen. Unten im Thale liegt Deinach, mit einer wohleingerichteten Bronnen- und Badeanstalt, und nicht weit davon der wegen einer der ältesten Kapellen merkwürdige Weiler Keutheim.

10) Oberamt Neuenbürg, 7 QM., 20,133 Einw. Neuenbürg, OASt., an der Enz, 12 Stunden von Stuttgardt, in einem engen wilden Thale des Schwarzwaldes, mit einem Bergschlosse, 1,314

Einw. Ansehnliche Gerberei, Sensenfabrik, Eisen= bergwerke, großer Brand 1782. Liebenzell, Stadt an der Nagold, 963 Einwohner, Wollen=Maschinen= Spinnerei, 2 Badanstalten, berühmter Flachsmarkt, eine neu angelegte Stahlfabrik des Grafen von Ar= ensberg, Ruinen eines Bergschlosses, von dessen Höhe der berüchtigte Tyrann Erkinger von Merka= lingen herabgestürzt worden seyn soll. Wildbad, Stadt an der Enz, mitten im Schwarzwald, 1,596 Einw., Drechslerarbeiten, Badanstalt und Anlagen zwischen Granitfelsen. Die Heilquellen sprudeln auf drei Stellen aus den Felsen hervor, und sind überbaut, so daß man in den Quellen unmittelbar badet; 2 Stunden davon liegt der wilde See, auf einer der höchsten Gebirgsflächen, der einen unter= irdischen Abfluß nach dem Enzthal haben soll. Calm= bach, am Zusammenfluß der großen und kleinen Enz, 1,082 Einw., starke Flößerei hier und in dem Filial Höfen. Dobel, auf dem höchsten und rauhesten be= wohnten Schwarzwalde, mit einer weiten Aussicht über den Rhein hin, 736 Einw. Herrenalb, am Flüßchen Alb, 244 Einw., ehemaliges von einem Grafen von Eberstein 1148 gestiftetes und im Bau= renaufruhr 1525 verwüstetes Cisterzienser=Kloster. Loffenau, am südwestlichen Abhange des Schwarzwal= des gegen das Murgthal, 866 Einw., Weinbau, viele Nuß= und Kastanienbäume; an den hohen Bergen zwischen Loffenau und Herrenalb, die berüchtigte Teufelsmühle. Langenbrand, mit 386 Einw. und Schömberg, mit 505 Einw., bauen den feinsten Flachs auf dem Schwarzwalde.

11) Oberamt Freudenstadt, 9 1/2 QM., 21,379 Einwohner. Freudenstadt, OASt. und Post,

auf dem hohen Schwarzwalde, 16 Stunden von Stuttgardt, mit 2,964 Einw. Viele Tuchmacher, Nagelschmiede, Metzger und Viehhändler, Schäufler oder Fruchthändler, Salmiak-, Scheidewasser-Berlinerblau-Bereitung; Pech-, Theer-, Terpentinöl-Sauerkleesalz- und Potaschen-Siedereien. Die Stadt wurde 1599 von Herzog Friedrich I. mitten im Tannenwalde erbaut, ist ganz regelmäßig angelegt, hat einen großen, ringsum mit Bogengängen versehenen Markt, und eine Kirche von der eigenen Bauart, daß die beiderlei Geschlechter darin einander nicht sehen können.

Zur Gemeinde Freudenstadt gehören Christophsthal und Friedrichsthal, zwei in engem tiefen Thale unter der Stadt gelegene Eisenwerke, wovon das letztere seinen Namen von seinem Gründer, König Friedrich, das erstere aber von Herzog Christoph hat, der die ersten nun verlassenen Bergwerke hier anlegte. Dornstetten, Stadt, 1,026 Einw., Waldgericht, Verfertigung von Strohstühlen. Baiersbronn, mit einem großen, auf Meilenweite verbreiteten, meist aus einzelnen Häusern bestehenden Kirchsprengel, wozu auch die Buhlbacher Glashütte gehört, am Anfang des Murgthals, 2,875 Einw. Kniebis, Weiler, mit 43 Einw., auf dem rauhen Kniebis, über welchen von Freudenstadt ein Paß nach Straßburg führt. Auf der Höhe des Berges liegen die Ueberreste von zwei Schanzen, der Alexanders- und der Roßbühlschanze, von wo man eine herrliche Aussicht über den Rhein und nach Straßburg hat. Pfalzgrafenweiler, Marktflecken und Post, 1,388 Einw. Reichenbach, Marktflecken, im Murgthal, 496 Einw., ehemal. Kloster. Reinerzau, 294

25 *

Einw., Bergwerke. Schwarzenberg, 115 Einw., in einem der wildschönsten Theile des Murgthals, auf der Badischen Grenze mit der Schönmünznacher Glashütte. Zwischen hier und Reichenbach fand im Jahr 1800 der große Waldbrand statt, durch welchen über 10,000 Morgen Waldes zerstört wurden. Thumlingen, 282 Einw., Wittendorf, 456 Einw. Außerdem hat das Oberamt mehrere kleinere Ortschaften und nicht weniger als 122 einzelne Häuser.

12) Oberamt Oberndorf, 6 QM. 18,824 E. Oberndorf, OASt. und Post, auf einer Anhöhe am Neckar, 18 Stunden von Stuttgardt, vormaliger Hauptort der obern Grafschaft Hohenberg; Königl. Gewehrfabrik, starke Gerberey, aufgehobene Klöster, 2,275 Einw.

Alpirspach, Marktfl. in einem tiefen Einschnitt des wildesten Schwarzwaldes, am Anfang des Kinzinger Thals, 1,477 Einw., ehemals berühmtes 1095 gestiftetes Kloster; Sitz des Bergamts, Smaltefabrik, Bergwerke. Aichhalden, 1,256 Einw. Fluorn, Marktfl. 819 Einw., Erzgruben. Lauterbach, 1,385 Einw. Schramberg, Stadt und Post, 2,013 Einw. des Grafen v. Bissingen, Schloß, Eisenhammer.

13) Oberamt Sulz, 4 QM. 16,494 Einwohner. Sulz, OASt. und Post am Neckar, 14 Stunden von Stuttgardt, 2,199 Einwohner. Saline, Glaubersalz=, Magnesia=, Salmiak= und Salzgeist=Bereitung, zur Bedüngung vorzügliche Hallerde.

Sulz ist eine sehr alte geschichtlich merkwürdige Stadt, die schon unter Karl dem Großen 790 als villa publica vorkommt. Nahe dabei liegt das Bergschloß Albeck.

Rosenfeld, Stadt (früher Tekisch), 1,109 Einw.

Dornhan, 1,050 Einw., Wasserleitung, Mineralquelle. Bickelsberg, 531 Einw., Steinkohlen. Böh-
ringen, 1,380 Einw., Schwefelquelle.

14) Oberamt Rottweil, 5 1/2 QM. 18,409
Einw. Rottweil, OASt. und Post am Neckar, 20
Stunden von Stuttgardt, 3,174 Einw. Ansehnliches
Spital, Gymnasium, großes Kaufhaus, ehemaliges
Zeughaus, aufgehobene Klöster, bedeutender Flachsbau und nicht unwichtiger Produktenhandel, Pulvermühle. Rottweil war ehemals eine angesehene be-
vestigte Reichsstadt, und Sitz eines kaiserlichen Hof-
gerichts und stand lange mit der Schweizer=Eidge-
nossenschaft im Bunde. Auf dem Boden der Stadt
findet man viele römische Alterthümer, und die Alt-
stadt ist ganz auf römischen Grund gebaut.

Deißlingen, 1,424 Einw. Duningen, 1,146 Einw.
Irslingen, 510 Einw. Ruinen des Stammschlosses
der ehemaligen Herzoge von Urslingen, weiterhin die
Ruinen des Bergschlosses Rammstein, und das Schloß
Wildeck. Neufra, 338 Einw., verschiedene Marmor-
arten. Schemberg, Stadt, an der Landstraße in die
Schweiz, 1,340 Einw., nahe dabei die Ruinen von
der Stammburg der Grafen v. Hohenberg. Schem-
berg oder eigentlich Schömberg steht ganz auf dem
Mergelschiefer. Villingen, 444 Einw. Bergschloß-
Ruinen von Neckarburg und Einsiedeley. Wellen-
dingen, 641 Einw. 2 Schlösser v. Freybergisch.

15) Oberamt Tuttlingen, 5 QM. 21,859
Einw. Tuttlingen, OASt. und Post an der Donau
und der Straße in die Schweiz, 26 St. von Stuttgardt, seit dem Brand von 1803 ganz neu und regelmäßig gebaut, 3,928 Einw., vieles Gewerbe, besonders Messerschmiedarbeiten, Floretseidenspinnerey

und Weberey, Leimsiederey, Sauerkleesalzsiederey, Lei-
nen = und Wollen=Weberey, starker Verkehr mit der
Schweiz, und überhaupt nicht unbedeutender Handel.
Bei der Stadt liegen die Ruinen des Schlosses Hon-
berg, und nicht weit davon das K. Eisenwerk Ludwigsthal.

Friedingen, Stadt an der Donau, 896 Einwohner. Hausen ob Verena, 598 Einw., Ruinen des
Bergschlosses Hohenkarpfen. Hohentwiel, ehemals
berühmte, seit 1800 durch die Franzosen zerstörte
Bergveftung, außerhalb den Grenzen des Königreichs,
auf einem weit und breit hervorragenden Bergkegel,
einst Sitz der alten Herzoge von Alemannien, und
im 30jährigen Kriege muthvoll von Wiederhold
vertheidigt. Kolbingen auf dem Heuberg, 512 Einwohner. Frh. von Ulm=Werrenwag. Seidenspinnerey, Kolbinger Platten.

Mühlheim, Stadt an der Donau, Hauptort der
von Enzbergischen Herrschaft Mühlheim mit zwei
Schlössern und einer Wallfahrtskirche, 728 Einwohner. Kesselbach, eine Mineralquelle. Neuhausen ob
Eck, 919 Einw. Erzgruben.

Schwenningen mit einer neu entdeckten Salzquelle,
ist eines der größten Dörfer in Alt=Würtemberg,
und zählt gegen 3,000 Einwohner. Nicht weit von
diesem Dorf treten die Quellen des Neckars auf einer Wiese an den Tag, und bilden sehr bald einen
Bach, welcher Mühlen zu bewegen im Stande ist.
Schwenningen und mehrere Dörfer zusammen gegen
Tuttlingen hin, heißen die Baar. Ihre Bewohner
zeichnen sich durch eine unveränderliche National-
tracht aus. Dem Fremden sind die rothen Strümpfe
der Weiber am auffallendsten. In den katholischen

Orten tragen sie weiße. Die Gegend um Schwenningen ist so eben, daß man selten nur einen Hügel von 3—50' gewahr wird. Diese Bemerkung widerspricht dem aufgestellten Gesetze in der physischen Geographie, daß alle Quellen von Strömen in einem um so größern Gebirge entspringen, je größer der Strom ist. Ferner hat Schwenningen Torfgräbereyen, Hungerbrönnen, das Ankenloch, Erdfall. Von Kirnach ins Brigachthal ist zuerst der rothe Sandstein, ähnlich dem unterliegenden Thonporphyr, bald dem bunten Sandstein ähnlich, bald conglomeratartig wie bei Villingen. Auf den rothen Sandstein sind jedoch noch Massen aufgelagert, welche dem Kupferschiefergebirge angehören. Die verwandten Gebirgsmassen, nemlich der Zechstein, der Stinkstein treten nach der verschiedenen Höhe mehr oder weniger zu Tage aus. Ueber einem grauen Kalk, welchen man den obern Zechstein nennen könnte, liegt die Rauwacke, das einzige Glied des ältern Kalksteins; es hält die Mitte zwischen dem Mergel und Sandstein. Nimmt der Kalkgehalt der Rauwacke zu, so entsteht ein fester Mergelkalkstein mit Anlagen zu einem splittrigen Bruch. Der Thongehalt läßt sich durch den Geruch wahrnehmen, aber auch einzelne Thongallen zeigen sich. Uebrigens ist er theils zersprengbar, theils fest, theils zerreiblich in allen Mittelstufen; bildet oft bedeutende Höhlen, in denen Quarz und Feldspath vorkommen. Oft sind sie mit Sand ausgefüllt; auch Nester Feuersteine kommen vor; ferner Abdrücke von Versteinerungen von Pecteniten (Kammuscheln) und Chamiten (Riesenmuscheln); die Rauwacke zieht sich bis Rothenburg hinunter. Hierauf folgt der jüngere Gyps und Mergel in den

verschiedensten Abänderungen. Fasergyps und Frauen=
eis durchziehen ihn selten. Auf den südlichen Höhen
erscheint der bunte Sandstein. Er ist sehr verwitt=
bar. Unter dem Burgrain enthält der Sandstein vie=
len Glimmer. Aus der jüngsten Bildung ist der
Tufstein vorhanden.

Thalheim, 935 Einw. Seidenspinnerey, Erzgru=
ben. Thuningen, 1,473 Einw. Troffingen, Mktfl.
1,668 Einw. Fil. Schura 422 Einw. Sauerkleesalz=
siedereyen. Wurmlingen, 1,085 Einw., altes Schl.
Conzenberg, von dem die ehemalige Herrschaft Con=
zenberg ihren Namen hat.

16) Oberamt Spaichingen, 5 QM. 18,527
Einw. Spaichingen, Marktfl. und Oberamtssitz an
der Prim und der Straße in die Schweiz, 23 Stun=
den von Stuttgardt, 1,340 Einw. Seiden= und
Baumwollenspinnerey.

Aldingen, 1,160 Einw. Post. Beerenthal, Kön.
(jetzt aufgegebenes) Eisenwerk, an der Beeren, 70
Einw. Denkingen, 937 Einw. am Trinitatis=Berg,
auf welchem eine Kirche steht. Dotternhausen, von
Cottendorffscher Marktfl. 606 Einw. Schloß. Gagat.
Frittlingen, 1,064 Einw. Rathshausen, 607 Einw.
Bergstürze vom angrenzenden Heuberg. Wehingen,
1,027 Einw. mit der K. Eisenschmelze Harras 2c.

17) Oberamt Bahlingen, 6 QM. 26,321
Einw. Bahlingen, OASt. und Post an der Eyach
und Straße in die Schweiz, 14 St. von Stuttgardt,
2,944 Einw., seit dem Brand im Jahr 1809 meist
neu gebaut. Getraidehandel, Messerschmiedarbeiten,
Schwefelbronnen und zahlreiche Versteinerungen, be=
sonders an den benachbarten Lochen, einer Spitze des

Heubergs, auf welchem man eine außerordentlich weite Aussicht hat.

Ebingen, Stadt an der Schmicha, 4,000 Einw., einer der gewerbsamsten Orte mit starker Wollenstrumpfweberey (Hamburger Strümpfe) Zeug- und Hutmacherey, Viehhandel. In der Nähe liegen auf schroffer Höhe am Ende eines merkwürdig schmalen Gebirgsrücken die Ruinen der Schalksburg. Biz, Fil. und Eigenthum von Ebingen auf der hohen Alp mit einer großen Aussicht auf die Schneegebirge der Schweiz und von Tyrol, 579 Einw. Dürrwangen, 661 Einw. Hackenbronnen, der mit großem Geräusche aus dem Innern eines Felsen hervorkommt, und seinen Namen von den Hacken hat, mittelst derer die Anwohner, um den nächsten Weg nach Thieringen zu machen, an dem Felsen auf- und absteigen. Lauffen, D. 690 Einw. Papiermühle. Höhle in dem benachbarten Grävlenberg. Frommern, 732 E. das Wolfsloch; eisenhaltige Quelle. Geislingen, 1,239 Einw., schönes Schloß und Garten, ehemaliges Schwefelbad, Schenk von Stauffenbergisch, ebenso auch Lautlingen, von dem das Thal seinen Namen hat, 629 Einw. mit dem Hofe Ochsenberg, wo guter Käs bereitet wird. Margarethenhausen, mit einem ehemaligen Nonnenkloster, 237 Einw. Onstmettingen, 1,469 Einw., sehr hoch gelegen, nicht weit davon ist der Backofenfelsen, einer der höchsten Punkte der Alp und das Linkenboldslöchlein, nach der Nebelhöhle die bedeutendste Höhle. Thieringen an den Lochen, 863 Einwohner, merkwürdige Wasserscheide. Winterlingen, sehr hoch gelegen, 1,534 Einwohner.

III. Donaukreis.

109 QM. 16 Oberämter, 334,115 Einwohner.

Oberförstereyen.

1) Altdorf.
2) Tettnang.
3) Blaubeuren.
4) Zwiefalten.
5) Albeck.
6) Kirchheim.

Cameralämter.

1) Biberach.
2) Blaubeuren.
3) Ehingen.
4) Friedrichshafen.
5) Geißlingen.
6) Göppingen.
7) Heiligkreuzthal.
8) Kirchheim.
9) Langenau.
10) Münsingen.
11) Tettnang.
12) Ulm.
13) Waldsee.
14) Wangen.
15) Weingarten.
16) Wiblingen.
17) Wiesensteig.
18) Zwiefalten.

Hof-Cameralamt Altshausen.

1) **Oberamt Ulm**, 2 QM. 28,581 Einwohner. Ulm, Kreis- und Oberamtsstadt und Ober-Postamt, ehemalige angesehene Reichsstadt, und soll zu einer Hauptvestung an der Donau, mit welcher sich hier die Blau vereinigt, gemacht werden, 18 Stunden von Stuttgardt, 11,417 Einw. Gymnasium, Spital und andere Stiftungen, Zwangsarbeitshaus, Rathhaus mit einem kunstreichen Uhrwerk und Glasmahlereyen; ehemaliges deutsches Haus, Zeughaus, Wengenkloster, ansehnliche Hauptkirche, Münster genannt, mit einigen vorzüglichen Gemählden und einem 337 Fuß hohen Thurme. Hochgetriebene Gärtnerey, lebhaftes, wiewohl, wie überall, gesunkenes Gewerbe, na-

mentlich in Leinwand, Ulmer (Tabackspfeiffen) Köpfen, Ulmer Mutscheln und Zuckerbrod, Ulmer Gerste, Ulmer Mehl, Zunder ꝛc. Tabaksfabriken, Bleyzug = Tabaks = Büchsen = Fabrik, große Bleichen, be-
trächtliches Schiffergewerbe und immer noch bedeutender Handel, besonders Expeditions = Handel. Die
berühmte im J. 1805 für die Oestreicher so unglücklichen Bestungswerke sind nun geschleift. Ueber die
Donau führt hier eine Brücke, mitten auf der Brücke
beginnt die Bairische Grenze.

Albek, kürzlich noch der Sitz eines eigenen, jetzt
mit Ulm vereinigten Oberamts, 360 Einw. Ueber
dem Dorf oder Städtchen, was es ehemals war, liegt
das alte Schloß Albek. Altheim, Marktflecken, 783
Einw., starke Leinenweberey, wie überhaupt in der
Gegend; Hungerbrunnen; Sieg Eberhards des
Grainers über die Reichsstädte 1372. Bissingen, 439
Einw., merkwürdige Höhle. Ettlenschieß, 309 Einwohner, sehr hoch gelegenes Dorf, wo die besten
Spindeln verfertigt werden. Holzkirch, 241 Einw.,
bei dem Fil. Braitingen verliert sich die Lontel unter
dem Boden, und kommt erst nach 2 1/2 St. wieder
zum Vorschein. Langenau, Mktfl. fast eine Stunde
lang mit 3 Kirchen, einem Schloß und 2,785 Einw.
starke Leinenweberey, Flachsbau, Torfgräberey. Nie-
derstozingen, Marktfl. 1,168 zur Hälfte katholische
Einw., 2 Schlösser, dem Frh. v. Stein und Grafen
Maldeghem. Ebflingen, Marktflecken 1,453, meist
Gewerb treibende Einwohner, ehemals Reichsabtey,
St. Jacobs = Kapelle, die von Carl dem Großen erbaut worden seyn soll, Kreide. Urspring, 268 Einw.
Mitten im Dorf entspringt in einem tiefen Kessel
die Lontel.

2) Oberamt **Wiblingen**, 6 1/2 QM. 19,962 Einw. Wiblingen, OASt. und Pfd. an der Iller, eine Stunde von Ulm, 721 Einw. Königl. Schloß, ehemals eine Benediktiner-Abtey mit einer schönen Kirche.

Dietenheim, Gr. Fugger-Zinnebergischer Marktflecken an der Iller, 1,145 Einw., ansehnliche Kirche, Schloß, Gewerbe und Garn-Handel. Dazu gehört Brandenburg, ein altes Bergschloß. Laupheim, Marktflecken und Post an der Rottum, 2,591 Einw. Schloß, Spital, Wallfahrt, Synagoge, d. Frh. v. Welden. Oberholzheim, 276 Einwohner, Geburtsort Wielands. Oberkirchberg, D. 425 Einw., Hauptort der Fuggerischen Grafschaft Kirchberg, schönes auf einem Berge gelegenes Schloß. Orsenhausen, 395 Einw., schönes Schloß und Garten, dem Frh. v. Hornstein. Schwendi, Oettingen Spielbergischer Marktfl. an der Roth, 736 Einw. Wain, 311 Einw. (v. Herrmännisch) Schl., gute Landwirthschaft, Leinwandfabrikation.

3) Oberamt **Biberach**, 8 1/2 QM. 23,473 Einw. Biberach, OASt. und Post an der Riß, 24 Stunden von Stuttgardt, in einem schönen Thale, ehemalige Reichsstadt, 4,451 zu 1/3 kathol. Einw. Reiches Spital, Leinwand- und Barchentweberey, Gerberey, Papiermühlen, Bleiche. Eine Stunde von der Stadt liegt das Jordanbad. Treffen zwischen Moreau und den Oestreichern 1796. Erolzheim, v. Bömmelbergischer Marktfl. in einer beträchtlichen Ebene des Illerthals, 821 Einw. mit Schloß. Ochsenhausen, Marktfl. und Post, 1,297 Einw. mit der ehemaligen Benedikter Reichs-Abtey Ochsenhausen,

jetzt fürstlich **Metternich**. Schloß **Winneburg**. Wart=
hausen, von Stadionischer Marktfl., mit Schloß,
476 Einw. Das Oberamt enthält, wie die meisten
in Oberschwaben, viele edelmännische, meist mit
Schlössern versehene Ortschaften.

4) Oberamt Waldsee. 8 QM. 18,045 Einw.
Waldsee OASt. und Post an der Aach, 30 Stunden
von Stuttgart, eine der 5 Donaustädte 1,403 Einw.
See, Wallfarth, ehem. Kloster. — Neben der ehem.
östreichischen Stadt liegt, von der Aach und dem
Schloß = See umgeben, die fürstliche Burg Waldsee.
Wolfegg 154 Einw. Schloß, des Fürsten von Wald=
burg = Wolfegg = Waldsee. Aulendorf, von Königs=
eggischer Marktfl., in einer schönen Lage, mit einem
großen Schloß, 893 Einwohner, starker Flachsbau
und Leinenweberey. Schussenried, nahe am Ursprung
der Schussen, 593 Einw. ehem. schöne Prämonstra=
tenser = Abtey, jetzt Salmisch. Das Oberamt besteht,
wie überhaupt die Oberämter in Oberschwaben, meist
aus kleinen Ortschaften, und enthält ausser 2 Städtchen
und kleinen Marktfl. 53 Dörfer, 85 Weiler, 96 Höfe.

5) Oberamt Leutkirch 8 1/2 QM. 19,130 Ein=
wohner. Leutkirch OASt. im Allgäu, an der Eschach
und an der Straße von Memmingen nach Lindau,
36 St. von Stuttgardt, 1,828 Einw., die Stadt,
früher eine Reichsstadt, war ehemals besonders durch
das Kaiserliche Landgericht auf der Leutkircher Heide
bekannt, das hier anfänglich unter freyem Himmel
gehalten wurde, und dessen Gerichtsbarkeit sich über
einen großen Theil von Oberschwaben erstreckte. Man
findet in der Gegend noch Ueberreste von dem stei=
nernen Stuhl — Heidbild — auf welchem der Land=

richter zu Gericht saß. Die Leutkircher Heide umfaßt 180 Morgen, im weitern Sinne aber dehnte sich
dieselbe und die freye Pürsch auf mehrere Stunden
aus, und die Bewohner dieses Bezirks waren unmittelbare Reichsbürger unter einem Reichsschultheißen,
und wurden die freyen Leute auf der Leutkircher Heide
genannt. Von diesen Leuten, die ihre Freyheiten
schon 867. erhielten, stammt ohne Zweifel auch der
Name Leutkirch her. Wurzach, Stadt mit einem
Schlosse des Fürsten von Waldburg = Zeil = Wurzach,
1,030 Einwohner. Aitrach, am Einfluß der Aitrach
in die Iller. 411 Einw. Fisch = und Holzhandel.

Zeil, Pfw. 139 Einw. Schloß und Sitz des Fürsten von Waldburg Zeil = Trauchburg. Tannheim,
1,515 Einw., dem Grafen von Schäsberg. Torfgräberey, aufgehobenes Pauliner Kloster, das erst 1779
erbaut wurde. Auch dieses Oberamt enthält eine
Menge kleiner Ortschaften, namentlich 83 Weiler
und 159 Höfe.

6) Oberamt Wangen. 5 1/2 QM. 17,697 Einwohner. Wangen OASt. und Post, ehem. Reichsstadt, an der untern Argen; 36 St. v. Stuttgardt,
1,275 Einw., Eisen = und Pfannenhämmer, Papier-
Mühlen, Leprosorium (Siechenhaus) und Bad, aufgehobenes Kapuziner = Kloster. Alterthümlich merkwürdige Gegend. Wangen selber wird für das römische Vemania gehalten, durch das eine römische Haupt-
straße führte. Jsny, ehemalige Reichsstadt, jetzt Gr.
Quadtisch, an der obern Argen, 2,027 Einwohner,
Pfannenschmiede, Nadelfabrik, Seidenfabrik, Gerberey, Bleiche und starker Verkehr in Leinwand. In
der Stadt befindet sich die ehemalige Bened. = Abtey
Jsny. Eglofs 157 Einw. mit einem alten Bergs-

ſchloß. 1243. verkaufte Gr. Hartmann von Würtem=
berg Grbningen ſeine Grafſchaft im Albegau (Allgäu),
und die Herrſchaft Egloſs an Kaiſer Friedrich II. und
das Reich um die damals nicht unbeträchtliche Summe
von 3200 Mark. Kißlegg, Mktfl. mit 2 Schlöſſer, und
Hauptort der Waldenburgiſchen Herrſchaft Kißlegg,
417 Einw., ehemals Franziskanerkloſter.   Sonſt iſt
ein Ort im ganzen Oberamt, der nur 300 Menſchen
zählte, deſto größer iſt aber wieder die Anzahl der
kleinern Ortſchaften: 62 D. 177 W. 245 Höfe.

7) Oberamt Tettnang. 5 QM. 17,527 Einw.
Tettnang, OASt. und Poſt, 35 St. von Stuttgart,
und zwei Stunden vom Bodenſee, in einer ſchönen
fruchtbaren Lage, 1,268 Einw. Großes feſtes Schloß;
Frucht = und Weinbau und Obſtzucht, Eſſigſiederey,
Kirſchengeiſt.

Friedrichshafen, Stadt und Poſt, am Bodenſee,
mit einem herrlich gelegenen Schloſſe und 800 Ein=
wohner, gut gelegener und mit Freiheiten begünſtig=
ter Hafen, Speditions = und Durchgangshandel. Der
Hafen, und zum Theil auch das Städtchen ſel=
ber, iſt ein Werk König Friedrichs, der jenen, um
den Handel mit der Schweiz und Italien zu beför=
dern, anlegte, und dieſes mittelſt Verbindung des ehe=
maligen Kloſters Hofen, jezigen Schloßes, und des
Städchens Buchhorn, des kleinſten und vielleicht äl=
teſten ehemaligen Reichsſtädtchens, durch neue Ge=
bäude ſchuf, und ihm den Namen Friedrichshafen gab.

Der Bodenſee hat hier ſeine größte Breite, und
man überſieht ihn von dem Schloſſe aus in ſeiner
ganzen Größe und Schönheit. Langenargen, Mktfl.
am Ausfluß der Argen in den Bodenſee, mit einem,
auf einer Inſel im See ſehr ſchön und maleriſch ge=

legenen festen Schloße, 862 Einw. Die übrigen Ort=
schaften sind wieder alle klein und unbedeutend, es
befinden sich darunter 180 Weiler und 93 Höfe.

8) Oberamt Ravensburg. 8 QM. 19,520
Einw. Ravensburg OASt. und Post nahe an der
Schussen, 30 St. von Stuttgardt, in einer schönen
fruchtbaren Gegend, 3,585 zur Hälfte katholische Einw.
Die Stadt eine ehemalige Reichsstadt, hat mehrere
Kirchen, aufgehobene Klöster, bedeutende Stiftungen,
ein Realinstitut, mehrere gute Papiermühlen, Färbe=
reyen, eine Manchester = Weberey, eine Schrotgiesse=
rey und nicht unbedeutenden Handel, besonders in
Wolle. Auch befinden sich hier 2 Bäder, das Sen=
nerische und das Bad zum h. Kreuz. In der Vor=
stadt Deschelwang ist ein Wasserbehältniß, das 140
Bronnen der Stadt versieht. Vor der Stadt erhebt
sich der Schloßberg, wo einst das Welfische Schloß
Ravensburg, (Gravensburg?) stand, jetzt ein Ver=
gnügungsplatz mit einer herrlichen Aussicht. Altdorf
Marktfl. und ehem. Hauptort der östreichischen Land=
vogtey, eines Ueberrestes der alten Landvogtey in
Schwaben, 2,243 Einw. Auf einer Anhöhe liegt
das schöne Schloß Weingarten, ehem. Bened. Reichs=
Abtey mit einer herrlichen Kirche, in welcher eine
der größten Orgeln steht, und der fromme Glaube
einen Tropfen vom Blut Christi als Reliquie bei ei=
ner jährlichen Wallfahrt, Blutritt genannt, verehrte.

Auf dieser Anhöhe stand einst das Residenzschloß
der Welfen, eines berühmten Geschlechts Schwäb.
Großen, welches hier und zu Ravensburg zu Haufe
war, und das Kloster stiftete. Hier beginnt der Wein=
bau wieder. Baindt 205 Einw. Schloß, vormals
eine Zisterzienser = Abtey des Grafen von Aspermont.

Waldburg 200 Einwohner, uralte malerisch gelegene Stammburg des fürstl. Hauses Waldburg. Weissenau, Pfw. mit einem schönen Schloß, ehem. Prämonstrat.=Abtey, Salm=Sternbergisch. Das Oberamt hat die meisten zerstreuten Bewohnungen, nemlich, ausser 32 sogenannten Dörfern, 165 Weiler, 426 Höfe, und 104 einzelne Häuser.

9) Oberamt Saulgau. 7 QM. 18,893 Einw. Saulgau, Sulgau, OASt. und Post, eine der ehemaligen 5 Donaustädte, an der Schwarzach 24 St. von Stuttgart, 2,023 Einw. Reiches Spital, aufgehobene Klöster, Bleiche, bedeutender Kornmarkt.

Altshausen, Alschhausen, ehem. Reichsdorf und Sitz eines Land = Commenturs des Deutschordens, mit einem schönen Schloß und einer schönen Kirche, 821 Einw., beträchtliche Seen. Mengen, Stadt an der Ablach, nahe an der Donau, eine der 5 Donaustädte, 1,822 Einw. Bedeutende Jahrmärkte, großer Brand 1819. Scheer, Stadt an der Donau, Hauptort der Thurn = und Taxischen Grafschaft. Friedberg=Scheer mit einem Schloß, 827 Einwohner., Wallfarth zu U. L. Frauen. Herbertingen, Taxischer Marktfl. 1,100 Einw., Burg und Thiergarten. Königseggwald 290 Einwohner mit Schloß des Grafen v. Königsegg. ⸿ Bergschloß Königsegg ist das Stammhaus der Familie.

10) Oberamt Riedlingen. 7 QM. 22,783 Einw. Riedlingen OASt. und Post, eine der 5 Donau = Städte an der Donau, 20 Stunden von Stuttgardt, 1,587 Einw. Bedeutende Kornmärkte, Spital, aufgehobene Klöster, großes Ried, (Sumpfboden) an der Donau. Schon in frühern Zeiten ge=

hbute Riedlingen der würtembergischen Nebenlinie
Erbningen Landau. (Dreizehntes Jahrhundert.)

Buchau, Tarissches Städtchen und Post, ehema=
liges Reichsstädtchen am Federsee, in einer schönen
aber sumpfigen Gegend, 1,080 Einw., Synagoge,
ehem. gefürstetes Damenstift mit einer schönen Kirche,
Binzwangen, 588 Einw., Landauhof und ehem. Schloß
Landau. Erbningen, 280 Einw., Schloß des Frei=
herrn von Hornstein; Ruinen des alten Schlosses
Erbningen, Sitzes der ebengenannten würtembergi=
schen Nebenlinie. Heiligkreuzthal, Filial=Ort, mit
einem ehemaligen adelichen, von jener Nebenlinie ge=
stifteten Frauenkloster, wo dieselbe ihr Begräbniß hat=
te. Offingen am Bussen, und deswegen auch Bus=
sen genannt, 452 Einw. Der Berg Bussen erhebt
sich frei in dem Lande jenseits der Donau, und ge=
währt eine ausnehmend große Aussicht. Auf demsel=
ben steht eine Kirche nebst den Ruinen von zwei
Schlössern, wovon das eine schon als Sitz Graf Ge=
rolds, eines Schwagers von Carl dem Großen, vor=
kommt. Upflambr, Weiler auf der Alp, in einer be=
trächtlichen Höhe, und ungewöhnlicherweise reich an
Quellwasser, mit 138 Einw. Uttenweiler, 1028 Ein=
wohner. Wilflingen, 368 Einw. Zell, 125 Einw.
Zwiefaltendorf, 331 Einw. von Spethisch.

11) Oberamt Ehingen. 7 QM. 21,448 Ein=
wohner. Ehingen OASt. und Post, an der Donau,
18 St. von Stuttgart, 2,472 Einw. Lyzeum, reiches
Spital, schöne Kirchen, ansehnliches Landhaus der
ehem. vorderöstreichischen Stände, Ritterhaus des vor=
maligen Ritterkantons Donau, aufgehobene Klöster,
Baumwollenspinnerey, türkischroth Färberey.

Munderkingen, Stadt an der Donau, eine der

5 Donaustädte, 1,617 Einw., starke Spinnerey und Dochtfabrikation. Erbach, von Ulmischer Marktfl. mit Schloß und Schloßgarten, 906 Einw. Oberdischingen, 803 Einw., wohlgebauter Ort, mit einem schönen Schloß und Schloßgarten, und einem berühmten ehemaligen Zuchthause; Gräflich Castellisch. Ober-Marchthal 765 Einw. mit der schönen ehem. Prämonstrat. Reichs-Abtey; Taxis gehörig. Durch die Gegend führt die von der letzten unglücklichen Königin von Frankreich genannte Dauphinenstraße, auf welcher dieselbe als Braut hinzog. Ober-Stadion, Gr. Stadionischer Marktfl., mit Schloß und 184 Einw. Unter-Marchthal, Dorf und Filial von Neuburg, mit einem Schlosse und 461 Einwohner, von Spethisch. Im Ganzen zählt das Oberamt Ehingen 67 Dörfer und Weiler, und 13 Schlösser.

12) Oberamt Münsingen. 9 1/2 QM. 17,688 Einwohner. Münsingen OASt. und Post, mitten auf der Alp, 12 St. von Stuttgart, 1,338 Einwohner, ein altes und durch den Münsinger Vertrag merkwürdiges Städtchen, Bildweberey, Leinwandhandel. Böttingen, 479 Einw. schöner roth gebänderter Marmor. Gravenek, schönes Jagdschloß, vom Herzog Carl erbaut, mit vielen Lustgebäuden, welche nun aber meist abgebrochen sind. Am Fuße des Schlosses liegt Marbach, das Landgestüt. Hayingen fürstenbergische Stadt auf der Alp, 609 Einw. Starke Viehmärkte. Justingen, 579 Einw. Hauptort der vormaligen Herrschaft Justingen mit Schloß. Laichingen Marktflecken, ehemals mit Stadt-Gerechtigkeit 1,624 Einw. ein Hauptsitz der Leinwandweberey, und des Leinwandhandels, reiches Spital. Offenhausen, ehemaliges Frauenkloster, jetzt Fohlenstall, am Ursprung der

26 *

Lauter, welche hier im Klostergarten entspringt, und am Fuße des Sternberges, einem der höchsten Punkte der Alp, mit 2554 Par. Fuß Höhe, wo man, wie an dem benachbarten Eisenrüttel bei Dottingen, Basalt findet. Sontheim, 421 Einwohner. Sontheimer Erdloch, eine merkwürdige Höhle, welche über 250 Schritte lang ist, und aus verschiedenen Gängen und Kammern mit mannigfaltigen Tropfsteinen besteht. Zwiefalten, eine berühmte ehem. von dem Grafen von Achalm 1089. gestiftete Bened. Abtey, in einem stillen Thale der Alp, an dem Zusammenfluß der beiden Flüßchen Aach (daher auch der Name Zwiefalten oder Zwiefaltach) mit einer sehr schönen Kirche. In einem Theil der Klostergebäude ist jetzt das Irrenhaus des Königreichs eingerichtet. Eine Stunde davon liegt das Gräflich Normannische Schloß Ehrenfels, mit einem ausnehmend schönen Keller, ehemals Eigenthum des Klosters. Nicht weit davon öffnet sich das felsige Glasthal, und abwärts gegen Zwiefalten die Friedrichshöhle, aus deren Felsengewölben die Aach hervorkommt, auf welcher man mit einem Nachen weit in die Höhle hineinfahren kann. Das Flüßchen treibt gleich bei seinem Erscheinen eine wichtige Mühle.

13) Oberamt Blaubeuren. 6 QM. 14,716 Einw. Blaubeuren OASt. und Post, in einem engen Felsenthale am Ursprung der Blau; 1,698 Einw. Ehemals von dem Pfalzgrafen von Tübingen 1085. gestiftetes Bened. Kloster, jetzt Sitz einer der 4 Seminarien, reiches Spital, starke Leinenweberey und Leinwandhandel, Papiermühlen, Gerstenmühlen. In der Nachbarschaft die Ruinen der Schlösser Ruck und Gerhausen, ehem. Sitz der Pfalzgrafen von Tübin-

bingen. Die Blau entspringt hier zwischen hohen Felsen in dem merkwürdigen 30 bis 40 Fuß breiten und 64 Fuß tiefen Blautopfe, und treibt schon 30 Schritte von ihrem Ursprung 2 Mühlen.

Arnegg, Dorf, 367 Einw. Hier wird besonders feine Kochgerste bereitet. Herrlingen, 293 Einw., gute Papiermühlen, mit dem Schloß Ober = Herrlingen, auf einem Berge, dem Freiherrn von Bernhausen. Nellingen, Marktfl. 773 Einw. guter Feld= und Flachsbau, Leinwandweberey. Schelklingen, Stadt und Hauptort der ehemaligen Graff. Schelklingen, 853 Einw. Gutes Töpfer = Geschirr; Ruinen des Bergschlosses Muschenwang. Ursprung, ehemaliges Beneb. Kloster, wo die in die Blau gehende ach entspringt.

14) Oberamt Geißlingen. 6 1/2 QM. 22,189 Einw., Geißlingen OASt. und Post, in einem engen obstreichen Thaleinschnitte der Alp, und am Fuß einer hohen Steige, über welche die Straße nach Ulm führt, 2,015 Einw. Berühmte Drechslerwaaren, welche unter dem Namen der Geißlingerwaaren überall hin verkauft werden; Röthel = Bad, Kornmarkt, Papiermühle. Ruinen des Schlosses Helfenstein auf der Höhe, Stammsitzes eines einst angesehenen gräflichen Hauses.

Wiesensteig, Stadt, in einem stillen in die Alp einschneidenden Thälchen, am Ursprung der Fils, mit Schloß und Schloßgarten, 1,231 E. meist Maurer und Ipser, welche Winters entweder Spindeln drehen, oder mit Geißlingerwaare herumziehen. Ansehnliche Viehmärkte. Aufgehobenes Franziskaner = Kloster und Collegiatstift. In der Nähe liegen mehrere merkwürdige Burgruinen. Deggingen, Marktfl., in einer wildromantischen Lage; mit 1,490 Einw., besuchte Viehmärkte, Wasserfall. Eybach, in einem obstreichen Thalzinken, mit Schloß und 609 Einw., des Grafen v. Degenfeld. Hier, und weiter gegen den Rechberg, werden viele Tabakspfeiffenköpfe, — Ulmerköpfe — verfertigt. Böhmenkirch auf der Alp; 1,390 Einw. berühmte Wallfarths-Kirche zum heil. Kolmann, dem Patron der Pferde; Gr. Rechbergisch. Donzdorf, Marktfl., in einem fruchtbaren und obstreichen Seitenthale der Fils, 1,738 Einw.; großes Schloß und Schloßgarten, Rechb. Hohenstatt, ein sehr hochgelegenes Alpdorf, mit einer weiten Aussicht, 317 Einw. Gingen, 1,244 Einw., Kuchen, Marktfl. 952 Einwohner. Ueberkingen, an der Fils, 404 Einwohner, Badeanstalt. Weissenstein, Stadt, im Thale oberhalb Donzdorf, an einer hohen Steige, über welche der nächste Weg von Stuttgart nach Heidenheim führt; mit einem Schloß und 694 Einw. Rechbergisch.

15) Oberamt Kirchheim. 3 1/2 QM. 23,985 Einw. Kirchheim OASt. und Post, an der Lauter, unweit der Teck, 6 St. von Stuttgart, in einer schönen und fruchtbaren Gegend, 4,341 Einw. Die wohlgebaute Stadt enthält ein Königl. Schloß, eine Baumwollenzeugfabrik, Kartenfabrik, liefert viele Schreiner- und Dreherarbeiten, und hat einen ansehnlichen Kornmarkt, Wollenmarkt. Weilheim, St., mit einer alten merkwürdigen Kirche und 3,001 E. am Fuße des Limbergs, auf welchem noch Ueberreste der Zähringischen Burg Limburg zu finden sind, auf welcher Herzog Berthold I., der Anherr des Badischen und Teckischen Hauses 1078 starb. Aichelberg Flk. von Zell, mit den auf einem Vorsprung der Alp ge-

legenen Ruinen von Aichelberg, der Stammburg der ehemaligen Grafen von Aichelberg. Biſſingen an der Teck 1,431 Einw., Marmorſchleifen. Dettingen am Schloßberg, Marktfl. 2,004 Einw. am Anfang des ſchönen Lenninger Thals. Gutenberg, Marktflecken; am Ende des Thals, mit 530 Einw., in einer äuſſerſt maleriſchen Lage, von hohen Felſen umgeben, auf deren einem der Weiler Krebsſtein über einer ſenkrechten Wand liegt. Aus den Felſen bey Gutenberg bricht ein Arm der Lauter hervor. Zu Gutenberg gehört Schlattſtall, Weiler mit 207 Einw., in einem engen verborgenen Thaleinſchnitte, wo aus einer Felſenhöhle mit großem Getöſe im Innern des Gebirgs der andere Arm der Lauter hervoreilt. Viele Kirſchbäume. Unterlenningen, 669 Einw. mit den Ruinen des Schloſſes Sulzburg, auf einem Hügel mitten im Thale. Oberlenningen, Marktfl. 882 Einw. Längs des Gebirges hin zeigen ſich auf der Höhe die Ruinen von Sperberseck, Mansperg, Wielandſtein, Diepoldsburg, Rauber, Teck ꝛc. Die Stadt Owen, am ſüdlichen Fuſſe der Teck, 1559 Einw. Die Herzoge von Teck hatten hier ein Schloß und ihr Begräbniß, und es befinden ſich noch mehrere Denkmäler von denſelben in der Kirche. Die eigentliche Stammburg und Reſidenz lag auf dem Teckberge, einem Vorſprung der Alp, wo ſich noch verſchiedene Ruinen finden. Die ſchöne Burg, einſt eine der ſchönſten in Schwaben, und der Stammſitz der Herzoge von Teck wurde im Bauernaufruhr 1525 zerſtört. Der erſte Herzog von Teck war Adelbert, ein Urenkel Bertholds I. und Sohn Herzogs Conrad von Zähringen, geſt. 1152; der letzte war Ludwig, der als Patriarch zu Aquilea 1439 ſtarb.

Unter den Ruinen der Teck öffnet sich in einem Felsen das Sibillenloch, durch das einst ein unterirdi-
scher Gang bis Owen hinab geführt haben soll. An
der Teck bricht schöner Marmor. Der Boden um
Owen ist ausserordentlich fruchtbar, und es wird hier
besonders viel Welschkorn gebaut. Neidlingen, Mktfl.
877 Einw. in einem romantischen Thalgrunde, mit
Schloß, einst dem tapfern Wiederhold verliehen.
Schopfloch, auf der Höhe, hinter der Teck, 478 E.
nicht weit davon die Torfgrube.

16) Oberamt Göppingen. 5 QM. 28,478 Einwohner. Göppingen OASt. und Post, an der Fils,
9 St. von Stuttgart, 4,423 Einw. Die Stadt wurde, nachdem sie 1782 abbrannte, ganz neu und regelmäßig gebaut. Sie hat zwey Wollenbandfabriken,
eine Barchentfabrik, starke Hutfabrikation, Bleiche,
Papiermühlen, und in der Nähe eine Brunnen- und
Badeanstalt. Vor der Stadt steht noch die Kirche
von dem ehemaligen Chorherrnstift Oberhofen. In
der Stadtmauer wurde vor einiger Zeit das Hohenstaufische Wappen gefunden.

Hohenstaufen, Marktfl. mit 921 Einw. an dem
berühmten Bergkegel gleiches Namens, der einst die
Stammburg des großen Kaiserhauses der Hohenstaufen trug. Die Burg wurde um das Jahr 1079 erbaut, und 1525 im Bauernaufruhr zerstört, und
jetzt sind nur noch wenige Ueberreste davon vorhanden. Boll, 1,261 Einw., besuchtes Schwefelbad;
merkwürdige Versteinerungen. Ebersbach, Mktfl.
1,309 Einw. bedeutender Vieh- besonders Pferdemarkt.

Faurndau, 206 Einw. ehem. Stift; von Münchi-
sches Schloßgut Filseck. Ganslosen 468 Einw. Peit-
schenstöcke, Gesälze. Groß-Eißlingen, 1,102 Einw.

von Degenfeldsch. Ebenso Salach, mit 475 Einw. Baumwollenspinnerey, türkisch Rothfärberey. Hattenhofen 956 Einw. Schöner Marmor. Heiningen, Marktfl. 1,086 Einw. Im Jahre 1284 erhielt der Herzog Conrad von Teck von Kaiser Rudolph die Erlaubniß, Heiningen zu einer Stadt zu machen. Hochdorf, 762 E. Holzheim 540 E., dazu gehört der Weiler St. Gotthardt, wo viele Tabakspfeiffenköpfe mit künstlichem Schnizwerk verfertigt werden. Jebenhausen, 817 Einw. von Liebensteinisch, mit einem Schlosse und einem gehaltreichen Sauerbronnen, bei dem sich einst eine vielbesuchte Badanstalt befand. Klein-Eißlingen, D. und Fil. von Holzheim mit 814 Einw. Oberwälden 249 Einw. Ottenbach, 282 Einw. Reichenbach, 562 Einw. Schlath, 730 Einw. Schlierbach, 1,511 Einw. Uihingen, 759 Einw. Wangen, 532 Einw.

IV. Jartkreis.

94 QM. 14 Oberämter, 322,636 Einwohner.

Oberförstereyen.

1) Crailsheim.
2) Mergentheim.
3) Comburg.
4) Heidenheim.
5) Kapfenburg.
6) Ellwangen.
7) Schorndorf.
8) Lorch.

Cameralämter.

1) Beutelsbach.
2) Crailsheim.
3) Ellwangen.
4) Gaildorf.
5) Gmünd.
6) Hall.
7) Heidenheim.
8) Herbrechtingen.

9) Kapfenburg.
10) Lorch.
11) Mergentheim.
12) Oehringen.

13) Roth am See.
14) Schorndorf.
15) Schönthal.

1) **Oberamt Ellwangen**, 10 QMeil. 24,176 Einw. Ellwangen, Kreis= und OASt. und Post an der Jart, 22 Stunden von Stuttgardt, 2,300 Einw. Die Stadt, ehemals Hauptstadt der gefürsteten Probstey Ellwangen, hat mehrere ansehnliche Gebäude, ein schönes auf einem Berge liegendes Schloß, 8 Kirchen, worunter sich besonders die Hauptkirche und die zur heil. Maria von Loretto auf dem Schönenberg, so wie die ehemalige Jesuitenkirche, auszeichnen; ein Gymnasium, Zeichenschule, Spital, Zwangs=Arbeitshaus, ehemaliges Kapuzinerkloster, starken Pferdemarkt. Bühlerthann, 580 Einw. Schl. Thannenburg mit Marmorbrüchen. Lauchheim, St. 841 Einw. Synagoge. Pfahlheim, 555 Einw. Röhlingen, 489 Einw. Bei diesen Orten wurden kürzlich neue Ueberreste der Teufelsmauer aufgefunden. Unter=Schneidheim, 758 Einw. Ausserdem hat das Oberamt, das überhaupt noch zu den unangebautesten und unbevölkertsten gehört, wenig bedeutende, aber eine Menge kleiner Ortschaften, und im Ganzen 243 Dörfer, Weiler und Höfe.

2) **Oberamt Aalen**, 5 QM. 18,078 Einwohner. Aalen OASt. und Post am Kocher und dem Flüßchen Aal, 16 Stunden von Stuttgardt, 2,370 Einw. Die Stadt, ehedem eine Reichsstadt, hat bedeutendes Gewerbe in Wollenarbeiten, und namentlich eine Wollenbandfabrik, Eisenbergwerk. Abts=gmünd, 564 Einw., Königl. Hammer= und Zain=Ei-

fenwerk. Eſſingen, Marktfl. mit Schloß, 1,657 Einwohner, 3/4 von Wöllwarthiſch, 1/4 von Degenfeldiſch, Urſprung der Rems. Hohenſtadt, auf einem Berg, mit einer ſchönen Kirche, Schloß und Schloßgarten, 608 Einw. Des Gräfen von Adelmann. Oberkochen, 577 Einw. Urſprung des Kochers. Unterkochen, 781 Einw. Eiſendrathzug, K. Hammer- und Zain-Eiſenwerk, vorzügliche Papiermühle.

Waſſeralfingen, Dorf, 486 Einw. Bergwerk, K. Eiſenſchmelz- und Gußwerk von ausgezeichneter Art.

3) Oberamt Neresheim, 7 1/2 QM. 21,766 Einw. Neresheim, OASt. und Poſt an der Egge, 25 Stunden von Stuttgardt, auf dem Herdtfelde, 930 Einw. Das Städtchen gehört dem Fürſten von Oettingen-Wallerſtein; das ſchöne, auf einem Berge gelegene Schloß, ehemalige Benediktiner Abtey, mit einer vorzüglich ſchönen Kirche, hingegen dem Fürſten von Thurn und Taxis.

Bopfingen, ehemals Reichsſtädtchen an der Eger und am Rieß, 1,414 Einw. Gerbereyen, Wollen- und Leinwandwebetey. Aufhauſen, 617 Einwohner, Synagoge; Bergſchloß Schenkenſtein. Diſchingen, Taxiſcher Marktfl. 1,021 Einw., großes Reſidenzſchloß und Sommeraufenthalt auf einem Berge; dabei liegt Trugenhofen, 270 E., gleichfalls Taxis angehörig, mit einem Schloſſe, das von allen Gebäuden und Anlagen einer Reſidenz umgeben iſt. Auch zu Dutenſtein befinden ſich Anlagen und ein Taxiſches Jagdſchloß. Flochberg, 430 Einw. Wallfahrt und Ruinen eines feſten Schloſſes, in welchem 1150 der römiſche K. Heinrich von Herzog Wolf VI. belagert wurde. Baldern, Schloß, wovon die Grafſchaft Oettingen-Baldern ihren Namen hat. Kapfenburg,

Bergschloß und ehemaliger Sitz eines Land-Commenthurs mit 2 Kapellen. Die meisten Ortschaften dieses Oberamts gehören entweder Wallerstein oder Taxis.

4) Oberamt Heidenheim, 9 QM. 25,491 Einw. Heidenheim, OASt. und Post an der Brenz, 22 Stunden von Stuttgardt, über Weissenstein 16 Stunden mit 2,148 Einw. Drahtzüge; K. Eisenschmelzwerk, Cottonfabrik, Maschinenspinnerey in Baumwolle, Leinen- und Baumwollenzeug-Weberey, gute Bleiche und Papiermühle; berühmtes Töpfergeschirr, bedeutender Leinwandhandel, Schäfermarkt, Kornmarkt. Die Stadt war der Hauptort der ehemaligen Herrschaft Heidenheim, bei derselben liegen die Ueberreste des Schlosses Hellenstein.

Giengen, ein altes ehemaliges Reichsstädtchen an der Brenz, 1,786 Einw., Wollen- und Leinen-Weberey, Bleiche und Messerschmiedarbeiten; Gienger Wasser, Papiermühlen, Bad. Brenz, Marktfl. mit Schloß, 780 Einw. Dettingen, Marktfl. 1,259 Einwohner, Schloßgut Falkenstein und schöne Ruinen des alten Bergschlosses Falkenstein. Gerstetten, Mktfl. 1,250 Einw. Herbrechtingen, Mktfl. an der Brenz, 1,276 Einw. mit einem ehemal. Augustinerkloster.

Hermaringen, 748 Einw. Torfgräberey. Königsbronn, Marktflecken am Ursprung der Brenz, 1,126 Einw., Eisendrathzug, K. Eisenschmelz- und Hammerwerk, wozu Itzelberg gehört, ehemals Cisterzienser-Kloster. Mergelstetten, 628 Einw. und Nattheim mit 751 Einw. haben, wie überhaupt die Gegend, viele Eisenerze. Schnaitheim, 1,122 Einw. mit einem Schlosse, jetzt Sitz des Oberförsters. Sontheim an der Brenz, 1,049 Einw. Steinheim am Aalbuch,

2,318 Einw. Das Oberamt liegt großentheils auf dem Aalbuch, und zeichnet sich durch ansehnliche Ortschaften aus.

5) **Oberamt Gmünd**, 5 1/2 QM. 21,850 Einwohner. Gmünd, OASt. und Post an der Rems, 11 St. von Stuttgardt, 5,548 Einw. Die Stadt, eine ehemalige Reichsstadt, hat ansehnliche Kirchen, aufgehobene Klöster; ein Taubstummen-Institut; eine weibliche Industrieschule bei den noch übrigen Klosterfrauen zu St. Ludwig; eine Normalschule; vieles Gewerbe und Handel, besonders in Gold - Silber- und Bijouterie-Waaren, in Baumwollengarnspinnerey und Weberey, auch in Wachs - und Glas-Arbeiten, das aber alles seit einiger Zeit außerordentlich herabgesunken ist. Vor der Stadt in dem ehemaligen Nonnenkloster Gotteszell, befindet sich das Zuchthaus des Königreichs für männliche Sträflinge. Bartholomä, Marktfl. in einer der höchsten Gegenden des Aalbuchs, 787 Einw. Degenfeld, in einem wild-romantischen Thale, 319 Einwohner, Ruinen des Degenfeldischen Stammschlosses.

Heubach, St. an der Rems, 992 Einw. Baumwollenzeug - und Tücherfabrik. In der Nähe liegen die Ruinen von Rosenstein und der St. Bernhardsberg mit der Bildsäule des heil. Bernhards, einer Wallfahrtskirche und einem Beneficiathause. Rechberg, Hohenrechberg, Schloß mit Pfarrkirche auf einem sehr hohen Berge, der mit Hohenstaufen und Stuifenberg weit und breit hervorragt. Das Schloß ist der Stammsitz des alten und edlen Rechbergischen Geschlechts, und hat eine unvergleichliche Aussicht. Um den Rechberg her liegen die zu der Herrschaft gehörigen Orte, welche sich durch Spinnereyen und

Verfertigung von Holzwaaren, besonders Tabaks-
pfeifenköpfen, einen Theil ihrer Nahrung erwerben,
Waldstetten, 888 Einw. Hier werden besonders viele
Tabakspfeifenköpfe verfertigt.

6) Oberamt Schorndorf, 3 1/2 QM. 26,270
Einw. Schorndorf, OASt. und Post an der Rems,
7 St. von Stuttgardt, 3,543 Einw. Starker Weinbau, Tabaksfabrik, Teppichfabrik, Pfahlmärkte, Käse-
bereitung. Schorndorf war früher eine Vestung,
und wurde öfters belagert und eingenommen. 1688
griffen es die Franzosen an, wurden aber durch die
Entschlossenheit der Schorndorfer Weiber abgetrieben.
1360 wurden die Grafen, Eberhard der Grainer
(Zänker) und Ulrich IV. von K. Carl IV. bei
Schorndorf geschlagen.

Beutelsbach, Marktfl. 1,644 Einw. Ueber dem
Flecken stand einst die Burg Beutelsbach, und in demselben das Stift mit dem Erbbegräbniß der Grafen
von Würtemberg. Beide wurden 1311 zerstört. In
der Kirche hat sich noch ein Grabstein erhalten, der
das älteste würtembergische Wappen enthält. Von
Beutelsbach gieng der unter dem Namen des armen
Conrads (Keinrath) bekannte Aufruhr aus.
Gerabstetten im Remsthale, 1,452 Einw. Grunbach
im Remsthale, 1,337 Einw. Hundsholz, 680 Einw.
auf der Höhe gelegen, nebst Adelberg, einem ehemaligen 1178 gestifteten Prämonstratenserkloster. Ober-
Urbach, Mktfl. 1,961 Einw., Tabaksfabrik. Schnaith,
1,619 Einw., baut einen angenehmen Wein. Winterbach, 1,766 Einw. In der Nähe das Schloß En-
gelberg, ein ehemaliges Frauenkloster.

7) Oberamt Lorch-Welzheim, 5 QMeilen,
17,520 Einw. Lorch, Marktflecken und OASt. mit

Poſt, an der Rems, 10 St. von Stuttgardt, 1,499 Einw. mit einem von den Hohenſtaufen 1102 geſtifteten Kloſter; in welchem dieſe ihr Begräbniß hatten. In der Kirche finden ſich noch mehrere Denkmäler von denſelben. Auf dem Hügel, wo das Kloſter erbaut wurde, dem Liebfrauen= oder Marienberg, ſtand vorher ein Hohenſtaufiſches Schloß.

Welzheim, Marktfl. auf dem Welzheimer Wald, 1,260 Einw. vormals Hauptort der Herrſchaft Welzheim, nachher Oberamtsſitz und neuerlich wieder dazu beſtimmt. Starker Flachsbau; Flachsmarkt, Holzhandel, römiſche Alterthümer.

Alfdorf, Mktfl. 1,207 Einw. v. Holziſch. Plüderhauſen, Marktfl. 1239 Einw. Rudersberg, Marktfl. 1,102 Einw. Starker Flachsmarkt. Wäſchenbeuren, Marktfl. 1,017 Einw. mit dem Wäſcherſchlößle, der Wiege des Hohenſtaufiſchen Hauſes, von dem der Stammvater deſſelben Friedrich von Büren (Beuren), oder auch der Wäſcher genannt wurde. Sonſt hat das Oberamt viele Weiler und Höfe.

8) Oberamt Gaildorf, 6 1/2 QM. 20,748 Einw. Gaildorf, OASt. am Kocher, in einer waldigen Gegend, 12 St. von Stuttgardt mit 1,357 E. und 2 Schlöſſern. Hauptort der alten Grafſchaft Limpurg, welche jetzt unter mehrere Beſitzer, nemlich: 1) Würtemberg; 2) Waldegg = Pyrmont; 3) Pückler; 4) Solms; 5) Yſenburg = Büdingen = Meerholz; 6) Löwenſtein; 7) Colloredo=Mannsfeld, und unter dieſen zum Theil wieder unter mehrere Linien getheilt iſt. In der Stadtkirche befinden ſich Denkmäler der alten Grafen von Limpurg, welche hier ihr Erbbegräbniß hatten. Die Stadt und Gegend betreiben Baumwollen= und Flachsſpinnerey, Vitriol=

Bergwerke, Alaun und Potaschensiedereyen. Eschach, 433 Einwohner. Eutendorf, 402 Einw. Alterthümer. Frikenhofen, 136 Einwohner, dazu gehört Mittelbronn, Weiler mit einem Vitriol=Bergwerke. Geifershofen, 272 Einw. Gschwend, Marktfl. 545 Einw., starke Viehmärkte. Hausen an der Roth, 260 Einw. Michelbach, 338 Einw. Mittelfischach, 258 Einw. Münster, 350 E. Oberfischach, 205 E. Obergröningen, 144 Einw. Oberroth, 538 Einw. Ober=Sontheim, Marktfl. an der Bühler, mit einem beveftigten Schloffe, ehemalige Refidenz der Grafen von Limpurg=Sontheim, 1,161 Einw. Geburtsort Schubarts. Oedendorf, Marktfl. 228 Einw., neu angelegtes Vitriol=Bergwerk. Sulzbach am Kocher, 551 Einw. Holzfabrikate. Dazu gehört Schmidelsfeld, ein Bergschloß, vormals Sitz eines besondern Staabsamts, wovon die Herrschaft Schmidelfeld ihren Namen hat. Thonolzbronn, Pfw. 80 Einw. Unter=Gröningen, Marktfl. 844 Einw., starke Baumwollenspinnerey, auf einem Berge das Schloß Gröningen. Wichberg, 452 Einwohner. Auch in diesem Oberamt eine Menge Weiler und Höfe.

9) Oberamt Hall, 7 QM. 21,804 Einwohner. Hall, Schwäbisch Hall, OASt. und Post, ehemalige Reichsstadt, am Kocher, 16 St. von Stuttgardt, 6,324 Einw. Ansehnliches Rathhaus, große gothische Hauptkirche mit manchfaltigen Denkmälern und einem ungeheuern Mammuthszahn, der über 600 Pfund wiegen soll. Saline, von der die Stadt ihren Namen hat. Umgekehrt haben die Heller (Scheidemünze) von ihr den Namen. Viehzucht der Gegend, — Hallische Ochsen.

Groß-Allmorspann, 935 Einw. Ilzhofen, Stadt, 643 Einw. Michelfeld, 322 Einw. Landthurm, dergleichen sich mehrere um das ehemalige, mit einer Hecke umgebene, Reichsstadtgebiet herum befinden. Steinbach, nahe bei Hall, 831 Einw. Synagoge. Unter dem Dorf liegt Comburg, ehemaliges Ritterstift mit einer schönen Kirche, jetzt Invaliden-Anstalt. Vellberg an der Bühler, 483 Einw. Schloß; viele kleine Ortschaften, und darunter 66 Weiler und 35 Höfe.

10) Oberamt Oehringen, 6 QM. 26,534 Einw. Oehringen, OASt. und Post an der Ohr, Hauptstadt des Fürstenthums Hohenlohe-Oehringen und Residenz des Fürsten, in einer schönen fruchtbaren Gegend mit gutem Weinbau, 18 Stunden von Stuttgardt mit 3,037 Einw. Die Stadt ist wohl gebaut, hat besonders eine schöne Vorstadt, ein Schloß, schöne Gartenanlagen, eine ansehnliche Hauptkirche mit mancherlei Denkmählern und der fürstl. Gruft, zwei Bijouteriefabriken und sonst mancherlei Gewerbe. Auf ihrem Boden fand man wichtige Denkmäler von einer römischen Niederlassung. Oehringen ist jetzt der Hauptort der sämmtlichen Hohenloh. Fürstenthümer, welche zusammen ungefähr 80,000 Menschen enthalten, grossentheils gut angebaut und unter die Oberämter Oehringen, Künzelsau, Gerabronn, und zum Theil auch Mergentheim vertheilt sind. Das ehemals selbstständige, reichsunmittelbar Hohenlohesche Haus theilt sich dermalen in 6 Linien: 1) Hohenlohe-Oehringen. 2) Hohenlohe-Jaxtberg. 3) Hohenlohe-Kirchberg. 4) Hohenlohe-Langenburg. 5) Hohenlohe-Waldenburg-Bartenstein. 6) Hohenlohe-Waldenburg-Waldenburg. Neuenstein, Stadt und

vormalige Residenz einer Hohenlohischen Hauptlinie, 1,312 Einw. Zeugmacherey. Pfedelbach, Marktfl. 2,049 Einw., schönes Schloß, früher gleichfalls Residenz; fruchtbare obst= und weinreiche Gegend. Sindringen, Stadt am Kocher, 816 Einwohner. Gyps= Oehl= und Walkmühlen. Waldenburg, Stadt und Residenz des Fürsten von Hohenlohe=Waldenburg, auf einer hohen Bergspitze, 1,042 Einw. Forchtenberg, St. an einer Höhe über dem Kocher, 1,086 E. Kupferzell, Marktfl. mit Schloß und 1,056 Einw. in einer durch vorzüglichen Anbau, um den sich ein Pfarrer Mayer besonders verdient machte, ausgezeichneten Ebene an der Kupfer. Adolzfurth, Mktfl. an der Brettach, 540 Einw., Hammerwerk, guter Weinbau, Pulvermühle. Ernsbach, Mktfl. 735 Einwohner, Judenschule, Hammerwerk, Papiermühle. Kappel, Weiler bei Oehringen, mit einem schönen Lustgarten. Orendelsall, 209 Einw. Fil. Friederichsruhe, Weiler mit einem Lustschlosse und Gartenanlagen.

11) Oberamt Künzelsau, 7 QM. 28,207 Einw. Künzelsau, OASt. und Post am Kocher, zwischen hohen felsigen Bergen, 23 St. von Stuttgart, 2,500 Einw., Gerber, Schönfärber, Kupferschmiede, und außerordentlicher starker Verkehr mit Mastvieh. Ingelfingen, Stadt am Kocher, ehemalige Residenz und Hauptort der erloschenen Linie Hohenlohe=Ingelfingen, 1,400 Einw. Jartberg, Stadt an der Jart, Hauptort von Hohenlohe=Jartberg mit einem Schloß, 378 Einw. Niedernhall, Stadt, 1,485 Einw. Salzquelle, welche mit der Saline in dem benachbarten Dorfe Weisbach in Verbindung gesetzt ist. Alt=Krautheim, Marktfl. 361 Einw. des Für=

ſten von Salm=Krautheim. Berlichingen, 1,200 Ein=
wohner, Judenſchule, dem Freiherrn von Berlichin=
gen. Dörzbach, Marktflecken und Poſt, 1,209 Einw.
Schloß, Judenſchule, Kapelle zum heil. Wendelin
auf einem Felſen; dem Freiherrn von Eyb. Hohbach,
757 Einw. Synagoge, neue ſteinerne Brücke über
die Jart, große Linde, Gypsbrüche, Tuffſteine, Höh=
le, wildes felſiges Jartthal. Mulfingen, Marktfl.
819 Einw. Judenſchule, wie in den meiſten Orten
des Oberamts Schönthal, an der Jart, ſchöne ehe=
malige Ciſterzienſer=Abtey, jetzt eines der vier pro=
teſtantiſchen Seminarien, deſſen Vorſteher zugleich
Prälat und General=Superintendent iſt.

12) Oberamt Mergentheim, 7 1/2 QMeilen
25,547 Einw. Mergentheim, OASt. und Poſt an der
Tauber, mit einem großen Schloß, 30 St. v. Stutt=
gart, 2,400 Einw. Die Stadt, welche auch Mer=
genthal, und richtiger Marienthal genannt wird, war
vormals die Hauptſtadt des Deutſchmeiſterthums
und Reſidenz des Hoch= und Deutſchmeiſters, Lyceum,
reiches Spital, Viehhandel.

Weikersheim, Hohenlohiſche Stadt und ehemali=
ger Sitz einer Hohenlohiſchen Linie, mit Schloß und
Garten, 1,929 Einw. Nicht weit davon das Jagd=
ſchloß Karlsberg mit ſchönen Anlagen. Creglingen,
vormals Ansbachiſch, Städtchen an der Tauber,
1,169 Einw. Edelfingen, 919 Einw. Synagoge.
Elpersheim, 877 Einw., vorzüglicher Wein. Igers=
heim, 766 Einw. Synagoge. Laudenbach, 1,005 E.
Altes Schloß; Kirche mit dem alab. Grabmahl eines
Generals von Hatzfeld; Wallfahrts=Kapelle in ſchö=
nem Walde. Markelsheim, Marktfl. 1,097 Einw.
Synagoge, berühmter Wein. Naſſau, 632 Einw.

mit dem Hohenloheschen Jagdschloß und Hof Louis-Garde. Wachbach, 1,040 Einw. Synagoge, von Adelsheimisch.

13) Oberamt Gerabronn, 7 1/2 QM. 25,288 Einw. Gerabronn, Marktfl. und OASt. 26 Stunden von Stuttgardt, 537 Einw. Judenschule. Getraidebau, Viehzucht. Bartenstein, Stadt und Residenz des Fürsten von Hohenlohe-Bartenstein, 1,039 Einw. Kirchberg, Stadt und Residenz des Fürsten von Hohenlohe-Kirchberg, in einer durch Natur und Kunst schönen Lage, 1,306 Einw. Kunst- und Alterthums-Sammlung im fürstlichen Schloße, starke Obstzucht. Langenburg, Stadt und Residenz des Fürsten von Hohenlohe-Langenburg, an der Jaxt, 806 Einw. Großes befestigtes Schloß mit einem wichtigen Archiv; eine Stunde davon Ludwigsruhe, Fürstliches Landhaus und Hofgut mit Anlagen und einem Thiergarten. Blaufelden, Marktfl. und Post, 863 Einw. Michelbach an der Lücke, 629 Einw., Schloß und Judenschule, des Fürsten von Schwarzenberg, Tauberursprung. Niederstetten oder Haltenbergstetten, Stadt mit Fürstlich Hohenl. Schloß, 1,452 Einw. Roth am See, 427 Einw. Der See wurde neuerlich trocken gelegt; Fil. Musdorf, mit dem durch eine Wallfahrt entstandenen Muswiesen-Markt, welcher im Freien gehalten wird. Schrozberg, Marktfl. mit einem Hohenlohe-Oehringischen Schloß und Garten, 856 Einw. Vieh- und Getraidehandel.

14) Oberamt Crailsheim, 7 QM. 20,387 Einwohner. Crailsheim, OASt. und Post, an der Jaxt, im Virngrunde, einem sehr fruchtbaren Thale, 26 St. v. Stuttg., 2,681 Einw. Die Stadt, welche

vormals zu Ansbach gehörte, hat ein altes Schloß, eine ansehnliche Kirche mit einer Gruft, reiches Spital, eine Heilquelle, Wildbad, eine Fayence=Fabrik, Ziz= und Cotton=Fabrik, Manchester=Fabrik, Pulvermühle, und sonst mancherlei Gewerbe; Pfahlmarkt, starken Vieh= und Getraide=Handel ꝛc. Goldbach, 452 Einw., großes Schloß und Synagoge. Starke Obstzucht. Jagstheim, 878 Einw. Pferdezucht. Lustenau, Marktfl. 401 Einw. In der Nähe Schloß Tempelhof, dem Frh. von Enbringen. Onolzheim, 554 Einw. Unterdeuffstetten, D. 948 Einw. Die übrigen Oberamtsorte sind meist klein.

Erläuterung zu der Karte von Würtemberg in Beziehung auf die Vegetation der wilden Holzgewächse und der Betriebsart.

1) Verbreitung rücksichtlich der geognostischen Formation.
A. Laubholzgebiet.

Dieses bedeckt fast ausschließend sämmtliche Flözformationen, als:

1) den Zechstein;
2) den jüngern oder bunten Sandstein;
3) den Gryphitenkalk;
4) den Jurakalk;
5) das Flöztrappgebilde.

In dieser Formation folgen die Laubhölzer in Absicht ihrer Ausdehnung nach folgender Ordnung:

1) die Buchen nehmen bei weitem die größte Fläche weg;
2) die Eichen in zerstreuten Parzellen mehr in tiefern Gegenden; auf dem Jurakalk sehr wenig;
3) die Birken kommen in kleinern Schlägen überall vor;
4) die übrigen Laubhölzer bilden keine Schläge.

Ausnahmen.

Vom Schwarzwalde her haben sich die Nabelhölzer ziemlich weit herein über den Zechstein, den jüngern oder bunten Sandstein, den Gryphiten = und Jurakalk verbreitet. Der umgekehrte Fall kann nicht nachgewiesen werden.

B. Nabelholzgebiet.

Dieses erstreckt sich über sämmtliches Urgebirge, folglich über den ganzen Schwarzwald; ferner über das gesammte Schuttland zwischen der Donau, dem Bodensee und der Iller.

Nabelholzgattungen.

In den südlichen Gegenden ist die Fichte, in den nördlichen hingegen, worunter ausschließend der untere Schwarzwald begriffen werden muß, die Tanne bei weitem vorherrschend.

Die Forchen sind von sehr beschränkter Ausdehnung.

Die Buchen kommen in einzelnen Schlägen zwischen den Tannen überall vor.

Die Eichen bilden im südlichen Schwarzwald keine Schläge mehr, sondern kommen nur einzeln vor. Im nördlichen Schwarzwald bilden sie noch zusammenhängende Waldungen.

2) Betriebsarten.

No. 1. Lit. A. ist beinahe durchgehends dem Mittel= und Niederwaldbetrieb gewidmet. Lit. B. muß beinahe ausschließlich dem Hochwaldbetrieb gewidmet seyn, weil wenig Laubholz vorhanden ist, und selbst das wenige Laubholz als Hochwald größtentheils behandelt wird.

Ortsregister.

Wesentliche Druckfehler und Verbesserungen.

Seite 12. Lin. 8. statt: Gnaiße, lies: Gneis.
— 13. — 15. st. aus Granit, l. im Granit.
— 15. — 21. st. anzutreffen ist, l. angetroffen werde.
— 24. — 23. u. 24. st. theils durch Aufschwemmungen, theils durch örtliche Ursachen, l. durch den Absaß kalkhaltiger Wasser.
— 25. — 16. st. Aufschwemmung, l. Ueberschwemmung.
— 37. — 5. st. Auf der linken Seite, l. Auf der linken Seite ergießen sich in die Donau.
— 61. — 17. st. Hordeum distichum, l. Hordeum distichon.
— 64. — 1. st. welche sämmtlich, l. beide.
— 73. — 4. st. Holzwaldbestand, l. Hochwaldbestand.
— 76. — 5. st. Faune, l. Fauna.
— 83. — 13. st. Waasenmöhre, l. Waasenmöser.
— 83. — 16. st. schweren, l. (schwerern).
— 83. — 2. st. Holzschnitte, Holzscheute.
— 84. — 6. st. der sogenannten Rame, l. der sogenannten Raine.
— 89. — 25. st. um hohen Preis, l. zu hohen Preis.
— 111. — 4. st. hinlaufen, l. hinlaufen soll.
— 116. — 4. st. Truchtelfingen, l. Trochtelfingen.
— 119. — 8. st. todt liegende, Todtliegende.
— 128. — 4. st. Mößia, l. Messing.
— 129. — 11. st. dann wieder ꝛc., l. Auf ihn folgt der rothe Sandstein.
— 135. — 8. st. erziehen, l. erzeugen.

Altheim ... Bach
...oltingen   Obraumstettrhausen
Schwörzkirch   Dona...
bei Hedsfeld Ob.Piröhlins
...ingen   ...emorchuring
... Kastendort   Göppi...
Berg   Rie...
Griesingen
en   L   Nieder Kirlenhausen
...Kirchbierlingen   Unt.
...ngen   Sulme din
...   Ob.
... Engerkingen Scheiner
...dion   Altheim   Kirchheim
... M. Ebeuren   Walte...
...ven   Schemerin
...ven   Alberweiler   E...
...emanshart

9 781318 704286